Christine Géliot

Mel Bonis (1858–1937)

Christine Géliot

Mel Bonis (1858–1937)

Leben und Werk einer außergewöhnlichen Frau und Komponistin

Aus dem Französischen von Ingrid Mayer

für Yvette Domange

Titel der Originalausgabe: Mel Bonis. Femme et « Compositeur » (1858-1937)
Originalverlag: L'Harmattan, 2009
5-7 rue de l'Ecole Polytechnique, 75005 Paris, France

Bibliografische Information der Deutschen Nationalbibliothek
Die Deutsche Nationalbibliothek verzeichnet diese Publikation in der Deutschen Nationalbibliografie; detaillierte bibliografische Daten sind im Internet über www.dnb.de abrufbar.

Umschlaggestaltung: Astrid Stäber
Umschlagabbildung: Mel Bonis, 1877
Satz: Sabine Kemna
Druck: Druckwerkstatt Bräuning und Rudert OHG, Espenau
Gesamtherstellung: Furore Verlag, Kassel

Gemeinschaftsausgabe der Verlage Furore Verlag und euregioverlag, Kassel

www.furore-verlag.de

ISBN 978-3-927327-62-7 Furore Verlag
ISBN 978-3-933617-60-6 euregioverlag

Mit freundlicher Unterstützung des Kasseler Kultur Forums e. V., der Association Mel Bonis und der Übersetzerin

Dank

Mein Dank gilt allen Enkelkindern und Angehörigen der Familie von Mel Bonis, die ihre Erinnerungen mit mir geteilt haben, vor allem Michel Domange, Etienne Domange, Huguette Géliot, Yvette Domange, Marianne und Michel Quinet, Alain Duval, Bruno Domange – für die Genealogie – und ganz besonders danke ich Guy Brochot, der mir sein Leben mit seiner Großmutter eingehend geschildert und seiner ehrfurchtsvollen Bewunderung für sie Ausdruck gegeben hat. Marianne Quinet vertraute mir die aufschlussreiche Korrespondenz und die Gedichte ihres Großvaters Amédée Landely Hettich an. Die ursprüngliche Inhaberin der Rechte an allen Werken war Mel Bonis' Enkelin Yvette Domange. Sie überließ mir vertrauensvoll die Korrespondenz von Mel Bonis sowie das vollständige Notenarchiv, das in ihrem Besitz war. Mittlerweile hat sie mir als Urenkelin die Rechte übertragen.

Ebenso danke ich Michael Chrichton für den Verlag Alphonse Leduc und Jean-Louis Jolivet für den Verlag Henry Lemoine, sowie Arnaud de Rességuier, der mir den vollständigen Briefwechsel Mel Bonis' und ihrer Kinder mit den Musikverlagen überlassen hat, für ihren Beitrag zu meinen Nachforschungen über die Herausgeber zu Lebzeiten von Mel Bonis. Ich danke Eberhard Mayer, der uns 2005 viel zu früh verlassen hat, und seiner Frau Ingrid für ihre passionierten Nachforschungen und die immense Arbeit, die sie für Mel Bonis' Werk geleistet haben: Ihre Initiative war Auslöser für die Wiederentdeckung von Mel Bonis. Nicht zuletzt gilt mein Dank Laurent Martin, Pianist und ebenso talentierter wie unermüdlicher Korrektor der Neuausgaben ihrer Werke. Sein Festival de Vollore und Eberhard Mayers Ensemble Mel Bonis haben der Musik von Mel Bonis durch zahlreiche Aufführungen den Weg bereitet.

Einleitung

Mel Bonis ist der Künstlername von Mélanie Bonis, verheiratete Madame Albert Domange. Sie lebte von 1858 bis 1937, in einer Zeit also, die in unserer westlichen Welt von großen gesellschaftlichen Umwälzungen geprägt war.
Wenn ich mich heute entschieden habe, das Geheimnis zu lüften, das ihr Leben bestimmt hat, so bin ich sicher, dass ihre Enkel es mir verzeihen werden.
In dieser Geschichte, die sie bis zu ihrem letzten Tag und selbst darüber hinaus hat verheimlichen wollen, erschließt sich ihre Persönlichkeit in ihrer ganzen Widersprüchlichkeit, aber auch in ihrem Reichtum. Sie gibt Mel Bonis' Schicksal eine historische Dimension. Es wird deutlich, wie sehr ihre Entwicklung von den Moralvorstellungen ihrer Zeit geprägt worden ist und wie sehr sie darunter gelitten hat. Zugleich war dieses Drama die Quelle ihrer musikalischen Inspiration, die sie über jegliches Geschehen hinweg trug; es war die treibende Kraft für ihre schöpferische Arbeit, die sie über ihr Leid hinauswachsen ließ. Diesem Schaffensdrang, der reiche Früchte trug und ihr zu überleben half, haben wir es zu verdanken, dass Mel Bonis der Nachwelt ein großes musikalisches Werk hinterlassen hat.
Vor diesem Hintergrund war es für mich als ihre Urenkelin schwierig, mich an die strengen Grundsätze der Biographie zu halten, wie die Musikwissenschaft sie fordert, und ich habe der Versuchung nachgegeben, meine Personen lebendig werden zu lassen. Nur so konnte dieses Buch sowohl zur Geschichte eines Lebens werden, das mich tief berührt hat, als auch zur Darstellung eines Werks und seiner Konzeption.

Vorwort zur deutschen Ausgabe

Aus ihrer familiären, ihrer emotionalen und ihrer künstlerischen Verbundenheit heraus hat die Autorin ein Lebensbild ihrer Urgroßmutter geschaffen, das es erlaubt, uns mühelos in die Zeit zurückzuversetzen, in der das Werk der Komponistin Mel Bonis sich entwickelte. Sie hat sich in ihrer Darstellung nicht gescheut, ihrer Fantasie breiten Raum zu geben, konnte sich dabei aber zur Zeit der Abfassung dieses Buches auf unendlich viele überlieferte Familiengeschichten und Erinnerungen zahlreicher noch lebender Nachkommen der Familie Domange stützen. Auch die Tagebucheintragungen der Komponistin sowie die umfangreiche Korrespondenz, auf die sie zurückgreifen konnte, waren ihr wertvolle Quellen für die Annäherung an Leben und Werk ihrer Urgroßmutter. Bei weitem nicht alle Details der Darstellung dieses facettenreichen Lebens werden durch Hinweise und Anmerkungen dokumentiert. Seien wir dennoch dankbar, dass uns Christine Géliot diese Tür zum Verständnis des Werks einer außergewöhnlichen Komponistin geöffnet hat.

Leverkusen, im Juli 2014
Ingrid Mayer

Chronologie

1858, 21. Januar: Geburt von Mélanie Hélène Bonis, Tochter von Pierre Bonis und Anne geb. Mangin

1876, Dezember: Eintritt in das Conservatoire de Paris

1877: Conservatoire de Paris: 1. Accessit in den Fächern Harmonielehre und Klavierbegleitung (accessit = ehrenvolle Erwähnung, Auszeichnung für diejenigen Studierenden, die einem Preis nahe sind)

1879: Conservatoire de Paris: 2. Preis in Klavierbegleitung

1880: Conservatoire de Paris: 1. Preis in Harmonielehre

1881: Conservatoire de Paris: 1. Accessit im Fach Komposition; Komposition des *Impromptu* (Mein erstes Stück); im November Abgang vom Konservatorium

1883, 15. September: Heirat mit Albert Domange

1884: Geburt des ersten Kindes, Pierre Domange; Veröffentlichung erster Lieder (*Villanelle*, *Sur la plage*)

1888: Geburt der Tochter Jeanne

1889: Veröffentlichung der *Cinq pièces musicales pour piano* im Verlag Durdilly in Paris

1891: 1. Preis beim Wettbewerb ‚Piano Soleil' mit *Les Gitanos*, einem spanischen Tanz für Klavier

1893: Geburt von Edouard Domange

1894: Veröffentlichung des Lieds *Elève-toi, mon âme*

1897: Veröffentlichung der *Cinq pièces pour piano* beim Verlag Leduc in Paris

1897–1899: Veröffentlichung von 20 Klavierstücken in Einzelausgaben beim Verlag Leduc in Paris; Mitarbeit (Bearbeitungen) an den ‚Airs classiques', Sammlung Hettich für den Verlag Baudoux

1899: 1. Preis bei einem Wettbewerb der Société des Compositeurs (mit einem verschollenen Werk); Entstehung der *Suite en trio* für Flöte, Violine und Klavier

1899: Geburt der unehelichen Tochter Madeleine

1900: Veröffentlichung der *Suite orientale* beim Verlag Durand

1900–1905: Entstehung des *Quatuor en si bémol*

1903: erste Veröffentlichungen von Kammermusik beim Verlag Eugène Demets

1904: Veröffentlichung der *Sonate pour flûte et piano*

1905: Veröffentlichung der *Sonate pour violoncelle et piano*; Veröffentlichung und erste Aufführung des *Quatuor en si bémol* bei Mel Bonis in der Rue de Monceau in Paris

1906: A. L. Hettich wird Lehrer am Conservatoire; Veröffentlichung des Lieds *L'oiseau bleu*

- Februar: Uraufführung der *Sonate pour violoncelle* in der Société des Compositeurs mit Louis Feuillard, Violoncello, und Mel Bonis, Klavier
- April: Uraufführung der *Sarabande* für Orchester bei der Société Nationale de Musique (Salle Erard in Paris)
- Juni: Aufführung von Werken von Maurice Ravel und Mel Bonis in der Salle Berlioz in Paris: offizielle Uraufführung des *Quatuor en si b*, Klavierstücke und *Variations* für zwei Klaviere

1907: Uraufführung der *Suite pour harpe chromatique et instruments à vent* bei der Société Nationale de Musique (Salle Pleyel in Paris)

1909: Heirat von Pierre Domange und Renée, der Tochter des Herausgebers Fasquelle; Heirat von Jeanne Domange und Robert Brochot

1910: Uraufführung der *Fantaisie* für Klavier und Orchester bei den Concerts Colonne unter der Leitung von Gabriel Pierné im Théâtre du Châtelet in Paris

1912: Aufführung des *Quatuor en si b* im Rahmen der Concerts du Conservatoire

1913: Geburt von Guy Brochot, Mel Bonis' erstem Enkel

1914: Briefwechsel mit dem Domherrn Joubert wegen der Veröffentlichung ihrer Orgelstücke in der ‚Anthologie des Maîtres contemporains de l'orgue' im Verlag Maurice Senart; Mel Bonis kümmert sich nach dem Tod der Pflegemutter um ihre Tochter Madeleine; alle männlichen Mitglieder der Familie Domange werden eingezogen

1915: Aufenthalt im Kanton Waadt in der Schweiz, Entstehung des *Air vaudois* für Flöte und Klavier; Entstehung der *Cathédrale blessée* für Klavier

1916: Edouard Domange gerät in Kriegsgefangenschaft

1918: Tod von Albert Domange; Madeleine überlebt den Angriff der ‚Dicken Bertha' auf die Kirche Saint Gervais in Paris; Waffenstillstand und Rückkehr Edouards

1919: Uraufführung der *Sonate pour violon et piano* in der Salle Gaveau in Paris im Rahmen der Konzerte der Société Musicale Indépendante

1922: Veröffentlichung der *Sonate pour violon* bei Maurice Senart; Umzug in das Stadthaus am Boulevard Berthier; Erwerb der ‚Béguinage', des neuen Hauses in Sarcelles

1927: Veröffentlichung des *Quatuor en ré*, ihres musikalischen Testaments

1932: Tod von Edouard Domange; Entstehung des Klavierstücks *In memoriam*

1934: Entstehung des *Cantique de Jean Racine* für Chor, Orgel, Harfe und Tenor

1930–1937: Kompositionen für Orgel, Veröffentlichungen bei der Schola Cantorum in Paris und bei Carrara in Italien; Motetten und eine Messe für Chor; Mel Bonis lebt in Sarcelles

1937, 18. März: Mel Bonis stirbt in Sarcelles

Erster Teil

1858 – 1899

Für ......
Wie ein Herd die Wärme der Flamme bewahrt
Die seine Freude und sein Licht war
Wie ein Instrument in einer sanften Seelenferne
Noch klingen lässt, was es gesungen hat
So bewahre ich in mir, Gefangene des Traums
In dem mein trauriges Verlangen ihr Dauer gibt
Die Stunde, die ich an deiner Seite verbrachte.
A. L. Hettich

I.1
„Wenn ich Prinzessin wäre!"

Mel Bonis' Eltern leben bescheiden, aber nicht in Armut in der Rue Rambuteau 24 im 4. Arrondissement in Paris. Der Vater, Pierre Bonis, ist als Uhrmacher in der Stellung eines Vorarbeiters bei Bréguet angestellt. Der intelligente und sensible Mann findet die Zeit sich zu bilden und wird seine feinsinnige Art an seine Tochter weitergeben. Die Mutter, geborene Anne Clémence Mangin, Posamentiererin von Beruf, führt den Haushalt mit strenger Hand.
Das Ehepaar lebt in einer eher beengten Wohnung, deren Fenster zur Hofseite zeigen. Am 21. Januar 1858 kommt eine erste Tochter zur Welt: Sie erhält den Namen Mélanie Hélène. Mélanie bekommt zwei Schwestern. Der ersten wird sie ihr ganzes Leben lang nahe stehen. Die zweite, die sie sehr liebt, stirbt im Alter von zwei Jahren. Es ist der erste Schicksalsschlag in ihrem Leben.

In dieser Zeit der großen sozialen Umwälzungen, in der viele Menschen die ländlichen Gegenden mit ihren althergebrachten Denkstrukturen und Lebensgewohnheiten verlassen und die Stadtbevölkerung zunimmt, gelangt der Sozialismus zur Blüte, und in seiner Folge wächst die Kirchenfeindlichkeit. Es sind die sozial höher gestellten oder begüterten Schichten, die in den Städten die religiösen Traditionen aufrechterhalten. Statistisch gesehen geht die Zahl der praktizierenden Gläubigen zwar stark zurück, doch der Einfluss der Kirche auf das Bürgertum ist größer als je zuvor.
Für die Familie Bonis ist ihr tiefer Glaube in doppelter Hinsicht von grundlegender Bedeutung: Er bestimmt die Lebensweise der Familie und dient der Identifikation mit ihrem sozialen Status. Es ist ihnen wichtig, sich vom „gewöhnlichen" Volk abzugrenzen und den Kindern eine angemessene Erziehung zukommen zu lassen. Die Kinder der Familie Bonis sind wohlerzogen, machen einen Knicks, wenn sie Damen begrüßen und schweigen bei Tisch.

Mel Bonis' Schicksal ist nur verständlich vor dem Hintergrund religiöser Erziehungsideale in der bürgerlichen Gesellschaft des 19. Jahrhunderts. Religion ist für die Familie Bonis gleichzeitig Erbauung und Garant für Moral: „Das kleine Jesuskind mag es gar nicht, wenn du zu naschhaft bist… Lass es nie an Sittsamkeit fehlen, die dich so hübsch macht in den Augen unseres Herrn". Die Mutter liest ihren beiden Töchtern „L'Imitation pour les tout petits" vor, und sie lernen, dass die nützlichste aller Unterweisungen die des Katechismus ist, „weil der Katechismus, wie Jesus sagt, das einzige lehrt, auf das niemand verzichten kann: den Weg zum Himmel".[1]
Man geht jede Woche zur Beichte, betet morgens und abends und begeht eine Sünde, wenn man sonntags nicht zur Messe geht. Jede Gelegenheit ist zu nutzen, um an den lieben Gott zu denken. So spricht Jesus: „Du bist so gedankenlos, mein Kind, dass du mich an die Schwerhörigen erinnerst, die die Musik nicht hören, oder an die Blinden, die nichts von den schönen Dingen ahnen, die sich in ihrer Nähe befinden… Wenn du auf dem Lande spazieren gehst, läufst du den Schmetterlingen hinterher, du pflückst Erdbeeren und Blumen; aber du sagst dir nicht, dass es ohne mich weder Schmetterlinge noch Blumen gäbe; du denkst nicht darüber nach, dass Gott, der all dies geschaffen hat, allmächtig und gütig ist."[2]
Zu Hause werden die ‚richtigen' Zeitungen gelesen, wie die ‚Semaines religieuses'[3], aber auch ‚L'Illustration' und ‚Le Figaro'.[4]
In der Schule hat Mélanie keinerlei Schwierigkeiten, ein unruhiger Geist, aber voller Lerneifer, lebendig, selbstbewusst und zielstrebig.
Sie wächst heran. In den Gebetbüchern, die für Mädchen ihres Alters bestimmt sind, spricht Gott zu ihrem Herzen: „Junges Mädchen, Sie sind mehr als eine Prinzessin, Sie sind ein Kind Gottes. Sein Königreich wird das Ihre sein, wunderbar verwandelt werden Sie eines Tages dort einziehen, um sich des Glücks zu erfreuen, das nur er zu geben vermag. Alles, was Sie sich erträumen, ist nichts im Vergleich zu dem, was Sie erwartet: Sie werden so schön sein, so geliebt und selbst so voller Liebe! Ein Glanz, der nicht von dieser Welt ist, wird Ihr göttlich verwandeltes Wesen mit seinem wunderbaren Schmuck umhüllen, während ein unaussprechliches Glück Ihrem strahlenden Gesicht seinen lebendigen Ausdruck geben wird. Oh! Leben Sie in diesem Gedanken und bewegen Sie sich mit dem Gefühl dieser erhabenen Würde, die der Glaube Ihnen gibt, inmitten der irdischen Welt: …Wenn ich Prinzessin wäre! Ich bin mehr als eine Prinzessin hier unten auf Erden."[5] Mélanie liebt den Katechismus leidenschaftlich und geht ganz im Gebet zu Gott auf. „Ich war ganz durchdrungen von dem Geheimnis, das sich in mir erfüllen sollte", schreibt sie in Erinnerung an ihre erste Kommunion. In ihrem weißen Organdykleid, in einer Reihe mit den anderen Kindern,

den Blick auf den Ewigen gerichtet, sang sie für ihren Gott: „Ja, Gott wird der Gemahl meiner Seele".[6] In solchen Momenten gab es einzig Ihn und sie.
Das Bild von Gott als Gemahl erfüllt so von Kindheit an das Herz des jungen Mädchens aus guter Familie. Lange bevor sie weiß, worum es geht, wird sie vor den Schrecken des ‚Fleisches' und den Gefahren der ‚Sinnlichkeit' gewarnt. Sie lernt, dem Mann zu misstrauen, diesem Geschöpf der ‚Unzucht', vor dem man sie bis zur Ehe dadurch schützt, dass man sie niemals ohne Anstandsdame ausgehen lässt. Gott ist der ewige Liebhaber, rein und erhaben, nach dem sich das junge Mädchen in seinem Verlangen nach Vervollkommnung sehnt. Wie könnte ein Mann jemals einen Platz in diesem Herzen finden, das schon einem anderen gehört?

* * *

In der Rue Rambuteau gibt es ein Klavier. Da dieses Instrument die einzige Möglichkeit bietet, zu Hause Musik zu hören, gehört das Klavier zur Grundausstattung eines gutbürgerlichen Haushalts. Es ist ein weiteres Zeichen für den Aufstieg in die gute Gesellschaft. Aber niemand in der Familie Bonis spielt Klavier und nichts deutet darauf hin, dass die Musik in Mélanies Leben einmal eine Rolle spielen wird. Allerdings interessiert sie sich seit ihrer frühesten Kindheit für dieses Instrument. Wann immer sie kann, spielt sie darauf – ein geräuschvoller Zeitvertreib, der ihrer Mutter keine Freude bereitet. Aber der Widerstand spornt sie nur an. Je häufiger man den Klavierdeckel zuschlägt, desto heftiger wird Mélanies Verlangen zu spielen. Gleichzeitig hat sie Schuldgefühle, denn mit dem Gehorsam spaßt man nicht: „Ihre Eltern sind für Sie Stellvertreter Gottes; wenn Sie ihnen gehorchen, gehorchen Sie Ihm; und wenn Ihnen das Unglück widerführe, es an Respekt ihnen gegenüber mangeln zu lassen, würde diese Kränkung Gott selbst treffen." Die Strenge der Eltern ist ein Beweis ihrer Liebe, „denn sie opfert die so ersehnten Zärtlichkeiten dem wahren Wohl Ihrer Zukunft."[7]
Da die Mutter ihre Erziehungsaufgabe äußerst gewissenhaft wahrnimmt, bleiben Mélanie Zeichen liebevoller Zuneigung vorenthalten. Sie leidet darunter und dieses Leiden hat einen prägenden Einfluss auf die Entwicklung ihrer Persönlichkeit: „Kein einziges Mal in ihrem Leben hat mir meine Mutter ein Wort der Zuneigung gesagt."[8]
Das kleine Mädchen erhält keinen Musikunterricht und spielt dennoch immer häufiger Klavier. So lernt sie ganz von alleine, dem bescheidenen Instrument wunderbare Töne zu entlocken. Aus dem Gedächtnis spielt sie die Melodien, die jeder kennt, und die Lieder, die sie in der Schule lernt. Sie erfindet eigene

Melodien und in ausgelassener Fröhlichkeit bringt sie die Kinder ihrer Umgebung dazu, zu ihrer Musik zu tanzen. Ihr Ruf festigt sich, als sie sich bei einem Kindertanzfest, zu dem sie eingeladen ist, bereit erklärt, für die Klavierspielerin einzuspringen, die für das Fest verpflichtet worden war. Es ist ein großer Erfolg: Mélanie zeigt sich als richtige kleine Pianistin.
Am Ende des deutsch-französischen Krieges von 1870/71 ist Mélanie zwölf Jahre alt. Ihre Eltern wollen, dass sie Schneiderin wird. Sie wären allenfalls bereit, sie Verkäuferin werden zu lassen, aber keinesfalls Musikerin! Ohnehin ist für die Erziehung eines jungen Mädchens nur ein einziges Ziel denkbar: die Ehe – Mélanies Bestimmung ist es, eine ‚gute Partie' zu machen.
Doch einen Freund des Hauses Bonis beeindruckt Mélanies Begabung und ihre Begeisterung für das Klavierspiel bei jedem Besuch aufs Neue. Er kennt Musiker, er kennt einen Lehrer und er lässt nicht locker: Schließlich erhöht ein musikalisches Talent den bezaubernden Reiz eines jungen Mädchens; es ist eine zusätzliche Gabe, die sie in die Ehe einbringen kann. Das Argument greift. Madame Bonis ist schließlich damit einverstanden, dass Mélanie Klavierunterricht und eine musikalische Grundausbildung erhält. Bald schon überflügelt die Schülerin ihren Lehrer. Freunde und Bekannte erkennen ihre Begabung und die Eltern geben ihren Widerstand auf.
Wenig später, um 1872, zieht die Familie Bonis in die Rue Montmartre 18, nicht weit entfernt von der Basilika, deren Grundstein der Erzbischof von Paris, Monseigneur Guilbert, erst kürzlich geweiht hat.
Monsieur Mory, Kornettlehrer am Konservatorium und ein Freund der Eltern Bonis, verfolgt Mélanies Fortschritte mit Interesse. Mit 18 Jahren hat sie im Klavierspiel eine solide Technik erworben, sie spielt gut vom Blatt, ihr Spiel ist sicher, empfindsam und sorgfältig, vor allem aber improvisiert sie mit überströmendem Erfindungsreichtum.

Mélanie träumt davon, Orgel zu spielen. Durch erste Spielversuche weiß sie, dass dieses Instrument dank seiner polyphonen Möglichkeiten, seines Reichtums an Klangfarben und nicht zuletzt durch die Einbindung seiner Klangwelt in die andächtige Atmosphäre des Kirchenraums Quelle und ideales Medium schöpferischer Inspiration ist. Über die Orgel will sie Gott näher kommen. Sie weiß um die mystische Natur ihrer Inspiration.
Monsieur Maury stellt Mélanie seinem Kollegen César Franck vor, der die Orgelklasse am Konservatorium leitet. Sehr aufgeregt spielt die zukünftige Mel Bonis dem Meister vor und weckt das Interesse César Francks. Er nimmt sie als Privatschülerin für das Klavier an. (So erscheint sie ab 1876 auf der umfassendsten Liste der Schüler César Francks, veröffentlicht in ‚César Franck' von Joël-

Marie Fauquet, Paris 1999). Im November 1876 sorgt er dafür, dass sie am Konversatorium zugelassen wird, zunächst nur in den Fächern Begleitung und Harmonielehre, die belegt werden müssen, bevor man die Fächer Komposition und Orgel studieren darf.

I.2
Die Jahre am Konservatorium

Mélanie wird im Dezember 1876 in die Klasse für Harmonielehre und Klavierbegleitung bei Monsieur Guiraud aufgenommen. Gleichzeitig arbeitet sie weiter an ihrer pianistischen Ausbildung und belegt, wahrscheinlich auf Anraten César Francks, einen Kurs in Tonsatz und Kontrapunkt bei einem Lehrer namens Frumence.
In dem auf den folgenden Seiten abgebildeten Dokument mit dem Titel ‚Ein Tag im Leben von Mélanie Bonis', in dem ihr Lehrer Frumence erwähnt wird, berichtet sie von der Anfertigung von ‚Brücken', Übergangselementen, die das erste und zweite Thema des Allegro in einer Sonate verbinden. Dieses rasch entworfene Blatt gewährt einen Einblick in das facettenreiche Wesen des jungen Mädchens: Wir lernen den streng geregelten Ablauf ihres Tages mit seinen Gepflogenheiten kennen, wir spüren ihre Freude am Lernen, ihren Humor, ihre schelmische Fröhlichkeit und ihre ganze Frische und Jugendlichkeit.
Im Wissen um das Schicksal, das ihr bestimmt ist, liest man die scherzhafte Bemerkung am Schluss dieses Blattes wie eine Vorahnung: „Glücklicher Philosoph, zu seiner Zeit hatten die Frauen einen schlechten Charakter, 1879 haben sie gar keinen mehr."

* * *

Das Konservatorium befindet sich im Hôtel des Menus-Plaisirs, in der Rue Bergère. Für Mélanie beginnt dort ein spannendes Leben. Sie wird von der Elite ihrer Zeit sozusagen im ‚Allerheiligsten' unterrichtet. Die Zahl der Studierenden ist bereits hoch, aber noch kennt man einander. Unter den Professoren begegnet sie Napoléon Alkan, Alexandre Lavignac, Antonin Marmontel, Adolphe Danhauser, Jules Massenet, dem ihr immer noch wohlgesinnten César Franck und vielen weiteren herausragenden Persönlichkeiten, die der Nachwelt musikalische Werke und musikpädagogische Arbeiten hinterlassen haben, die heute noch im Musikleben eine Rolle spielen. Was die Schüler angeht, so pflegt sie besonders Umgang mit denen der Kompositionsklassen und den Sängern.

1877 erhält Mélanie eine erste Auszeichnung für ihre Leistungen in Harmonielehre und Begleitung in der Klasse von Ernest Guiraud. Zu Beginn des folgenden Semesters werden drei Klassen für Klavierbegleitung und fünf für Harmonielehre geschaffen. Im Fach Klavierbegleitung bekommt Mélanie Monsieur Bazille als Lehrer, in Harmonielehre und Kontrapunkt bleibt sie bei ihrem Lehrer Guiraud. Parallel dazu gibt es drei Kompositionsklassen und eine einzige Orgelklasse, die von César Franck, in die pro Jahr nur vier oder fünf Schüler aufgenommen werden. Zur selben Zeit wie Mélanie wechseln Schüler wie Alfred Bruneau, Lucien Grandjany, Gabriel Pierné, Ernest Chausson, Claude Debussy, Isidore Philipp und viele andere den Lehrer.

* * *

Während Mélanie auf dem Weg ist, Musikerin zu werden, reift sie auch zur Frau heran. Sie ist schön und hat ein ausdrucksvolles Gesicht, das von ihrer Willensstärke zeugt. Sie ist fröhlich, gelegentlich sogar ausgelassen, doch hat sie die Selbstsicherheit ihrer Kinderjahre verloren.

Ihre Mitschüler im Konservatorium schätzen sie. Im Umgang mit diesen Künstlern überwindet sie ihre angeborene Schüchternheit.

Man braucht ein wenig Vorstellungskraft, um sich ihre Begegnung mit dem Mann vorzustellen, der die große Liebe ihres Lebens werden sollte, Amédée Landely Hettich. Wir schreiben das Jahr 1879. Mélanie ist 21 Jahre alt und besucht im dritten Jahr die Kurse für Begleitung und Harmonielehre. Er, zwei Jahre älter als sie, hat sich gerade in der Gesangsklasse von Monsieur Masset und zusätzlich bei Monsieur Danhauser in der ‚musikalischen Grundausbildung[9] für Sänger' eingeschrieben. Die Sänger brauchen Begleiter, und so entstehen ganz natürlich Arbeitsbeziehungen zwischen den Schülern der beiden Klassen. Ist Mélanie hin und wieder als Begleiterin in die Gesangsklasse gebeten worden? Sind sie einander von Mitschülern bei einem Glas Wein in einem Café des Faubourg Poissonnière vorgestellt worden?

Sie arbeiten zusammen und finden immer häufiger Gelegenheiten sich zu treffen. Seiner äußeren Erscheinung nach ist Hettich auf den ersten Blick nicht besonders anziehend, jedenfalls nicht nach den für Sänger geltenden Bühnenmaßstäben – was seine ersten Auftritte nicht gerade begünstigt haben wird. Zur Zeit ihrer Begegnung ist er gesundheitlich anfällig, er ist groß, überschlank und blass, doch ein junger Mann mit Qualitäten. Als Sohn einer französischen Mutter und eines deutsch-italienischen Vaters spricht er mehrere Sprachen und beherrscht sie auch schriftlich hervorragend. Seine Bildung, vor allem auf musika-

Ein Tag im Leben der Mélanie Bonis

Une journée de Mlle Mélanie Bonis 18 rue Montmartre 18

— (le Soir) —

examen de conscience avant de se coucher (se frapper la poitrine trois fois)

Ce sont ceux qui ont le plus besoin d'indulgence, qui n'en ont pas pour les autres

pensée détachée d'une lecture faite pour s'endormir –

Il ne faut pas parler latin devant les cordeliers (Aristote)

— La Nuit —

Rêve du jeune élève songeant aux douceurs de la classe d'orgue

Dieu ! que c'est ennuyeux à faire les ponts !!!!!!

L'Aurore.

première pensée du jeune élève

Dieu ! que c'est ennuyeux à faire les ponts !!!!!

— Le Matin —

Préparation au travail avec des cris de joie

à bas les ponts Mélanie Bonis

pensée incidente et très agréable

O Frumence ! c'est toi que j'adore

(voir plus bas la chaumière et le cœur qu'on lui destine)

Continuation de l'enthousiasme –

à bas les ponts Mélanie Bonis

à bas les ponts !

L'enthousiasme touche au délire. tout est prêt on va commencer.

à bas les ponts Mélanie Bonis

à bas les ponts

(avant le travail)

cher Frumence, oui c'est là !!

(avant le travail)

18 rue Montmartre 18 rue Montmartre

(Frumence est légèrement sourd.)

oui c'est là ! –

18 rue Montmartre 18 rue Montmartre

18 rue Montmartre 18

— L'après-midi —

Confection du Pont.

(avec enthousiasme)

J'ai une idée !!! tra la la la la la la la la la la la la la la

A toi cette phrase

(Agitato molto con dolore)

Elle n'est pas bonne Oh la la la la la la la la la la la la la la

Je la reprends Frumence n'est pas digne de

(Allegro passionato e amoroso)

O bonheur j'ai fini

tra la la la la la la la la la la la la la la la la

Daigne accepter

Image de la fortune et de ses déceptions !

— Visite au Professeur. —

il est grand comme notre

Le Professeur d'une voix grave et en écoutant le pont :

« Ce sont les vases vides qui résonnent le plus »

Vexé de l'élève !! mais songeant qu'il l'a dédié à Frumence

il pense en lui même, et proteste aussi :

« Le loup trouve toujours une raison pour étrangler la brebis »

Mais complètement vexé il ajoute insolemment : (croyant le Professeur jaloux de son jeune talent)

Plus l'oiseau est vieux, moins il veut se défaire de ses plumes

Morale.

se rattachant de très loin à la confection des ponts :

Diseur de bons mots, mauvais caractère

Quoique au masculin cet aphorisme grec est à l'usage des deux sexes

l'histoire assure même qu'il a été inventé pour le plus faible

Heureux philosophe à son époque les femmes avaient le caractère mauvais en 1879 elles n'en ont pl

lischem Gebiet, ist umfassend. Hettich arbeitet für die Zeitschrift des Musikverlegers Escudier, ‚L'Art musical', für die er fast jede Woche einen Artikel in der Rubrik ‚Musikalische Plaudereien: Schubert, Schumann, Mendelssohn' schreibt. Da er zudem Konzertkritiken verfasst, schafft er sich so, mit erst 23 Jahren, ein dichtes Netz von Beziehungen und gewinnt so schon jetzt einen gewissen Einfluss im Milieu der in Paris lebenden Musiker.

Am Konservatorium wird er im ersten Jahr gut beurteilt. Aber recht bald schätzen ihn einige seiner Lehrer als überheblich ein – ist es Mangel an Unterwürfigkeit seinerseits oder Neid ihrerseits? Unter seinesgleichen ist er jedenfalls immer gern gesehen.

Er macht Mélanie den Hof – in allen Ehren. Sie schätzt seine Sensibilität und spürt ihre Übereinstimmung mit dem, was er denkt und sagt. Seine Stimme bezaubert sie, was er schreibt, rührt sie an.

* * *

Die Professoren des Konservatoriums sind gehalten, ihre Schüler einmal im Semester zu beurteilen. Welch einen Reichtum an authentischen Zeitzeugnissen stellen diese Berichte dar, die bis heute in den Pariser Nationalarchiven aufbewahrt werden! Im Juni 1880 urteilt Monsieur Bazille über den 18-jährigen Debussy: „Große Begabung. Guter Blattspieler, sehr bewegliche Finger. Könnte mehr arbeiten. Gut in Harmonielehre, etwas eigenwillig. Viel Initiative und Lebendigkeit." Von Bonis sagt er: „Sehr begabt, gute Musikerin, schöne Einfälle in der Harmonie. Spielt Orchesterpartituren gut vom Blatt. Leider zu ängstlich. Ich bin sehr zufrieden mit dieser Schülerin."[10] So entdecken wir in diesen vergilbten Heften, dass Debussy ein bisschen faul war und Mélanie Bonis unter Lampenfieber litt.

1879 erhält Mélanie den zweiten Preis im Fach Klavierbegleitung und verfehlt im Jahr darauf wegen ihres Lampenfiebers nur knapp den ersten. „Hervorragende Schülerin", schreibt ihr Lehrer im Januar 1881 noch einmal, „die Begabteste ihrer Klasse, aber die Angst lähmt sie."[11]

Ernest Guiraud, Rompreisträger, Komponist vor allem von Ballettmusik und Komischen Opern und Verfasser einer praktischen Abhandlung über Instrumentierung, ist zu seiner Zeit eine Kapazität. Jahr für Jahr beurteilt auch er seine Schülerin Bonis hervorragend: „Ausgezeichnete Schülerin, sehr intelligent." Man spürt es in einigen wieder gefundenen Briefen, dass er seine Schülerin sehr schätzte und dass sie für ihn Respekt, Bewunderung und eine fast kindliche Zuneigung empfand. Als Dank für ihre Neujahrswünsche schreibt er ihr am 3. Januar 1880: „„... In welche Verlegenheit käme ich, wenn ich Sie eines Tages als

Lehrer tadeln müsste, wenn Sie nicht zu denen gehörten, denen man immer nur Lob auszusprechen hat! Nochmals danke! Ich sende Ihnen meine besten Wünsche für ein gesegnetes und glückliches Neues Jahr; mögen Sie Ihre beiden ersten Preise so brillant erringen, wie alle Welt es erwartet, und seien Sie, liebes Fräulein, der aufrichtigen Zuneigung Ihres ganz ergebenen Lehrers und Freundes Ernest Guiraud versichert."

Im Juni 1880 erhält Mélanie den ersten Preis in Harmonielehre und Kontrapunkt, der einzige erste Preis, der in diesem Jahr in den fünf Klassen vergeben wird.
Zu Beginn des nächsten Studienjahres rückt sie in die Kompositionsklasse auf. Durch Zufall schlägt Ernest Guiraud denselben Weg ein: Er wird 1880 aufgefordert, seine Harmonielehreklasse an Monsieur Lenepveu abzugeben, um die Kompositionsklasse zu übernehmen, die durch den Weggang Victor Massés vakant geworden ist.
César Franck scheint Mélanie die Tür zur Orgelklasse geöffnet zu haben. Zwar erscheint ihr Name nicht auf den Klassenlisten, doch wird berichtet, dass „... sie den gregorianischen Gesang so gut begleitete, dass er sie fremden Besuchern, die gelegentlich an seinem Unterricht teilnahmen, als Vorbild hinstellte."[12] Für César Franck, der sich nichts so sehr wünschte wie eine Kompositionsklasse, war es eine große Enttäuschung, 1878 die frei gewordene Stelle von Monsieur Bazin nicht übernehmen zu dürfen. Da er mit größter Freude Improvisation in seiner Klasse unterrichtete, dürfte er die Kompositionsschüler seiner Freunde Massenet und Guiraud eingeladen haben, inoffiziell daran teilzunehmen. „Guiraud unterstützte dieses Vorgehen, das eine hervorragende Vorbereitung auf den Fugenwettbewerb darstellte und seinen Schülern ein gutes Abschneiden im Wettbewerb sicherte."[13] Für Vincent d'Indy war die Orgelklasse, deren Schüler er gewesen war, ‚die eigentliche Kompositionsklasse'. Wir können uns Mélanies Glück in der Orgelklasse ihres Lieblingslehrers ausmalen, „ein kleiner ansteigender Raum, halb in Dunkel gehüllt, in dem die schöne Stimme des Meisters wie eine dunkle Glocke erklang", schreibt Maurice Emmanuel, eine Stimme, die, wie wir bei Louis Vierne lesen, „körperliches Wohlbehagen verbreitete, eine gewisse geheimnisvolle Furcht aber nicht ausschloss." [14]

Brief ihres Lehrers Guiraud vom 3. Januar 1880

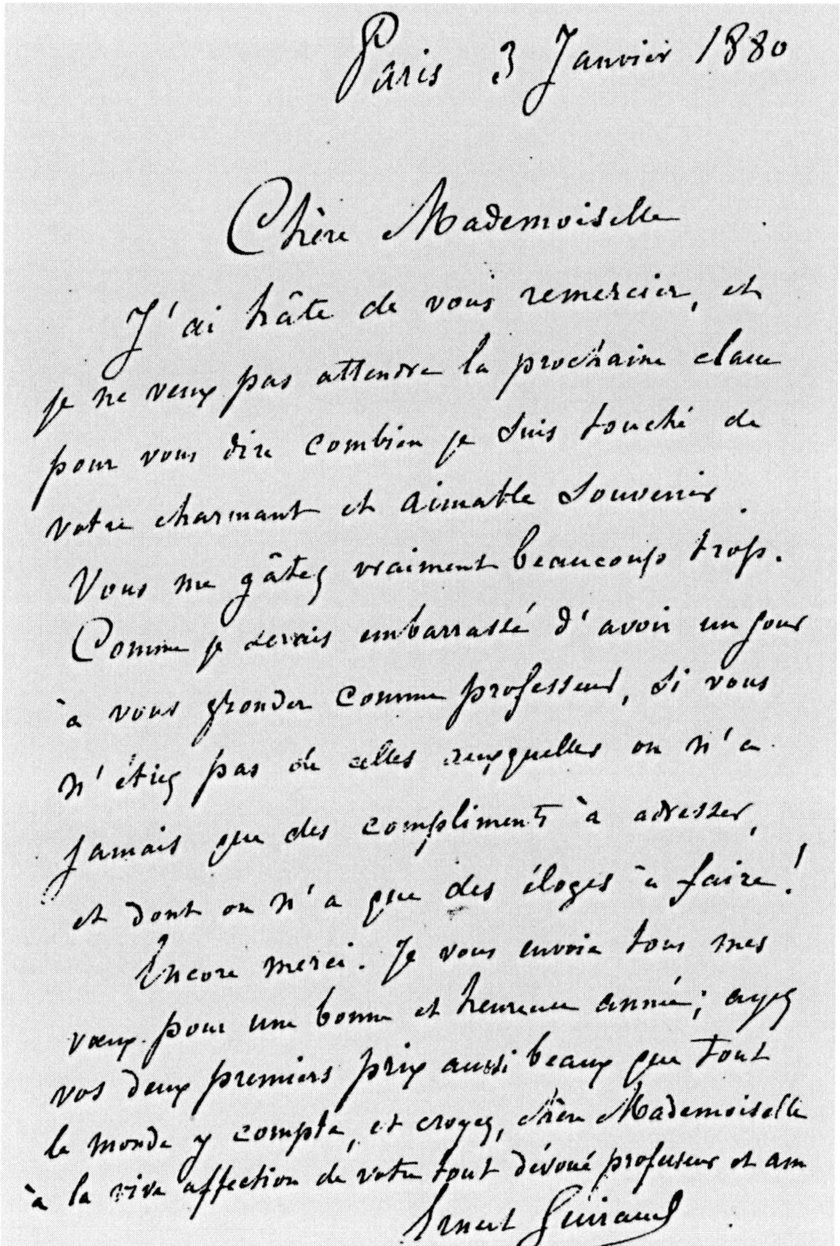

Paris 3 Janvier 1880

Chère Mademoiselle

J'ai hâte de vous remercier, et je ne veux pas attendre la prochaine classe pour vous dire combien je suis touché de votre charmant et aimable souvenir.

Vous me gâtez vraiment beaucoup trop.

Comme je serais embarrassé d'avoir un jour à vous gronder comme professeur, si vous n'étiez pas ou celles auxquelles on n'a jamais que des compliments à adresser, et dont on n'a que des éloges à faire!

Encore merci. Je vous envoie tous mes vœux pour une bonne et heureuse année; ayez vos deux premiers prix aussi beaux que tout le monde y compte, et croyez, chère Mademoiselle à la vive affection de votre tout dévoué professeur et ami

Ernest Guiraud.

Während Ernest Guiraud seine Kompositionsklasse eröffnet, sagt Monsieur Emile Descombes über den 13-jährigen Eric Satie, Schüler der Vorbereitungsklasse für Klavier: „Hat Klanggespür, Probleme, den Takt zu halten, recht begabt, aber sehr faul.“ [15] Und Monsieur Massenet, ebenfalls Kompositionslehrer, ist hoch erfreut über seine Schüler Bruneau, Grandjany, Pierné („Der wird es schaffen“) und Chausson („außergewöhnliche Anlagen, ein echter Künstler, ausgezeichnete Fähigkeiten“). Er schlägt sie alle vier für den Rompreis vor. Im Juni des folgenden Jahres verlässt Chausson das Konservatorium aus Ärger darüber, für den Rompreis nicht zugelassen worden zu sein, und Massenet setzt seine größten Hoffnungen nun auf Pierné.

Monsieur Guiraud seinerseits ist glücklich über seine beiden ‚Anfänger' in Komposition, Debussy und Bonis. Mélanie hat innerhalb weniger Monate ‚ihren Kontrapunkt abgeschlossen' und beginnt im Frühjahr ihres ersten Jahres mit dem Studium der Fuge. Bei der Prüfung im Januar 1881 beurteilt Théodore Dubois, Mitglied der Prüfungskommission, ihre *Romance sans paroles*[16] für Klavier mit einem schlichten ‚nicht schlecht' und ihren achtstimmigen Kontrapunkt für zwei Chöre als ‚gut geschrieben'. Beim Examen im Juni schreibt er: „Gute Fuge – klar, musikalisch, gut geschrieben“[17]. In Rekordzeit durchläuft sie ihr Lehrprogramm, und vielleicht denkt Guiraud daran, sie für den Rompreis vorzuschlagen. Aber ein Mädchen… Das hat es noch nie gegeben.[18]

* * *

Hettichs Studium verläuft weniger geradlinig als das Mélanies. Als er 1879 ins Konservatorium eintritt, gibt es acht Gesangsklassen mit jeweils zwölf Schülern, Männer und Frauen gemischt. Die Gesangsklassen haben ihre spezifischen Eigenheiten: Das Durchschnittsalter liegt mit 22 Jahren deutlich über dem der Instrumentalisten, viele der Schüler leiden unter immer wiederkehrenden gesundheitlichen Problemen, und häufig ist das Niveau in den musikalischen Grundkenntnissen so niedrig, dass Extraklassen, die ‚solfège chanteur'[19], eingerichtet werden mussten.
Monsieur Danhauser ‚erbt' eine dieser Klassen – ‚solfège messieurs' – und damit Hettich als Schüler. Im ersten Jahr setzt er große Hoffnungen in diesen gewissenhaften und intelligenten Schüler, der aber leider im zweiten Jahr selten am Unterricht teilnimmt. Danhauser beklagt sich beim Direktor, Ambroise Thomas: „Ich muss feststellen, dass ich in diesem Jahr nur Schüler in meiner Klasse habe, die kaum Noten lesen können.“[20] Von 16 Schülern nehmen nur vier an der Abschlussprüfung teil.

Wiederholte Mandelentzündungen hindern Hettich häufiger, als ihm lieb ist, am Unterricht der Gesangsklasse teilzunehmen. Dennoch bescheinigt ihm Monsieur Masset gute stimmliche Fähigkeiten: „Hat erhebliche Fortschritte gemacht. Er war in der letzten Zeit sehr krank und hat nicht so arbeiten können, wie er es gewollt hätte. Dieser junge Mann ist intelligent, betätigt sich bisweilen als Dichter und könnte ein bedeutender Sänger werden (Mühelosigkeit bei Stimmübungen).“ [21]

1881 äußert sich Monsieur Masset sehr positiv über seine gesanglichen Qualitäten; Hettich wird in die Opernklasse von Antoine Ponchard aufgenommen, und selbst Danhauser beabsichtigt, ihn zur Abschlussprüfung zuzulassen. Aber er widmet sich seinem Studium nicht intensiv genug: Er arbeitet immer noch für die Zeitschrift ‚L'Art Musical', eine Tätigkeit, mit der er seinen Lebensunterhalt verdient und die ihn fasziniert, gleichzeitig aber stark in Anspruch nimmt und ihn zwingt, intensiv an einem gesellschaftlichen Leben teilzunehmen, das mit seinen durchwachten Nächten der Stimme eines Sängers eher abträglich ist.

* * *

1881 ist ein wichtiges Jahr: ‚Mel Bonis' wird geboren. Jetzt beginnt Mélanie wirklich zu komponieren, die Improvisation gewinnt an Form, sie wird reicher durch die Techniken, die sie gelernt hat, und bildet so den Urgrund eines musikalischen Werks, das sie überleben wird.

Jeder weiß von ihrer Absicht, Komponistin zu werden, aber Mélanie hört von allen Seiten, dass eine Frau in dieser Domäne nie ernst genommen werden würde. Die Musiker in ihrer Umgebung kennen ihre Begabung und ihre Fähigkeit und wollen sie nicht entmutigen, aber sie wissen um die Schwierigkeiten, denen sie begegnen wird. Eine Frau kann Verkäuferin werden, aber nicht Chefin eines Unternehmens. Sie kann die erste Geige in einem Liebhaberensemble[22] spielen, aber kein Orchester leiten. So stimmen alle der Wahl des Namens ‚Mel Bonis' zu, ist es doch ein Pseudonym ohne eine typisch weibliche Färbung.

Die erste mit ‚Mel Bonis' signierte Komposition ist ein Klavierstück. Auf der Umschlagseite des Manuskripts steht: „Impromptu, mein erstes Stück, Mel Bonis 1881“[23]. Danach schreibt sie zusammen mit Hettich zwei Lieder nach Gedichten aus seiner Feder: *Villanelle* und *Sur la plage*[24].

Die Villanelle, eine Liedgattung der Renaissance, stammt aus Neapel und gehört zum leichten Genre. Sie umfasst mehrere Strophen, die nach derselben Melodie gesungen werden und durch den Refrain voneinander abgesetzt sind. Die *Villanelle* von Hettich und Mel Bonis hat drei Strophen, die in Wort und Musik die

unbeschwerte Freude ihrer Liebe zum Ausdruck bringen. Sie ist dem großen Tenor Talazac gewidmet. Die Melodie bringt die Stimme gut zur Geltung und prägt sich dem Gedächtnis ein. Die Klavierbegleitung bereichert sie mit melodischen Einfällen und Harmonien, die zwar nicht überraschen, aber doch ungewöhnlich sind.
Der folgende Auszug aus dem Gedicht lässt die Stimmung spüren, die es beherrscht:

„Hier kommt die sanfte Jahreszeit
In der die Vögel sich zusammentun
Ohne zu wissen, was sie treibt
Doch zärtlicher und fröhlicher
Lass deine Seele ihre Flügel öffnen
Und wie sie mit dem Frühling…"

Hettich ist weit davon entfernt zu ahnen, was die Zukunft ihnen bringt, als er, natürlich im Gedanken an Mélanie, den Refrain schreibt:

„… Gib dich ganz der Liebe hin, du bist so schön
Und man kann nur eine kurze Weile lieben"

Das zweite Lied, *Sur la plage* (Am Strand), ist für Bariton geschrieben und dem Sänger der Opéra-Comique Cobalet gewidmet. Mit ‚Strand' verband sich damals vor allem die poetische Vorstellung eines Ortes, an dem Land und Meer sich berühren. Schwer und getragen im Stil, ist dieses von der Romantik geprägte Lied Ausdruck der innigen Liebe, die Dichter und Komponistin verbindet. Entsprechend findet sich in Begleitung und Melodie die Empfindung der Verse wieder:

„… Der Himmel strahlte von funkelnden Sternen,
Die Welle zu unseren Füßen erstarb lautlos…"

„Willst du, Liebste, so sprach ich zu ihr,
Willst du hier lieben bis zum Tod? …"

1881 kennen sich Hettich und Mel Bonis drei Jahre. Da Mélanies Schritte streng überwacht werden, sehen sich die jungen Leute nur im eng begrenzten Rahmen ihrer Arbeit. Hören wir, was die beiden über ihre Kunst sagen:
Hettich schreibt (‚L'Art musical', 12. Oktober 1877): „Plötzlich (ich war gerade

zwölf Jahre alt) stiegen die Akkorde eines Klaviers zu mir auf. Es war ein Präludium, langsam und traurig wie das Echo einer Klage. Eine Stimme antwortete auf dieses Echo, eine Frauenstimme. Diese Stimme hatte keine andere Kraft als ihren Ausdruck, keinen anderen Ausdruck als ihre Schwermut… Bis zu diesem Augenblick hatte mir niemand gesagt, dass Musik eine Sprache ist; nie hatte jemand in dieser Sprache zu mir gesprochen… Die Stimme sang noch immer. Ich hätte die Ursache meiner tiefen Bewegung nicht benennen können; dennoch: Ich war bewegt. In meiner Seele spürte ich ein unbekanntes Erschauern. Meine Vorstellungskraft verriet mir eine Sehnsucht, derer ich nicht mehr Herr war: Die Musik machte mich zum Mann. Seit diesem Tag widmete ich mich ihr mit Leidenschaft.“

Mélanie schreibt: „Ich möchte die zugleich beängstigende, quälende, aber auch beglückende Stimmung beschreiben, in die mich die Musik versetzt – die, die ich liebe – ich müsste es können, so oft habe ich dieses Gefühl, heftig bis zum Schmerz, schon erlebt, selbst als ich noch ein Kind war (eigentlich vor allem als Kind). Es war wie ein Ringen um die Sehnsucht nach Glück, eine Anspannung, in der das ganze Sein, das ganze Herz nach etwas strebten, das uns zulächelt und sich uns zugleich entzieht.

Die Musik, diese göttliche Sprache, ist Ausdruck aller Schönheit, aller Wahrheit, aller Inbrunst. Das Ziel unserer unstillbaren Wünsche nimmt Gestalt an; es streckt uns die Arme entgegen und ist dennoch fern, sehr fern, und wir erreichen es nicht. Es ist, als ob wir an der Schwelle eines Paradiesgartens stünden, wo alles Licht und Duft ist, ein Ort der Erquickung, von dem wir wissen, dass wir ihn nie betreten werden. Da schnürt das Herz sich zu, die Augen schwimmen in Tränen, und das Gebet bricht hervor, unaufhaltsame Erhebung der Seele zu Gott, so nah, so fern! ...“ [25]

Tief in ihrem Herzen wartet Mélanie auf den Augenblick, da Gott ihre Verbindung mit dem Mann ihres Lebens und ihrer Kunst segnen wird. Tag für Tag, Monat für Monat betet sie, und bringt Hettich dazu, es ihr gleichzutun, obwohl Beten nicht zu seinen Gewohnheiten gehört.

Er ist 24 Jahre alt, sie 22. Sie sind im heiratsfähigen Alter. Zwar hat er in allen seinen Abschlussprüfungen versagt, doch träumt er immer noch davon, Opernsänger zu werden. Sein Lehrer, Monsieur Ponchard, glaubt indes nicht mehr daran: „Intelligenterer Schüler, als es den Anschein hat“, schreibt er, „aber… eine antitheatralische Natur“.[26] Im Gesang sieht es so aus, als könne er ein Diplom erwerben, Monsieur Masset ist des Lobes voll für ihn; aber die Grippe sucht ihn zur Unzeit heim, und so fällt er in der Gesangsprüfung ebenso durch wie im Fach Komische Oper. Und was die Prüfung im ‚Solfège’ anbelangt…

Obwohl sich ihm die Möglichkeit bietet, beruflich nach Italien zu gehen, nimmt er sich noch ein Jahr Zeit, um den ausgezeichneten Unterricht am Pariser Konservatorium zu nutzen.
Zum Semesterbeginn 1881 entschließt er sich, bei Mélanies Eltern um ihre Hand anzuhalten: Beide würden noch ein Studienjahr in Paris verbringen, im Sommer heiraten und dann nach Italien gehen.

* * *

Aber die Eltern Bonis, die schon einer musikalischen Laufbahn im Allgemeinen ablehnend gegenüber stehen, misstrauen Sängern ganz besonders.
Hettich wird abgewiesen.[27]
Mélanie muss das Konservatorium umgehend verlassen, damit sie diesem unerwünschten Verehrer nie wieder begegnet. Während ihre Lehrer noch auf eine Wende hoffen, bleibt Madame Bonis unerbittlich, und im November muss Mélanie endgültig ihren Abschied nehmen.
Hettich verspricht zu schreiben, sein Studium erfolgreich zu Ende zu führen und Mélanie später wieder zu treffen. „Einige Monate lang schrieb er mir liebevolle Briefe, die bewiesen, dass er mich nicht vergessen hatte, dann hörte ich lange Monate nichts mehr."[28]
Mélanie ist verzweifelt: Ihre Liebe steht nicht unter Gottes Segen. Sie verschreibt sich ihr dennoch mit Leib und Seele.
Kraft zum Überleben findet sie in der Musik. Da jedoch für die Eltern die Musik ebenso wenig Bedeutung hat wie die Liebe, kommt es im Hause Bonis Tag für Tag zu Kämpfen. Zwischen Tränen und Zorn sucht Mélanie einen Weg in die Unabhängigkeit. Sie findet eine normale Beschäftigung als Verkäuferin oder Schneiderin – die Erinnerungen der Nachkommen sind hier widersprüchlich – und beginnt ihren Lebensunterhalt zu verdienen. Die Eltern Bonis ihrerseits sind auf der Suche nach einem ernsthaften Heiratskandidaten. Mehr als einen haben sie bereits abgewiesen.

* * *

Hettich setzt sein Studium am Konservatorium fort, doch die Zeitung nimmt ihn mehr und mehr in Anspruch. Er ist häufig abwesend, macht keine Fortschritte im Gesang und verwendet, wie Monsieur Masset meint, zuviel Energie auf die Opéra comique, das Fach, für das er nach allgemeiner Auffassung nicht geeignet ist. Enttäuscht schreibt sein Lehrer, dass „er viel Erfolg in der Gesellschaft" habe.[29]

Im Juni 1882 erhält Hettich endlich ein Premier Accessit[30] in Gesang und eines im Fach Opéra comique. Er verlässt das Pariser Konservatorium und geht nach Italien, wo ihn eine Arbeit, neue Lehrer – kurz, ein neues Leben – erwarten. Bald heiratet er eine Konzertharfenistin, eine blonde Polin mit Namen Françoise Frédérique Joconde Amélie Brabovski – vermutlich aus Pflichtgefühl. Ihr Kind soll kurz nach der Geburt gestorben sein, sie sollten keine weiteren Kinder bekommen.

* * *

Sommer und Herbst gehen vorüber. Zu Beginn des Jahres 1883 tritt die dritte Hauptperson dieser ungewöhnlichen Geschichte auf den Plan. Gemeinsame Freunde stellen den Bonis einen Herrn vor, der passen könnte: Albert Domange. „Zweimal verwitwet und Vater von fünf Söhnen, in der vollen Blüte seiner 47 Jahre, sucht Albert Domange zum dritten Mal eine Frau“, schreibt etwa 100 Jahre später sein Enkel Michel Domange.[31]

Für Mélanie ist er ein alter Mann, nicht eben groß gewachsen, und in jedem Falle verabscheut sie ihn, weil er nicht der ist, den sie liebt – sie kann und mag ihn sich nicht ansehen. Die Familie versucht sie umzustimmen: Wenn du wüsstest, was für lebendige Augen er hat, welche Intelligenz, welcher Charme aus seinen Fotos spricht! … Außerdem ist er, wie man gerne sagt, ein ‚netter Kerl', was soviel heißt wie: ein sympathischer Mensch, dynamisch und stets gut gelaunt. Er hat sich aus eigener Kraft hochgearbeitet, hat es zu etwas gebracht – und freut sich jeden Morgen über seinen Erfolg. Er ist stolz darauf und trägt seine Zufriedenheit zur Schau: Zu jener Zeit ist ein reicher Mann ein angesehener Mann und dies nicht zu verbergen ist von Vorteil.

Mélanie hat ihre Heiterkeit verloren. Eines schönen Tages erklärt sie dann doch mit gewinnendem Lächeln: „Da man mir die Liebe verbietet, nehme ich eben das Geld!“[32] Sie gibt den Verkauf von modischen Accessoires auf (oder war es ihre Arbeit als Schneiderin?), um sich ihrer Aussteuer zu widmen.

Am Abend vor der Hochzeit – so müssen wir uns das wohl vorstellen – nimmt ihre Mutter sie beiseite und gibt ihr, wie jede Mutter zu dieser Zeit und in diesem Milieu es getan hätte, letzte Ratschläge mit auf den Weg: „Morgen wirst du mit deinem Mann schlafen“, sagt sie zu ihr. „Du wirst alles tun, was er von dir verlangt, denn das ist der Wille Gottes. Aber mach dich auf das Schlimmste gefasst!“

Und so heiratet Mélanie am 15. September 1883 Albert Domange.

I.3
Madame Domange

Acht Tage vor ihrer Hochzeit nimmt Mélanie in der Pfarrgemeinde ihrer Mädchenzeit an Einkehrtagen teil, die ihr helfen sollen, ihren Seelenfrieden wiederzufinden. Sie dankt Gott, dem Allmächtigen, dem ‚Allliebenden', dass er ihr einen Gatten schenkt, der von ihren Eltern, also von Ihm, für sie ausgewählt wurde. Sie fügt sich der göttlichen Weisheit und nimmt sich vor, ihren Ehemann zu achten und ihm zu dienen. Das Schicksal hat sie an diesen Mann gebunden, es ist der Wille Gottes, ein Wille, der seine Wurzeln in nichts anderem hat als in der Liebe. Sie wird ihm Kinder schenken, die sie dazu erziehen will, an Gott zu glauben, Ihm zu dienen und Ihn zu ehren. Sie sieht es als ihre Pflicht an, ihre Rolle als christliche Ehefrau an der Seite ihres Mannes gewissenhaft wahrzunehmen: Neben der Verantwortung für den Haushalt und die Erziehung der Kinder wird sie Albert Domange Tag für Tag helfen, seinen Glauben zu stärken, ihn dazu anhalten, die Pflichten eines guten Katholiken zu erfüllen, und versuchen, ihn auf den Weg der Lauterkeit zu führen.

Die Hochzeit mit einem zweifachen Witwer wird wohl im engsten Familienkreis auf dem Land gefeiert worden sein, vielleicht in der Kirche von Sarcelles, die auf einer kleinen Anhöhe gegenüber dem Anwesen der Domanges liegt. An diesem 15. September 1883 tritt eine lächelnde Braut aus der Kirche und bleibt vor dem Kirchenportal an Alberts Arm stehen. Das junge Paar schüttelt Freunden und Nachbarn die Hand und hat für jeden ein freundliches Wort. Zu einer Dame, die geduldig wartet, bis die Reihe an ihr ist, sagen sie höflich: „Wie nett, dass Sie gekommen sind!" Da entgegnet diese freudestrahlend: „Ich habe schon die beiden ersten Hochzeiten von Monsieur miterlebt, da werde ich doch die dritte nicht verpassen!!"[33]

* * *

Die jungvermählte Ehefrau ist gerade einmal 25 Jahre alt und trägt schon die Verantwortung für ein luxuriöses Stadthaus in der Rue de Monceau 60 in einem neu in der ‚Plaine Monceau' entstandenen Stadtviertel, für ein Landhaus in Sarcelles, das sich mitten in der Natur über mehrere Dutzend Hektar erstreckt, und für eine vierstöckige Villa an der Küste in Etretat. Verantwortlich ist sie zudem für fünf Jungen zwischen 17 und drei Jahren, acht Hausangestellte (einen Hausmeister, einen Stallburschen, einen Butler, einen Koch, eine Kammerfrau, einen Kammerdiener, eine Erzieherin und eine Gouvernante) und schließlich auch für einen Mann, den sie immer noch nicht ansehen mag.

Mélanie Bonis und Albert Domange

Das Haus in der Rue de Monceau war hübsch eingerichtet mit „Orientteppichen und zeitgemäßen Möbeln, zu denen Ledersessel im englischen Stil passten… Die Kunstgegenstände, die Statuen, die Bilder trugen die berühmt gewordenen Signaturen von Falconnet, Boudin, Fantin Latour… Viele dieser Kunstwerke hatte der Hausherr in den Ateliers der bis dahin noch unbekannten Künstler anfertigen lassen… Auch seine Weine und Spirituosen kaufte der Hausherr gerne direkt beim Erzeuger, am liebsten im Bordelais und in der Charente. Im Grunde genommen war er vor allem ein Menschenfreund, der nicht anders konnte als hinter den Dingen, die er schätzte, den Menschen zu suchen. Er war in seiner positiven Lebenseinstellung und seiner umgänglichen Art überzeugt, dass gute Dinge nur von guten Menschen hergestellt werden könnten.“ [34]
Albert findet seine junge Frau sehr zurückhaltend. Er hat sich in Mélanies jugendlichen Charme verliebt und schreibt ihre ablehnende Haltung ihrer Unerfahrenheit zu. Er ist Optimist und ist sich sicher, dass er sie erobern wird. Er hat den Frauen immer gefallen. Warum sollte Mélanie nicht voller Bewunderung und unendlicher Dankbarkeit sein für den, der sie aus ihren Verhältnissen befreit hat?

Was es bedeutet, aus seiner sozialen Stellung befreit zu werden, weiß Albert: Als einziger Sohn eines Intellektuellen, dessen berufliche Laufbahn sich auf eine Stelle als Sekretär an der medizinischen Fakultät von Paris beschränkte, stammte er aus einem nicht gerade mit Reichtümern gesegneten bürgerlichen Milieu. Zum großen Kummer seines Vaters ist er im Studium wenig erfolgreich. Mit 22 Jahren, bei dessen Tod, besitzt er nichts außer seinem Selbstvertrauen, seiner Vitalität und seinem Lächeln. Dieses Kapital an Sympathie setzt er geschickt ein und hat damit mehr Erfolg, als je zu erwarten gewesen wäre. Sein Onkel Jacques, von Beruf Senkgrubenentleerer, ein in der Familie Domange hoch angesehener Mann, suchte eine Stelle für ihn. Er stellte ihn einem seiner Freunde vor, der ein kleines Unternehmen in der Lederindustrie hatte. So trat Albert am 18. April 1858 in die Firma Scellos ein. Zu dieser Zeit hatte das Unternehmen nur etwa zehn Beschäftigte, ließ aber schon eine glänzende Zukunft erkennen. Alberts Chef, Monsieur Scellos, hatte keinen männlichen Erben. Nach einigen Jahren hatte er die Dienste und die Fähigkeiten des jungen Mannes so schätzen gelernt, dass er ihm die Hand seiner Tochter Henriette anbot. Zusammen mit seinem Schwiegervater verstand es Albert, sich die Entwicklung der Dampfmaschine zunutze zu machen, um große Mengen von Lederriemen zu verkaufen. Im Zuge der allgemeinen industriellen Entwicklung brachte er Handschuhe, Lederwaren aller Art, Ansatzstücke und Dichtungen aus Leder, Riemen für Textilmaschinen und Ähnliches auf den Markt und passte sich so dem neuen Bedarf an. Mit unermüdlicher Tatkraft setzte er sich für Produktion, Verkauf und Export ein. Zu der Zeit, in der wir ihm begegnen, zählt das Unternehmen 500 Beschäftigte, die sich auf den Hauptsitz in Paris und die Gerberei, die er in Sens gegründet hat, aufteilen. 1883, im Jahr seiner Hochzeit mit Mélanie, stirbt der letzte Teilhaber an der Firma Scellos und das Unternehmen gehört nun ganz Albert, der es in ‚Domange et Compagnie' umbenennt.
Er freut sich über seinen Erfolg und ist glücklich, seiner neuen Frau ein angenehmes Leben bieten zu können. Da Albert viel reist, lernt Mélanie die Welt kennen. Sie empfangen gemeinsam Gäste und werden ihrerseits eingeladen. Sie gehen ins Theater und ins Konzert. Sie trägt Pelzmäntel und riesige Hüte. Alle Musiker beneiden sie um ihren wunderbaren Flügel.
Doch die Zeit vergeht, ohne dass sich an Mélanies innerer Abwehr etwas ändert. Sie tut nur ihre Pflicht als Ehefrau und Hausherrin. Es kommt vor, dass sie außer sich gerät: Eines Tages soll sie Albert einen ganzen Stoß Porzellanteller an den Kopf geworfen haben. Ihre Zornesausbrüche sind nicht von langer Dauer, aber da sie sich danach sehnt zu lieben, fällt es ihr schwer ihm zu verzeihen, dass sie ihn nicht lieben kann.

Und in den Träumen, die sie heimsuchen, taucht immer wieder dieselbe Person auf; es nützt nichts, dass sie sich Vorwürfe macht, dass sie jede Woche zur Beichte geht: Die Gedanken an Hettich lassen sie nicht los.
Eine zum Scheitern verurteilteVernunftheirat also? Das ist so sicher nicht.
Mélanie sieht bald ein, dass sie ihren Mann niemals bekehren wird. Ganz überrascht von ihrer Beharrlichkeit, macht er ihr klar, dass er zwar gläubig sei, aber nicht die Absicht habe, regelmäßig zur Messe zu gehen noch sich sonst irgendeinem Zwang zu unterwerfen.
Albert ist sich darüber klar, dass seine Frau ihn nie wirklich lieben wird, eine traurige Erkenntnis nach der schmerzlichen Erfahrung, zweimal Witwer geworden zu sein. Vor kaum drei Jahren hat er seine Frau Marthe bei der Geburt des letzten Kindes verloren. Sie hatte ihm vier Kinder geboren, von denen nur zwei überlebt hatten. Doch er reagiert, wie immer im Unglück, mit der ganzen Stärke seines Charakters; sein enormer Arbeitseifer, seine Lebenskraft wachsen nur noch.
Er steht morgens um sechs Uhr auf. Er trinkt einen Kaffee mit Cognac, und um halb sieben erwartet ihn sein Kutscher, um ihn in seinem Coupé zum Boulevard Voltaire zu fahren, wo die Firma ihren Sitz hat. Abends oder vielmehr nachts findet man ihn nicht selten noch um ein Uhr, eine Zigarre im Mund, an seinem Schreibtisch, wo er Berechnungen anstellt oder Bestellungen aufgibt. Bis heute hält sich in der Familie das Gerücht, dass „Albert ein Schürzenjäger war", und dabei lächelt man ironisch, vielleicht auch ein klein wenig schockiert.
Wenn Mélanie auch wenig Liebe in ihre Ehe investiert, so widmet sie sich doch voll und ganz ihrer Rolle als Hausherrin: Für Alberts Bedürfnisse ist bestens gesorgt, sein Haus wird ordentlich geführt, seine Kinder werden gut erzogen.
Am Anfang ist es nicht einfach für Mélanie, haben sie doch die bescheidenen Verhältnissen ihrer Jungmädchenzeit nicht für ein Leben wie dieses vorbereitet. Aber sie stellt sich schnell darauf ein und bewegt sich bald wie ein Fisch im Wasser in der Welt der feinen Wäsche, der Speisenfolgen, der Wohnungsausstattung. Wie in allen Häusern gehören die Hausangestellten zur Familie. Sie sind seit eh und je da und bleiben ihr ganzes Leben. 1883, bei Mélanies Ankunft, bilden Alberts Kinder und seine Hausangestellten eine aufeinander eingeschworene Gruppe, die sich an ihre Unabhängigkeit gewöhnt hat. Die neue Ehefrau wird, auch wenn man sie mit ausgesuchter Höflichkeit empfängt, als Eindringling betrachtet. Man sieht der dritten Hausherrin, von der es heißt, sie sei ‚Komponist' von Musik, mit einer gewissen Unruhe entgegen.

Mélanie weiß jedoch schnell ihren Platz zu behaupten, mit der nötigen Autorität, vor allem aber mit Herzenswärme. Sie ist eine vollendete Gastgeberin. Alles ist gepflegt, das Essen vorzüglich. Zwischen ihr und ihren Stiefkindern entwickelt sich eine echte Zuneigung. Die Kinder aus der ersten Ehe, Henri, Eugène und Edouard, 17, 15 und 13 Jahre alt, sind im Internat und werden langsam flügge. Aber René ist erst neun und Alfred erst drei Jahre alt. Ihr Leben spielt sich ausschließlich im Haus, zwischen Gouvernante und Hauslehrerin ab. In ihrer Familie mütterlicherseits (bei ihrem Onkel Farrington) gibt es Fälle von psychischen Störungen, und die Trauer um den Verlust ihrer Mutter bedrückt sie noch immer. Der Umgang mit den Kindern ist nicht immer einfach: Der Älteste ist sehr sympathisch, aber übersensibel und überrascht häufig durch sein Verhalten. Der Jüngste ist labil (er verschwindet kurz nach der Zeit, über die wir hier berichten, aus den Familienberichten, um darin erst gegen 1905 wieder aufzutauchen). Mélanie nimmt die Erziehung der Kinder in die Hand. Sie nennen sie ‚Petite Mère', ‚Mütterchen', und vor dem Zubettgehen sprechen sie gemeinsam das Abendgebet.

Eine andere positive Seite dieser Heirat ist, dass Mélanie, von allen materiellen Sorgen befreit, sich nun ihrer Kunst widmen kann, doch wird es fast zehn Jahre dauern, bevor sie wieder ernsthaft zu komponieren beginnt.
Doch hat ihr Mann keine Musikerin geheiratet, sondern ein wohl erzogenes junges Mädchen. Albert hat keinen Sinn für Musik, sie ist für ihn eine Geräuschkulisse, die ihn allerdings auch nicht stört. Geht er ins Konzert, dann nur, weil man dies in seinen Kreisen tut. Er langweilt sich mitunter tödlich, wenn er kein verführerisches Dekolleté mit seinem Opernglas entdeckt.
Kommt bei einem Abendessen das Gespräch auf eines dieser Konzerte, so kann Mélanie sich fachkundig dazu äußern und zum Beispiel sagen, dass sie das Andante von Berlioz wenig konturenreich gefunden habe, dass die Klarinetten nicht viel besser geworden seien, dass es schwierig sei, gute Orchestermusiker zu finden und dies nicht erst seit gestern.
„Wie“, fragt dann etwa ihr Tischnachbar etwas ungläubig, „Sie verstehen etwas von Musik?“
„Aber ja, ich bin Komponistin!“ Komponistin! Dieses Wesen mit den weißen Armen? Warum nicht gleich Schmiedemeister? mag der Herr an ihrer Seite dann denken.
„Gewiss, gewiss…“ unterbricht er sie vielleicht, etwas verlegen, „wie finden Sie diesen Bordeaux? Das ist wieder eine von Alberts Entdeckungen. Er hat wirklich hervorragende Adressen“ und so fort.
Und Mélanie wird eine Engelsgeduld aufbringen, um über das so viel unverfänglichere, soviel interessantere, soviel normalere Thema der Bordeauxweine zu plaudern.

Sie widmet sich ganz ihrem neuen Leben und verbringt den größten Teil ihrer Zeit damit, sich in ihrer Kirchengemeinde zu engagieren, Gäste zu empfangen und auszugehen, Schuh- und Modegeschäften einen Besuch abzustatten, mit dem Schiff nach England oder Ägypten zu reisen.
Wenn auch ganz von ihren Pflichten als Ehefrau in Anspruch genommen, schafft sie es doch, Zeit für ihre Klavierübungen zu finden. Sie pflegt die Verbindung zu ihren Musikerfreunden, vor allem zu ihrer besten Freundin, Jeanne Monchablon. Sie denkt an den Brief, den ihr Lehrer Guiraud ihr geschickt hat, um ihr zur Hochzeit zu gratulieren, ihr zu danken und sein Kommen anzukündigen: „Ich hoffe, dass die Ehe Sie nicht ihre guten Absichten zu arbeiten vergessen lässt", schrieb er am Schluss. Wehmütig lässt sie die Zeit verstreichen. Zwischen ihrer Heirat und den Jahren 1891–1892 komponiert sie nur vier oder fünf Lieder und ein kleines Klavierstück.
Bald ist sie schwanger. Überglücklich vergisst sie ihren Kummer und sucht wieder die Nähe ihrer Mutter. Gegen Ende der Schwangerschaft hält sie sich wiederholt bei ihren Eltern auf, die jetzt auf dem Land leben, in Etiolles, einem Dorf in der Nähe von Paris. Sie findet dort die für ihren Zustand notwendige Entspannung und die Ruhe, die ihre Fantasie anregt. Sie schreibt einen kleinen Walzer, den sie *Etiolles* nennt. Auf dem Deckblatt des Exemplars, das wir besitzen, kann man über einer Zeichnung des winzigen, unter Bäumen versteckten Hauses die von ihr geschriebene Widmung: „Meiner geliebten Mutter, ihre kleine Mélanie" lesen.
Ende 1884 bringt sie in Etiolles, umsorgt von ihren Eltern, ihr erstes Kind zur Welt, einen hübschen, kräftigen Jungen, der nach seinem Großvater Bonis den Namen Pierre erhält.
Zur gleichen Zeit erscheinen bei Grus die beiden Lieder, die sie mit Hettich komponiert hatte: *Villanelle* und *Sur la plage*, und 1886 bringt Mélanie beim Verlag Hamelle einen Chorsatz auf einen Text von Wilder heraus, *Le Moulin*. In einem Brief des Sohns von Hamelle lesen wir: „'Le Moulin' ist das erste Werk (von Mel Bonis), das mein Vater 1886 herausgegeben hat. Madame Bonis hatte meinen Vater um den Text gebeten, denn diese Worte von Wilder waren speziell für meinen Vater geschrieben worden, und er hat ihr diese Erlaubnis gerne gegeben…"[35]

* * *

1886. Heute Abend gehen sie ins Theater. Vor ihrem Frisiertisch sitzend, zupft Mélanie mit den Fingern noch leicht die Locken in Form, die ihr Gesicht umrahmen. Mit einem Lidstift betont sie ihre melancholischen Augen unter den

etwas zu starken Augenbrauen. Mit dem Lippenstift bringt sie ihre Lippen zum Leuchten. Sie legt die Kette um, die Albert ihr vor kurzem geschenkt hat und lächelt ihrem Spiegelbild fröhlich zu. Strahlend in der Blüte ihrer 28 Jahre, vergisst sie für einen Augenblick das Gebot der Bescheidenheit.
Albert wartet ungeduldig. Aber sie kann nicht gehen, ohne den Kindern Gute Nacht gesagt zu haben. Ganz leise öffnet sie die Tür zum Zimmer des kleinen Pierre. Ihr bleibt fast das Herz stehen! Die spitzenbesetzten Laken des Bettes sind zerwühlt, das Kind ist nicht mehr da! Mélanie öffnet alle Türen und ruft „Pierre!"… Endlich findet sie ihren Kleinen an seinen großen Bruder René gekuschelt, der ihm eine Geschichte vorliest.
Eigentlich müsste sie jetzt böse werden und die Erzieherin ermahnen: So etwas macht man nicht nach dem Lichtauslöschen. Aber sie ist herzlich froh beim Anblick der Freundschaft, die diesen großen Bruder, diesen Beinahe-Sohn, den sie so sehr liebt, mit dem ganz Kleinen verbindet, der kaum aus den Windeln heraus ist und schon so lebhaft, so selbstständig ist.
Mélanie geht zu Albert und dem Kutscher, die im Coupé auf sie warten. Im Trab geht es über die gepflasterten Straßen. In Gedanken hört sie eine Melodie, die seit einigen Tagen, getragen vom Glanz einer glücklichen Zeit, in ihr klingt. Im Geiste liegt ihr Notenpapier vor ihr und die Musik zu *Invocation* auf einen Text des Dichters Edouard Guinand zieht an ihr vorüber. Dieses Lied, das in seiner Empfindung an Gounod erinnert, schwingt sich in der Sprache des Dichters von der „süß duftenden Natur" hinauf zum Sternenhimmel einer ersten Liebe.

* * *

Mélanie glaubt, dass sie Hettich nie wieder sehen wird. Die Zeit vergeht, vieles geschieht in ihrem Umfeld. Im Gebet versucht sie, die Trauer um ihre Liebe zu bewältigen. Ihre Aufgaben, die Schwangerschaften, das gesellschaftliche Leben, das ganze lebendige Treiben um sie herum, dessen ordnender und lenkender Mittelpunkt sie ist, helfen ihr bei ihrem Bemühen zu vergessen.

I.4
1886–1891
Vom ‚Art musical' zum ‚Piano Soleil'[36]

Mélanie sitzt am Klavier, in der Hand eine Zeitschrift, und lacht vor sich hin:
- „Darf man mitlachen?" fragt Albert.
- „Ich lese gerade einen Artikel im ‚Art Musical'."
- „Lassen Sie mich sehen!"

Es ist die Ausgabe vom 28. Februar 1886. Mélanie lacht immer noch, während sie Albert beim Lesen zuschaut. Der Artikel trägt die Überschrift ‚Die Programmmusik':

„Im März 80 erhielt ich von Mlle Marie Tayau ein Telegramm mit folgendem Wortlaut: ‚Kommen Sie schnell! Dringende Angelegenheit'. Frauen warten nicht gerne. Das weiß man. Ich eilte hin … ‚Wir haben keine Zeit zu verlieren', sagte sie … ‚nächsten Freitag spiele ich ein unbekanntes Stück beim Concert spirituel Pasdeloup, „Romance et caprice" von Berlioz. Es ist wunderbar, aber man versteht überhaupt nichts. Wir brauchen einen erklärenden Text. Sie werden ihn schreiben. Berlioz wird seine Unterschrift darunter setzen. Der Herausgeber wartet. Wir haben zwei Stunden Zeit. Hier ist Papier, ein Stift. Hören Sie zu und übersetzen Sie …' Ich versuchte zuzuhören … Ich saß in der Sofaecke, zwischen Rossini, der aus seinem Rahmen herunterlächelte, und einem Fayenceäffchen, das an einem Vorhang empor kletterte, und spitzte begierig die Ohren, die Augen geschlossen, um mich vollkommen zu konzentrieren. Eine dumpfe Müdigkeit erfasste mich, ähnlich derjenigen, die sich über die Augen legt, wenn man auf einen Punkt starrt.

Und nichts sprach zu mir aus dieser Anhäufung von zusammenhanglosen Takten, nichts tauchte auf aus diesem musikfeindlichen Strom von Noten, nichts außer dem Lärm eines Streites zwischen den Klängen des Klaviers, die an einen Bauchredner erinnerten, und dem schrillen Quietschen der Geige. Mein Trommelfell bekam Risse, mir wurde schwindelig, eine Art Seekrankheit drohte mich zu erfassen.

Sie spielten alles, spielten es noch einmal, vom Anfang bis zum Ende, wiederholten mehrere Male nacheinander dieselben Takte. Caryll dröhnte, die Katze war aufs Äußerste gereizt. Mlle Tayau hatte sich ganz dicht neben mich gesetzt, um überzeugender zu sein. Das dauerte ohne eine einzige Pause zwei Stunden à 60 Minuten! Man musste sich fügen. Ich fügte mich.

Ich schrieb den Text, um den man mich bat, wie man eine Kapitulation unterzeichnet, wenn die Stellung nicht mehr zu halten ist …

‚Ein sanftes Licht umhüllt die Erde mit Klarheit. Nebel wabern zitternd im

Abendduft, von einer leichten Brise getragen. Ein Mann blickt auf diese fahle Helle … Sein Herz, umklammert vom Leid, seufzt schwer. Die Intensität seines Schmerzes lässt die Wonnen des verlorenen Glücks ahnen. Er kehrt in die Vergangenheit zurück. Hier und da erscheint ein Lächeln im Schoß der Bitterkeit … Oh unerbittliche Notwendigkeit zu glauben und zu lieben! Unter ihrem Strahlen erwacht seine Seele. Sein ganzes Sein ist von plötzlichem Begehren erfüllt. Unsinniges Verlangen lässt ihn erbeben. Er wehrt sich gegen den Schmerz, der ihn einschnürt … Die Trauer weicht der Hoffnung. Der Durst siegt über den Abscheu … Er lebt auf! Stürmisches Verlangen und fiebrige Lust bemächtigen sich seiner …'
Ich habe es überlebt, aber ich leide immer noch darunter!"
Der Artikel ist unterzeichnet mit ‚A. Landely'. Nach der Lektüre sagt Albert verwundert zu seiner Frau: „Ich verstehe nicht recht, was dich daran zum Lachen bringt." Und er kehrt an seine Arbeit zurück.
‚A. Landely', denkt Mélanie … ‚Amédée Landely Hettich'. Niemand anderes kann so etwas geschrieben haben. 1880: Die Geschichte, die er erzählt, stammt aus ihrer Studienzeit.

* * *

Mélanie erkundigt sich: Seit dem Frühjahr ist Hettich wieder in Paris. Er zeichnet für drei Rubriken in der Zeitschrift verantwortlich unter den Namen Landely, Amédée L. und Héler, um jede Verbindung mit dem Namen Hettich zu vermeiden, den er in der Stadt und auf der Bühne trägt. ‚L'Art Musical' gehört jetzt dem Verlag Alphonse Leduc. Hettich arbeitet jeden Tag in dessen Geschäftsräumen in der Rue de Grammont 3. Er wohnt mit seiner Konzertharfenistin in der Rue des Dames 100. Sie sucht Schüler für den Privatunterricht und hat soeben eine Anzeige in die Zeitung gesetzt.
Mélanie hat schlaflose Nächte. Sie will Hettich nicht wieder sehen, aber Konzerte und andere Orte, an denen Musiker sich treffen, üben eine unwiderstehliche Anziehungskraft auf sie aus.
Und eines schönen Tages trifft sie ihn, vielleicht nach einem dieser Pleyel-Konzerte, in dem Saal, der am Boulevard Rochechouart von Camille Pleyel gebaut wurde. Es mag eines der Konzerte gewesen sein, von denen ganz Paris spricht und für die Hettich die Kritiken für den ‚Art Musical' schreibt. Vielleicht ist es der Tag im Mai 1887, an dem „der hervorragende Harfenist Hasselmans mit unvergleichlicher Virtuosität einige seiner Kompositionen gespielt und einen enormen Erfolg gehabt hat"[37]. An diesem Abend spricht man nur vom Brand

der Opéra Comique. Mélanie hat den Artikel gelesen, den Landely über dieses Drama geschrieben hat: tragische Todesfälle, ein großer Schaden für das Kulturleben in Paris und zudem ein Unglück für Emmanuel Chabrier, der erleben muss, dass sein ‚Roi malgré lui' nach nur drei Aufführungen nicht mehr gespielt werden kann.

Hettich ist reifer geworden, hat an Selbstsicherheit gewonnen. Er ist im besten Mannesalter und Mélanie findet ihn wunderbar. Er erkundigt sich nach ihren musikalischen Plänen. Sie erzählt ihm von einem Lied nach einem Gedicht, das ein Freund der Familie geschrieben hat.
- „Mélanie!"
- „Ja…?"
- „Würden Sie wieder etwas von mir vertonen?"
Sie antwortet nicht; er verabschiedet sich lächelnd, sie wendet sich wieder ihrem Mann und ihren Freunden zu.
Mélanie und Hettich treffen sich immer wieder einmal in der Welt der Musiker, stets zufällig, nie alleine.

* * *

1888 bringt Mélanie ein zweites Kind zur Welt, ihre Tochter Jeanne, die schon in den ersten Monaten eine fast nicht zu bändigende Lebhaftigkeit an den Tag legt. Noch in ihrem Geburtsjahr widmet Mélanie ihr ein bezauberndes Lied für Mezzosopran, *Viens*, nach einem Gedicht, das wahrscheinlich von Edouard Guinand[38] stammt. Es bleibt zu ihren Lebzeiten unveröffentlicht, aber Jeanne wird es Jahre später zweifellos gesungen haben.

Bei Jeannes Geburt stellt Mélanie ein Kindermädchen wieder ein, das das Haus schon gut kennt: Joséphine[39]. Joséphine Pierrot (1859–1942) ist eines von zehn Kindern einer elsässischen Familie. Ihren Vater hat sie im Krieg 1870/71 verloren. Etwa zwei Jahre später stirbt ihre Mutter, als sie auf dem Dachboden Wäsche aufhängt und durch die Falltüre fällt, die an diesem Tag nicht geschlossen ist. Die Fürsorge kümmert sich darum, dass die zehn Waisenkinder einen Beruf erlernen. Joséphine kommt zur Familie Domange, zunächst als Schneiderin, dann als Kindermädchen. Bei Joséphines Ankunft im Jahre 1872 sind die Domanges schon die großbürgerliche Familie, als die wir sie beschrieben haben. Sie besteht aus Albert Domange und den drei Söhnen aus seiner Ehe mit Henriette Scellos, die gerade bei der Geburt eines vierten, totgeborenen Kindes gestorben ist. Joséphine arbeitet mit zwölf Hausangestellten zusammen, fast alle stammen

aus dem Elsass. Albert Domange geht bereits 1873 eine zweite Ehe ein. Seine neue Ehefrau, Marthe Farrington, eine Engländerin, die von Beruf Tänzerin ist, bekommt bald ein erstes Kind, René Domange.
Joséphine kümmert sich um die Kinder, die drei älteren und die aus der zweiten Ehe. Nach René sterben zwei Kinder im Kindesalter, dann wird Alfred geboren, der fünfte Junge des Hauses. Eine letzte unglückliche Geburt macht den Hausherrn zum zweiten Mal zum Witwer. Die Verantwortung des jungen Kindermädchens wächst von Tag zu Tag, doch nimmt sie diese so hervorragend wahr, dass der Hausherr ihr bis zu seinem Tod dankbar sein wird. Während Albert sich um eine dritte Heirat bemüht, trifft Joséphine den Mann ihres Lebens. Sie gibt ihren Dienst auf und heiratet Elysée Huteau, mit dem sie eine Pension (oder ein Restaurant) führt. Aber offensichtlich verfolgt das Schicksal diese elsässische Familie, die schon so vieles erlebt hat: Vier Jahre nach ihrer Eheschließung stirbt Elysée und die kinderlose junge Witwe steht ihrem früheren Dienstherrn wieder zur Verfügung. Sie fügt sich wieder so gut in die Familie Domange ein, dass sie im Laufe der Zeit Verwandten und Freunden frei werdende Stellen im Haus vermitteln kann. Mel Bonis‘ Enkel erinnern sich noch daran.
Die Entwicklung von Albert Domanges Geschäften zieht Mélanie in einen immer stärkeren Wirbel von Reisen, Veranstaltungen, Ausstellungen und gesellschaftlichen Ereignissen hinein.
Wenn sie auch häufig betont, sie mache sich nichts aus Geld und Ehrenbezeigungen, ist sie doch stolz, als ihr Mann 1887 zum Ritter der Ehrenlegion ernannt wird. Sie ist stolz darauf, dass er in Frankreich und im Ausland bei allen Ausstellungen seiner Branche die höchsten Auszeichnungen erhält. Stolz ist sie auch auf ihre ältesten Stiefsöhne, die mit ihrem Vater zusammenarbeiten und ihren Beitrag zur Entwicklung der Firma leisten. Der jüngste ‚Scellos'-Stiefsohn, Edouard, sieht ebenfalls einer glänzenden Zukunft entgegen: Mit 16 Jahren ist er an der renommierten ‚Ecole Polytechnique' aufgenommen worden. Mélanie liebt diese jungen Menschen sehr und ihr Haus steht ihnen immer offen.

Lassen wir Michel Domange die Familienatmosphäre beschreiben:
„Jedes gemeinsame Essen war ein Ereignis, war es doch ein Zusammentreffen der ansonsten weit verstreuten Familienmitglieder und die einzige Gelegenheit, gemeinsam einen Gedankenaustausch zu pflegen. Und wenn Gäste da waren, bot sich jedem die Gelegenheit, seinen Horizont zu erweitern. Der Patriarch (das heißt Albert) genoss dann in vollen Zügen das gute Essen und den guten Wein…Eugène, der sehr zurückhaltend war, hielt mit allem, was sein Gefühlsleben betraf, hinterm Berg. Doch wie er es auch anstellte, seine Versuche, einem gewissen Fräulein Adèle Greder näher zu kommen, konnten nicht unbemerkt

bleiben. Man neckte ihn gerne damit, er tat sein Möglichstes, um sich dem zu entziehen. Als bei einem Abendessen jemand so weit ging, ihn geradeheraus zu fragen, wie es denn um sein Verhältnis zu Fräulein Greder bestellt sei, wandte sich Eugène sogleich einer ‚Miss' zu, die im Haus lebte, um den Kindern Englisch beizubringen, und stellte ihr die Frage: 'Do you know Liverpool?' Seitdem gehörte dieser Satz zum festen Bestand der Familiensprüche.“[40]

* * *

Im Musikzimmer auf der zweiten Etage in der Rue Monceau plaudern Mélanie und ihre Freundin Jeanne Monchablon.

Jeanne blättert in den Liedern von Mel Bonis, von denen es jetzt drei gibt: *Viens*, *Mirage* und *Chanson de printemps*. Sie sieht sich *Viens* noch einmal an und bittet Mélanie, es ihr vorzusingen.

„Ich könnte es immer wieder hören“, sagt sie. „Es ist leichtfüßig, lebendig, sonnenbeschienen. Ich bin sicher, dass es gut ankommen würde … Du solltest mehr schreiben!“

„Ich habe so viele Ideen“, antwortet Mélanie, „mein Kopf ist voll davon. Ich möchte Sonaten für Geige und für Klarinette schreiben. Ich möchte Bläserquintette und Stücke für Orchester schreiben. Mein armer Kopf hört ständig Sinfonien und Choräle. Aber es bleibt alles in ihm eingeschlossen, und oft habe ich Angst, dass er zerspringt. Ich brauche Zeit… Zeit zum Schreiben, zum Korrigieren und noch einmal Korrigieren, zum ins Reine Schreiben und noch einmal Abschreiben, zum Druckenlassen und wieder Korrigieren… Und das alles interessiert keine Menschenseele. Wie ich dich beneide, dass du einen Mann hast, der die Musik liebt!“

Mélanie spricht über Albert, der so anders ist als sie: Sie ist fromm, er setzt nie einen Fuß in die Kirche; er ist nach außen gewandt, sie sehnt sich nach Innerlichkeit; sie ist bescheiden, er liebt den großen Auftritt; wenn sie komponiert, findet er, dass sie ihre Zeit vergeude.

„Er hat dich aber doch aus Zuneigung geheiratet“, sagt Jeanne.

„Um mich in seinen Dienst zu nehmen! ... Mein Gott, verzeih mir: Ich liebe seine Familie!“

„Er verbietet dir doch nicht zu arbeiten, er lässt dir freie Hand.“

„Frei, ja, frei bin ich … Er ist nie da.“

* * *

1890. Wir sind im Musikgeschäft Leduc, in der Rue de Grammont 3. Mélanie stöbert in den Neuausgaben herum: 15 Klavierstücke von Pierné, die neuesten Ausgaben aus dem Fundus für Pianisten. Sie sucht etwas Neues für Cello und Klavier, um es mit ihrer Freundin Jeanne zu spielen. Sie blättert, findet etwas, das ihr gefällt und gibt die Bestellung auf. Alphonse Leduc selbst empfängt sie: „Madame Domange! Mel Bonis! Ich habe schon viel über Sie gehört! Wann werden wir das Vergnügen haben zusammenzuarbeiten? … Folgen Sie mir!"
Er nimmt Mélanie mit in die Redaktionsräume der Zeitschrift „L'Art Musical", die hier ihr Büro hat. Völlig überrascht sieht sie Hettich dort sitzen, der Stöße von Post durcharbeitet. Ihm gegenüber ist ein Mann mit Schreibarbeiten beschäftigt. Alphonse Leduc stellt Mel Bonis Charles Gounod vor.
Hettich lächelt der jungen Frau zu, nimmt ihr Mantel und Hut ab und bittet sie, sich zu setzen. Sie finden den Weg zurück zu einem Dialog, den sie vor neun Jahren unterbrochen haben. Hettich will alles wissen und sie erzählt. Als sie von ihren Schwierigkeiten zu komponieren spricht, ist er verwundert:
„Wie können Sie bei Ihrer Begabung Ihre Zeit damit vergeuden, Tee zu trinken und über Kleider zu reden? Sie sind geboren, um Musik zu schreiben. Sie brauchen Ihren Lebensunterhalt nicht zu verdienen noch zu Hause Wäsche zu waschen. Man muss nur wollen, die Zeit findet man immer."
„Aber wirklich, ich kann es nicht oft genug wiederholen, meine Musik interessiert niemanden in meiner Umgebung, absolut niemanden."
„Lassen Sie sich eines Besseren belehren, mich interessiert sie. Sie interessiert auch Alphonse Leduc."
Sie lächelt und fügt hinzu:
„Sie interessiert auch Jeanne Monchablon. Das sind schon drei Personen."
Er lächelt auch, wird dann wieder ernst und sagt, er werde ihre Inspiration wieder zum Leben erwecken und ihrem Werk auf den Weg helfen.
Mélanie setzt ihren Hut auf, streift ihre Handschuhe über, wendet sich zur Türe und verabschiedet sich.
Über dem Ende dieses Tages liegt ein besonderes Licht. Auf ihrem Weg kommt Mélanie an Notre Dame des Victoires vorbei und tritt in die Kirche ein. Auf der Empore spielt die Orgel, ihr Klang erfüllt den Raum und das Gewölbe. Die junge Frau kniet nieder und beginnt zu beten: „Mein Gott, ich möchte, dass mein Glaube wächst, ich möchte, dass er sich erhebt, stark und unverrückbar wie eine Mauer, die bis zum Himmel reicht."
Die Klänge der Orgel reihen sich aneinander in klaren und strengen Tonfolgen, wie sich Steine ineinander fügen und zur Mauer erheben. Eine Fuge sucht ihren

Weg durch das Bauwerk und erfüllt sein Inneres mit einer Flut von Tönen, die sich in die drei Dimensionen des Raums ergießen. Sie endet und verbindet für die Ewigkeit einen Stein mit dem anderen. So findet ihr Glaube in der Musik wie im Gebet seine Kraft.

* * *

Man kann nicht behaupten, dass Mélanies Kinder sehr brav sind, trotz der Prinzipien ihrer Mutter, die keinen Spaß versteht, wenn es um die christliche Erziehung geht. „Die christliche Mutter, die den schlechten Gedanken nicht erlaubt, in ihr zu verweilen, die sich im Gegenteil Mühe gibt, den Sinn für das Gute und das Schöne zu entwickeln, weiß gar nicht, welch reinigende und wohltuende Atmosphäre sie um sich herum schafft, die ihren Kindern zugute kommt. Sie zu verhätscheln, zu verwöhnen hat keinen sittlichen Wert. Man hält sich für gut, weil man sich weich stimmen lässt – das ist ein Irrtum. Das verwöhnte Kind wird immer höhere Ansprüche stellen; es wird aufbegehren, wenn man sich weigert, seinen Launen nachzugeben, die sich mehren, wenn sie gebilligt werden, was häufig nur aus Trägheit geschieht. Nachgeben, um einen Augenblick Ruhe zu haben, heißt sich ständigen Angriffen auszusetzen…“[41]

Pierre und Jeanne sind manchmal unausstehlich. Joséphine muss eiserne Ruhe bewahren, um Pierre zu bewegen, von seinen Balancierkünsten auf dem Balkon der dritten Etage abzulassen, und um mit Jeanne fertig zu werden, die mit ihren zwei Jahren nachts aufsteht, um draußen zu spielen, und zu nicht enden wollenden Wutanfällen neigt. Ihr großer Bruder René, inzwischen 16 Jahre alt, groß, mager und übersensibel, zieht seine Träumereien und seine Pferde dem Unterricht am Lycée Monge (das zukünftige Lycée Carnot) entschieden vor. Er liebt seinen kleinen Bruder und begeistert ihn mit Späßen, Zauberkunststücken und geheimnisvollen Initiationsriten.

Für Mélanie gibt es nichts Wunderbareres als die strahlenden Augen der Kinder beim Anblick eines Geburtstagskuchens oder wenn die Familie Weihnachten feiert.

Weihnachten hat für Mélanie eine ganz besondere Bedeutung und wird Thema vieler Kompositionen sein. Mit vollendetem Geschick sorgt sie für den Ablauf dieses Festes. Sie treibt glitzernde Dekorationen auf und das Haus erstrahlt im Lichtzauber. Sie baut die Krippe mit den Kindern auf und begeht mit ihnen die Wiederkehr des Wunders, das sich in der Nacht des 24. Dezembers ereignet. Überall in der Stadt macht sie ihre Einkäufe, um einem jeden sein sorgfältig ausgewähltes Geschenk übergeben zu können. Die ganze Familie geht zur Mit-

ternachtsmesse. Beim traditionellen Festessen überlässt sie nichts dem Zufall. Sie lädt alleinstehende Menschen ein und sorgt dafür, dass sie sich wie in einer Familie fühlen.
So wächst der Ruf der Madame Domange als einer Frau ‚mit einem guten Herzen'.

* * *

Der Zauber des Weihnachtsfestes beflügelt auch unseren Dichter.
Hettich ist zwar ein sehr beschäftigter Mann, der Kritiken schreibt, unterrichtet, Konzerte gibt, mit unendlich vielen Menschen und berühmten Musikern Kontakt pflegt, aber er liebt es sehr, Gedichte zu schreiben.
An einem Winterabend, nach einem Konzert, nimmt er Mélanie beiseite und gibt ihr das *Noël pastoral* zu lesen, das er gerade geschrieben hat. Er bittet sie, es zu vertonen. Die Erinnerung an alte Zeiten steigt in ihr auf.
Es gibt nichts Unschuldigeres als diese Liebesgeschichte, die Jeannick und Yvonnette verbindet, während sie beim Klang der Weihnachtsglocken, den Rosenkranz in der Hand, durch die Heide wandern. Wo Weihnachten und das Jesuskind in so leuchtenden Versen gefeiert werden, kann man an nichts Böses denken. So willigt Mélanie ein und macht sich an die Arbeit.
Einige Wochen später übergibt sie dem Dichter ihre Arbeit. Was sie an diesem Nachmittag dann am Klavier bei Leduc gemeinsam durchspielen, ist eine schlichte Musik für Kinder; eine Musik über das Glück, den lieben Gott, das Weihnachtsfest, eine Musik der Reinheit und der Liebe.
Natürlich findet der Sänger ein paar Details, die geändert werden sollten: einige Silben könnten verschoben werden, damit die Stimme besser zur Geltung kommt – hohe Töne am Ende einer Atemphase, ‚i's' auf dem hohen g sollten vermieden werden usw. Drei Stunden arbeiten sie zusammen und Hettich bittet Mélanie um ein weiteres Treffen.
Am Ende dieser zweiten Begegnung schenkt er ihr ein Gedicht, das so beginnt:

„Ich habe den Zauber und die Süße nicht verlernt
Die mich in der Nacht der Jahre zu dir leiten …"[42]

* * *

Im nächsten Sommer bummeln Monsieur und Madame Domange durch ein Paris, das die Weltausstellung in ein neues Gewand gekleidet hat. Die beiden fühlen sich wie auf Reisen, als sie die Rue du Caire entlang gehen, wo man ein Souk hat entstehen lassen: Häuser mit flachen Dächern und Wandteppichen, Cafés, Läden mit bunten Gewürzen, die die Luft mit ihrem Duft erfüllen. Kleine Esel werden von Afrikanern in der Djellaba herumgeführt, an den Ständen lässt man sich Tee servieren. Für die beiden, die schon viele Mittelmeerländer bereist haben, weckt dieser Spaziergang Erinnerungen, für die meisten Pariser ist es eine Entdeckung.
Die Domanges treffen sich mit den Monchablons und verbringen den Abend im Trocadéro, wo sie sich die Chöre von Johan Diderik Behrens anhören. Mitten im Aufbrausen der Stimmen fasst Jeanne Mélanie am Arm und zeigt ihr einen eleganten Zuschauer in Begleitung einer Dame.

* * *

1891: Mit seinen zahlreichen Artikeln im ‚Art Musical' ist Hettich das Sprachrohr der Pariser Musikwelt.
Alphonse Leduc lässt ihm freie Hand bei der Auswahl der Themen. In einem Leitartikel über den Gesangsunterricht am Conservatoire zum Beispiel schlägt er den Verantwortlichen ein System von Stipendien vor, das die Studenten von finanziellen Sorgen befreien und ihnen erlauben würde, sich ganz dem Gesang zu widmen. In einem anderen Artikel warnt er die Lehrer vor den stimmlichen Gefahren des Solfège beim Vom-Blattsingen. Kritiken über Aufführungen im Châtelet und über die Concerts Colonne schreibt er mit derselben Aufmerksamkeit wie die über Vorspielabende der Schüler der Demoiselles Tribou (bei denen er unterrichtet) oder die mondänen Salons, in denen seine Frau, die Harfenistin Françoise Hettich, auftritt. Es ist ein Vergnügen zu lesen, was er über sich selbst schreibt! Seine Freunde genießen den Vorzug einer außergewöhnlich liebenswürdigen Kritik. Er hat eine umfangreiche Korrespondenz mit mehr oder weniger bekannten Musikern hinterlassen wie Colonne, Godard, Dubois, Massenet, der ihm eine Rolle in ‚Biblis' gegeben hatte, Bourgault-Ducoudray, Taffanel, Widor, Rose Caron und anderen, die alle ihre Freude und ihre Dankbarkeit zum Ausdruck bringen.
Nach dem Brand ist die Opéra-Comique ins Théâtre du Châtelet umgezogen und wartet jetzt auf einen Neubau – Gegenstand endloser Auseinandersetzungen. Den Parisern gefällt es im Châtelet, der Saal ist ständig ausverkauft. Alle zwei Wochen gibt es etwa zehn verschiedene Programme. Opernsängerinnen und -sänger wie Madame Caron, Mademoiselle Villaume oder Monsieur Gluck

sind die Stars. Man interessiert sich für ihr Liebesleben, ihre Prozesse, ihre Erfolge; man bedauert sie, wenn sie Halsschmerzen haben. Die große Mehrzahl der Programme ist zeitgenössischen Komponisten gewidmet. Messagers ‚La Bazoche', Gounods ‚Mireille', Ambroise Thomas' ‚Mignon', ‚Le Roi d'Ys' von Lalo, ‚Lakmé' von Léo Delibes und ‚Esclarmonde' von Massenet, die einen wahren Trimph feiert, folgen einander auf der Theaterbühne. Man spielt ‚Le Cid' von Massenet, ‚Le Rêve' von Alfred Bruneau, ‚Faust' von Gounod, ‚Le Mage' von Massenet, ‚Sigurd' von Reyer, ‚Hamlet' von Ambroise Thomas. Das Ballett gibt ‚Coppélia' von Léo Delibes.
Wo immer es um Bühnenmusik geht, in der Oper, im Châtelet, aber auch im Eden Théâtre, in den Folies Dramatiques und anderswo, erfreuen sich die zeitgenössischen Komponisten der größten Beliebtheit. Das Publikum kennt und liebt sie. Einigen älteren Erfolgsstücken des 19. Jahrhunderts wie ‚Carmen', ‚La Dame Blanche' und ‚Benvenuto Cellini' lässt man wohl noch die Ehre einer Aufführung angedeihen, aber Werke des vergangenen Jahrhunderts oder gar ausländische Werke – von Rossinis ‚Barbier von Sevilla' oder Verdis ‚Rigoletto' einmal abgesehen – sucht man vergebens auf den Programmen. Der Versuch, Wagners ‚Lohengrin' aufzuführen, spaltet das Publikum in zwei Lager: auf der einen Seite die begeisterten Anhänger, auf der anderen die Zuhörer, die sich dieser Begeisterung für das Werk und seinen Schöpfer mit politischen Argumenten verweigern.
Wenn es um Konzerte geht, sei es bei Colonne oder Lamoureux, in der Salle Pleyel oder der Salle Kriegelstein, bei Wohltätigkeitskonzerten in Kirchen, bei Empfängen in öffentlichen Gebäuden oder bei Konzerten in privaten Salons, wo inzwischen häufig hervorragend musiziert wird – überall sind Werke zeitgenössischer Komponisten gefragt. Man spielt sie, man liebt sie. Selbst die ‚Concerts du Conservatoire', die als einzige noch regelmäßig Mozart, Beethoven und Händel aufführen, wagen sich hin und wieder an ein Werk, das dem Zeitgeschmack entspricht. César Franck, Pierné, Massenet, Chabrier, Saint-Saëns, Fauré, bereits zu ihren Lebzeiten herausragende Musiker, überdauern ihre Zeit. Andere wie M. Garcin, die Brüder Hillemacher, Samuel-Rousseau, Lenepveu, Halary, Dubois, Diemer, Hue und Pfeiffer machen ihre Zuhörer zu ihren Lebzeiten glücklich, sind aber relativ schnell vergessen. Alle schreiben eine Musik, deren Ziel es ist, das Publikum zu rühren, es zum Lachen oder zum Weinen zu bringen, ihm eine Gänsehaut einzujagen, kurz, den Zauber der Musik und ihre geheimnisvollen Wirkungen auf die Seele spüren zu lassen.
Keinen einzigen Frauennamen enthält diese Auflistung der Komponisten. Man weiß von der Existenz einiger Wegbereiterinnen wie Louise Bertin, Marie Jaëll, Louise Farrenc, Augusta Holmès (eine skandalumwitterte Person!), aber die öf-

fentliche Meinung ist sich einig: Nur ein Mann verfügt über die notwendige Kraft der Inspiration, um ein musikalisches Werk zu schaffen, das diesen Namen verdient.
Die privaten Musikschulen und die Lehrer in der Stadt sind ebenfalls ständig auf der Suche nach zeitgenössischen Stücken für ihre Schüler. Schülervorspiele sind willkommene Gelegenheiten für das Publikum, die neuen Walzer von Charles Hesse, ‚Le Rêve d'une rose' (Der Traum einer Rose) von Raynal, ‚Ivresse d'Oiseaux' (Vögel im Rausch) von L. Danty oder das Klaviertrio der Brüder Hillemacher kennen zu lernen.
Immer mehr Institutionen entstehen, die darin wetteifern, zeitgenössische Musik zu fördern, indem sie Kompositionswettbewerbe, Vortragsabende und Konzerte organisieren. Beispiele sind die ‚Société des grandes auditions musicales de France', die ‚Fédération des sociétés musicales de France', die ‚Association des artistes musiciens' oder die ‚Société des compositeurs'.
Musikzeitschriften wie ‚L'Art Musical', ‚Piano Soleil' und vor allem ‚Le Ménestrel', die Zeitschrift des Verlags Heugel als die bei weitem wichtigste bestimmen durch ihre Kritiken und durch die Wahl der Stücke, die sie als Beilage an die Abonnenten schicken, welcher Komponist gerade auf der Beliebtheitsskala oben steht. Die jungen Mädchen warten ungeduldig auf die nächste Ausgabe von ‚Piano Soleil', in der sie vielleicht das neueste Stück von Samuel-Rousseau, Gounod oder Métra finden, überwiegend leichte Stücke, die sich an Musiker jeden Aussbildungsstandes richten. Man spielt die Klavierstücke zu Hause vom Blatt, und auf der Straße singt man die Melodien wie heutzutage den letzten ‚Hit' der Saison.
Dank der Kompositionswettbewerbe, die in Art und Anspruch ebenso zahlreich wie vielfältig sind, kann jeder sein Glück als Komponist versuchen, ohne über einen offiziellen Ausbildungsweg gegangen zu sein.
Vom Paso doble bis zur Kantate für Chor und Orchester kann man alles beim Wettbewerb einreichen: Wenn man auch keine Berühmtheit erlangt, so hat man vielleicht doch die Genugtuung, sein Werk gedruckt zu sehen oder gar im Konzert zu hören. Zu nennen ist hier der ‚Concours Crescent', der ‚Concours Rossini' (Akademie der Schönen Künste), der ‚Concours Chartier', die Wettbewerbe der ‚Société des compositeurs de musique' und der Stadt Paris und schließlich alle von den Zeitschriften ausgeschriebenen Wettbewerbe.

Außer der Zeitschrift ‚L'Art Musical' hat Madame Domange ‚Piano Soleil' abonniert. Darin findet man alles, was Pianisten interessiert: Konzertankündigungen und Kritiken, technische Ratschläge in den ‚Briefen eines alten Lehrers', Kleinanzeigen (für Instrumente und Unterricht), Nachrichten aus dem Conser-

vatoire, Prüfungsergebnisse und Neuerscheinungen. Diese Zeitschrift organisiert jährlich einen Kompositionswettbewerb – in einem Jahr ist das Thema die Romanze, im nächsten der Tango. 1891 ist es ein Walzerwettbewerb.
In einer ersten Runde werden 32 Walzer ausgewählt, darunter einer mit der Signatur ‚Mel Bonis'. In der Jury des Finales sitzen unter anderen Charles Marie Widor, André Messager und Pierre de Choudens. Mel Bonis schreibt für diese Gelegenheit *Les Gitanos,* vielleicht in Erinnerung an ihre letzte Spanienreise. Sie erhält den ersten Preis: 400 Francs und eine Medaille aus vergoldetem Silber. Bei der Veröffentlichung der Ergebnisse in der Zeitschrift führt ihr Name die Liste der zehn Preisträger an: M. BONIS aus Sarcelles (siehe Abb. S. 48). Das beeinträchtigt den Ruf von Madame Domange in der Pariser Gesellschaft nicht, ist aber doch ein erster kleiner Schritt auf dem Weg, als Komponistin Mel Bonis bekannt zu werden.
Les Gitanos erscheint als Notenbeilage und gefällt den Abonnenten. Mélanie möchte ihr Stück gerne herausgeben lassen und wendet sich an Hamelle, der ihr am 13. Oktober 1891 folgende Antwort zukommen lässt: „Wenn Ihr Walzer tatsächlich den Preis erhalten hat, von dem Sie sprechen, bin ich bereit, auf Ihren Vorschlag einzugehen … Ich würde mich freuen, außer dem kleinen Chor ‚Le Moulin' ein Stück von Ihnen zu haben …"[43]. Knapp zwei Wochen später, am 27. Oktober, erhält sie ein Angebot der Editions Choudens: „Ich war Mitglied der Jury der Zeitschrift ‚Le Soleil' beim Walzerwettbewerb und möchte Sie bitten, Ihren Walzer bei mir verlegen zu lassen. Ich biete Ihnen 100 Francs für dieses Stück".[44]
Schließlich gibt doch Hamelle die Noten heraus, zusätzlich noch in einer Bearbeitung für vier Hände. Er sorgt auch dafür, dass es im Handel erhältlich ist. Das Deckblatt zeigt eine Darstellung spanischer Tänzer, die zum leidenschaftlichen Rhythmus des Walzers die Kastagnetten schlagen. Dieser Erfolg kommt gerade im richtigen Augenblick, um Mel Bonis' schöpferische Energie anzuspornen. Sie, die immer einen Stich im Herzen verspürt, wenn sie die Namen ihrer Mitstudenten aus der Konservatoriumszeit – vor allem den Piernés – auf den Plakaten sieht, beginnt an ihre Begabung zu glauben.

I.5
„Erhebe dich, meine Seele“

Mélanie spricht das Morgengebet mit den Kindern.
„Wir schließen die Augen, schweigen und lassen das Morgenlicht in uns hinein. Ich möchte euch von der Liebe erzählen, die Gott euch mit dem Lächeln des Jesuskindes in der Krippe schenkt; ich möchte euch erzählen, wie er für uns am Kreuz gelitten hat. Meine lieben Kinder, nehmt euch an einem Tag wie diesem die Zeit, die Augen zu schließen, um Gottes Liebe zu spüren, seine Liebe zu jedem einzelnen von euch, seine reine Liebe.“
Alle zusammen beten sie: „Liebes Jesuskind, ich schenke dir mein Herz und sage dir meine Versprechen für den heutigen Tag.“ Und die Mutter wendet sich jedem von ihnen zu. Pierre verspricht, ganz lieb zu seiner Mama zu sein, Alfred, nicht mehr zuviel Erdbeerkuchen zu essen, und Jeanne bittet um ein ‚kleines Küsschen dort’ und zeigt dabei auf ihre Nasenspitze. Mélanie gibt ihr einen Kuss. – „Danke, liebes Jesuskind“, fährt die Mutter fort, „danke für die Sonne an diesem Morgen und für alle Blumen im Garten … Im Namen des Vaters…“
Alle machen das Kreuzzeichen, außer Jeanne, die ungeduldig herumhüpft.
Das Zimmermädchen klopft an, ein Schreiben in der Hand.

* * *

Es ist eine Aufforderung zur Arbeit: Hettich bittet Mélanie, die Begleiterin seiner Gesangsschüler in der Privatschule Tribou zu vertreten. Es sei eine Notlage, sie würde ihm einen großen Dienst erweisen. Er beteuert, dass nur sie dazu in der Lage sei.
Hettich gibt bei den Demoiselles Tribou Gesangsunterricht, einer Privatschule, in der man jungen Mädchen aus gutem Hause Musik und klassische Bildung beibringt. Im ‚Art Musical’ liest man aus der Feder Edgar Garniers nur Gutes über dieses Institut (hat Amédée L. hier seine Hand im Spiel?): „Der Unterricht (bei diesen Damen) hat einen hervorragenden Ruf in der Pariser Erziehungswelt. Diese jungen Mädchen, die man so schwer von ihren gesellschaftlichen Betätigungen ablenken kann, verfügen über eine Technik in ihrem Fach, wie man sie von Künstlern erwartet. Die Tongebung der Sängerinnen, der Anschlag und die Geläufigkeit bei den Instrumentalist(inn)en sind mustergültig. Die Wahl der Stücke, Stilgefühl und Ausdruck der Interpret(inn)en zeugen von der Qualität des Unterrichts in diesem Institut, dessen Matinéevorspiele den Charakter wirklicher Konzerte haben.“[45] Im Institut Tribou werden mehrere Instrumente

‚Piano Soleil' Nr. 16 vom 18. Oktober 1891

SOMMAIRE

Nº 16.

18 octobre 1891

Lucile, valse inédite. . . . BACHMANN

Rigaudon de Dardanus.. RAMEAU.

PIANO-SOLEIL

Grand Journal Musical Hebdomadaire

BARABANDY

ABONNEMENTS
PARIS ET DÉPARTEMENTS
Un mois...... 1 fr. 50 | Six mois........ 7 fr.
Trois mois.... 4 fr. | Un an......... 12 fr.
Les abonnements partent du 1er ou du 16 de chaque mois

ADMINISTRATION
DU PIANO-SOLEIL
Bureaux : 42, rue Notre-Dame-des-Victoires, Paris.
Pour tous renseignements ou abonnements adresser les lettres au Directeur du **Piano-Soleil**

PUBLICITÉ
Annonces, la lig. **2 fr.** | Faits-Paris, la lig.. **10 fr.**
(Les abonnés au **Piano-Soleil**, en ajoutant un franc par trois mois, ont droit à recevoir gratuitement, chaque semaine, le **Soleil du Dimanche**, magnifique journal illustré de 20 pages.)

RÉSULTATS DU CONCOURS DE VALSES

DU « PIANO-SOLEIL »

15 octobre 1891

Le 10 octobre 1891, le jury du Concours composé de MM. Widor, président; André Messager, P. de Choudens, Félix Testard, professeur de piano au lycée Louis-le-Grand; G. Bercourt, critique musical du *Soleil*; Mme Charles Canivet, professeur de piano très distingué; A. Rebecq, administrateur du *Piano-Soleil*; s'est réuni rue Halévy, chez M. de Noirfontaine, directeur du *Piano-Soleil*. MM. Ch. de Bériot, professeur au Conservatoire; Audran, compositeur et Ch. Maquet, éditeur de musique, directeur de l'ancienne maison Brandus, qui faisaient également partie du jury, s'étaient trouvés empêchés au dernier moment d'assister à la réunion. L'exécution des trente-deux valses qui avaient été jugées remarquables par le premier jury d'admission avait été confiée à M. Canivet fils, un brillant élève du Conservatoire.

Voici l'ordre des auditions : 1, *Intimités* ; 2, *Aux bords de la Néva*; 3, *M. H. B. M*; 4, *Judith*; 5, *Souvenir de Cronstadt*; 6, *Prend-moy tel que je suy*; 7, *L'Etudiant espagnol*; 8, *La fin couronne l'œuvre*; 9, *Fausta*; 10, *Folle ivresse*; 11, *Semper excelsior*; 12, *Fac et spera*; 13, *Verba volant*; 14, *Roses et jasmins*; 15, *Amoroso*; 16, *Advienne que pourra*; 17, *Soleil-Valse*; 18, *Bene sit bene vertat*; 19, *La Nuit*; 20, *Soleil, astre brillant, montre-moi ta lumière*; 21, *Les Gitanos*; 22, *Clair de lune*; 23, *L'Onde*; 24, *Valse élégante*; 25, *Rose de France*; 26, *Le Rêve*; 27, *Aide-toi, le ciel t'aidera*; 28, *Rayon de Soleil*; 29, *Fraise des bois*; 30, *Castagnettes*; 31, *Ensoleillée*; 32, *Pach-Ouff*.

Le premier prix (400 francs et une médaille de vermeil) est attribué à la valse intitulée *Les Gitanos*.

Le deuxième prix (100 francs et une médaille d'argent) est décerné à la composition portant comme épigraphe : *Aide-toi, le Ciel t'aidera*.

Les trois prix suivants (médailles d'argent) vont aux valses portant les épigraphes : *Verba volant*; *M. H.-B. M.*; *Prend-moy tel que je suy*.

Cinq médailles de bronze sont décernées aux compositions : *Fac et Spera*; *Semper excelsior*; *Advienne que pourra*; *Valse élégante*; *Les bords de la Néva*. Les compositions *Pach-Ouff* et *Ensoleillée* ont été désignées pour une médaille de bronze dans le cas où deux des récompenses décernées iraient au même compositeur.

Le 11 octobre, en présence de plusieurs personnes ayant pris part au Concours, a eu lieu l'ouverture des plis contenant les noms des lauréats. Par un procès-verbal signé par les assistants, il a été reconnu que ces enveloppes étaient bien fermées et que le secret garantissant la sincérité du Concours avait bien été gardé.

Voici les noms des lauréats :

Premier prix		**M. Bonis**, à Sarcelles (Seine-et-Oise).
2e	—	**M. Jules Garnier**, à Paris.
3e	—	**M. Louis Dérivis**, à Paris.
4e	—	**Mme Burguet du Minil**, à Paris.
5e	—	**M. Charles de Gessler**, à Paris.
6e	—	**M. G. Neuville**, à Rexpoëde (Nord).
7e	—	**M. Duvernoy**, à Paris.
8e	—	**M. Du Sautoy**, à Paris.
9e	—	**M. Kœrner**, à Niort.
10e	—	**M. F. Binet**, à Fontainebleau (S.-et-Marne).

connaître les conditions du prochain Concours que nous avons l'intention d'organiser. Disons seulement aujourd'hui que le premier prix sera de **mille francs**, le sujet sera une romance et la remise des compositions devra avoir lieu avant le 15 janvier.

Pour encourager les concurrents très méritants de notre concours de valses, nous avons décidé que chacun de ceux dont les œuvres avait été classées dans les cinq premières catégories, sur les dix qui avaient servi de base à la répartition des compositions, recevraient à titre de remerciement et en témoignage de la valeur artistique de leur valse un Diplôme d'honneur à leur nom.

LE PIANO-SOLEIL.

CHRONIQUE MUSICALE

ON DEMANDE UNE SALLE DE CONCERT

Il y a deux ans, un groupe d'aimables mondains eut l'idée de se constituer en Société, afin de faire connaître au public parisien les chefs-d'œuvre anciens ou modernes que les directeurs de nos concerts n'avaient point encore osé produire.

L'existence de la *Société nationale des grandes auditions musicales* fut annoncée avec le plus grand éclat dans la presse ; on distribua à domicile de nombreux prospectus indiquant les raisons et les tendances de l'œuvre nouvelle : en tête se trouvaient la liste des membres du conseil, les noms les plus illustres de l'art contemporain, Gounod, Ambroise Thomas, Delibes, Massenet, etc... On attirait les premiers souscripteurs par d'alléchantes promesses de privilèges nombreux, soit aux répétitions générales, soit aux exécutions solennelles. Les prix de l'abonnement n'avaient rien d'exagéré et restaient abordables au plus grand nombre, chacun étant libre de verser beaucoup plus, si le démon artistique l'y poussait. Bref, l'affaire fut bien lancée, l'argent arriva à flots, et les premières affiches parurent.

Elles annonçaient *Béatrice et Benédict*, de Berlioz.

Le choix semblait heureux. L'œuvre délicate de l'auteur de la *Damnation de Faust* n'avait jamais été donnée qu'à Baden-Baden, au temps où l'on allait à Baden-Baden, et bien peu se la rappelaient. De plus, elle ne nécessitait pas de grands frais d'interprétation : il suffisait d'un simple quatuor vocal et d'une trentaine de choristes.

Les échos du quartier de l'Odéon retentissent encore du bruit de cette soirée mémorable ; les boutiquiers contemplaient avec admiration l'interminable défilé des équipages déversant dans la salle de M. Porel le plus diamanté des auditoires : jamais ils n'avaient assisté à pareille fête, eux qui ne sortent guère de leur coin tranquille et qui ne fréquentent guère la rive droite. L'aspect des loges et des galeries était féerique : une princesse, ayant payé dix mille francs pour entrer, n'avait pu obtenir qu'un modeste strapontin, et encore affirmait-elle, quelques jours après, que ce n'était point trop cher. Et, derrière le rideau, tout le personnel de l'Odéon, régisseurs, acteurs, souffleurs et machinistes, regardaient émerveillés : le public jouait pour eux, ils étaient ravis.

Mel Bonis schrieb den Walzer *Les Gitanos* für den Kompositionswettbewerb der Zeitschrift *Piano Soleil* und gewann den ersten Preis. Bei der Veröffentlichung der Ergebnisse führt ihr Name die Liste der zehn Preisträger an: M. BONIS aus Sarcelles.

unterrichtet, darunter Mandoline und Klavier. Es gibt drei Gesangslehrer: die Herren Hettich, Falkenberg und Falke. Mélanie ist ungeheuer gespannt.
Im Spiegel betrachtet sie über die Schulter hinweg ihre Silhouette. Sie mag die schlichte Eleganz des langen Rocks und ihrer Bluse mit dem Jabot. Eine einfache Perlenkette, eigens für diese Gelegenheit ausgewählt, unterstreicht diesen Eindruck. Sie probiert zehn Hüte aus. Ihre 32 Jahre sieht man ihr nicht an.
Als erstes beeindruckt Mélanie die hervorragende Qualität von Hettichs Unterricht. Er arbeitet intensiv am Atem, an der Stütze. Jede Einzelheit einer Phrase singt er vor, gibt genau den Moment an, in dem die Energie gesammelt werden muss und die Stimme sich öffnet. Er findet deutliche Bilder, wenn er zeigen will, wie man Stimme und Intensität des Atemstroms in Einklang bringt.

Er versteht es, das Lächeln der einen, die Kopfhaltung der anderen zur Geltung zu bringen. Von jeder der fünf jungen Damen fordert er die Haltung und die Gesten, die ihrer jeweiligen Persönlichkeit und der Interpretation des Werks entsprechen. Mélanie lacht in sich hinein, wenn er sich über die mangelhaften Notenkenntnisse seiner Schülerinnen aufregt.
Die Klasse bereitet ein Konzert mit italienisch inspirierten französischen Liedern vor. Mélanie begleitet die ‚Sérénade italienne' von Chausson, ‚Venise' von Gounod und einige der neuen Fauré-Lieder, die den Zusatz ‚de Venise' (aus Venedig) tragen wie ‚Mandoline', das sie zum ersten Mal hört. Sie spielt auch die Begleitung zu *Villanelle*, das sie in ihrer Konservatoriumszeit zusammen mit Hettich geschrieben hat.

Als die jungen Mädchen den Raum verlassen, hält Hettich Mélanie zurück und bittet sie, ihn selbst zu begleiten. Er möchte einige der zahlreichen Lieder Massenets durcharbeiten, mit dem er befreundet ist.
Mélanie weiß, wie eine Begleiterin Sänger dazu bringen kann, ihr Bestes zu geben, ein Rezept, das man in keinem Buch findet: Es gilt einfach alles zu tun, um das Vertrauen der Sänger in sich selbst zu stärken. So erfolgreich sie sein mögen, brauchen sie doch ständig Lob und Anerkennung. So sagt Mélanie nach einem ersten Durchspielen zu Hettich: „Ihre Stimme hat in all diesen Jahren an Wärme gewonnen. Sie haben eine Empfindung in Ihre Interpretation gelegt, die mich tief berührt."
Als sie sich trennen, fragt er: „Mélanie, würden Sie mir die Freude machen, diese Woche noch einmal wiederzukommen? Sie würden mir damit einen Gefallen tun."
Sie verabreden einen Termin. Beim Abschied nimmt er sie in die Arme. Sie weist ihn zurück und fragt mit Entschiedenheit, ob er wirklich wolle, dass sie

wiederkommt. Er hat den Sinn ihrer Frage richtig verstanden und antwortet, dass er vor allem wolle, dass sie wiederkommt.

* * *

Um 1892 ändert sich beider Lebensrhythmus.
Hettichs Leben ist ein Marathon von Konzerten überall in Paris und in der Provinz. Dazu kommen die gesellschaftlichen Verpflichtungen und die Redaktionsarbeit für die Zeitschrift, für die er praktisch alleine die Verantwortung trägt. Es ist ein Wettlauf mit der Zeit: Er muss seine eigenen Konzerte vorbereiten, Werbung machen für die seiner Frau und seiner Freunde, immer mehr und immer besser unterrichten.
Etwa zehn Jahre lang hat er ein ‚öffentliches' Leben geführt, für seine finanzielle Absicherung gesorgt und braucht sich selbst jetzt nichts mehr zu beweisen: Jetzt möchte er ruhiger leben, um sich dem Singen zu widmen, dem Unterrichten, dem Verfassen von Büchern. Er spricht darüber mit Alphonse Leduc, der die Mehrzahl der Rubriken allmählich anderen überträgt, während Hettich nur noch einige Artikel unter dem Namen Héler schreibt.
Im folgenden Frühjahr stirbt Alphonse Leduc überraschend, ohne dass die Nachfolge in der Leitung der Zeitschrift geregelt ist. Seine Witwe Emma, Tochter des Pianisten Ravina, überlässt die Verantwortung für Verlag und Geschäft dem Hauptmitarbeiter ihres Gatten und beschränkt sich darauf, Verträge zu unterschreiben. Nach zwei schwierigen Jahren der Weiterführung ist sie allerdings gezwungen, mit dem ‚Guide Musical' zu fusionieren, der Zeitschrift des Handelshauses Fischbacher. Dieses streicht den Titel, macht aber, gegen Überlassung der Kundenkartei des ‚Art Musical', weiterhin Werbung für den Verlag Leduc. Der ‚Guide Musical' berichtet über musikalische Ereignisse, die weit über die Grenzen Frankreichs hinausgehen. Lange vor der Existenz von Rundfunk und Fernsehen findet man in dieser Zeitschrift die Anfänge der Globalisierung auf dem Gebiet der Musik.

Aber zurück zum Jahr 1892. Während Hettich sein Leben neu strukturiert, ändert auch Mélanie ihre Lebensweise. Neun Jahre nach ihrer Eheschließung begibt sie sich wieder an die Arbeit. Nach dem Erfolg der *Gitanos* beginnt sie wieder zu komponieren, unterstützt von Hettich und von Alphonse Leduc, der ihr Aufträge gibt.
Das renommierte Pariser Verlagshaus Leduc ist spezialisiert auf pädagogische Literatur und Werke für Soloinstrumente (Sammlungen für Klavier, Gesang, Flöte, Violoncello usw.). Es bringt hauptsächlich Werke zeitgenössischer fran-

zösischer Komponisten heraus. Die bekanntesten unter ihnen sind Gabriel Pierné, Emile Dubois, die Brüder Hillemacher, Benjamin Godard, Georges Hue, Charles Bordes und Marcel Samuel-Rousseau.
Mel Bonis schreibt impressionistisch gefärbte Klavierstücke wie die *Pensées d'automne* (Herbstgedanken) und *Le Ruissau* (Der Bach) und wagt sich mit ihrem *Nocturne* für chromatische Harfe und Streichtrio an die Kammermusik. Auf dem Deckblatt des Manuskripts dieses reizvollen Stückes lesen wir: „Mel Bonis, 1892, (in einer Zeit, in der sie sich nicht ernst nahm) Nicht veröffentlichen". Drei Lieder auf Texte von Edouard Guinand tragen dagegen die Anmerkung „zu veröffentlichen", sind aber zu ihren Lebzeiten nie herausgegeben worden. In den folgenden zehn Jahren erscheinen nur die auf Texte von Hettich komponierten Lieder bei Leduc.
Hettich nimmt intensiv Anteil an Mélanies Arbeit, sie an seiner. Sie sehen sich regelmäßig.
Mélanie ordnet jetzt alles der Musik unter, gesellschaftliche Verpflichtungen ebenso wie ihren Einsatz für wohltätige Zwecke. Sie teilt ihre Zeit besser ein und findet so, wie vorausgesagt, die Zeit zu arbeiten. Das erste Werk, das im Verlag Leduc erscheint, ist das *Noël Pastoral*, das sie zwei Jahre vorher mit Hettich geschrieben hat.
Im selben Jahr erschüttert ein dramatischer Trauerfall die Familie Domange: Am 3. Juni 1892 stirbt Edouard, Student an der Ecole Polytechnique, im Alter von 22 Jahren an Hirnhautentzündung. Ein unerwarteter und grausamer Tod, für Mélanie der Verlust eines jungen Menschen, dem sie sehr zugetan war. Im Schmerz fühlt sie sich Albert eng verbunden. Für eine kurze Weile herrscht ein liebevollerer Umgang zwischen den Eheleuten.

* * *

Wir sind bei Leduc. Hettich zieht ein Heft aus seiner Tasche. Er bittet Mélanie es mitzunehmen, seine Verse zu lesen und etwas auszusuchen, was man dann gemeinsam vertonen könne.
Zu Hause sitzt Mélanie an ihrem Klavier und liest:

„Erblühende Sanftheit und linde Wärme der Atemzüge,
Sich in die Lust versenken wie Ertrinkende"

…………………

„Es war in unseren Herzen, die weich waren vor Erwartung,
Nur ein einziger Gedanke, ein einziger Blick in ihren Augen"

………………[46]

Die Verse füllen Seite um Seite.
Alle Texte handeln vom Augenblick, da die Frau, schwach geworden, in die Arme des Dichters sinkt. Auf unterschiedliche Art und Weise behandelt Hettich dieses Thema, mit Zurückhaltung, mit Eleganz, mit Charme, aber auch mit einer romantischen Leidenschaftlichkeit, die Wortneuschöpfungen und Überschwang nicht scheut. Mélanie spürt deutlich die Sinnlichkeit dieser Verse. Sie wagt es nicht sich einzugestehen, dass sie sich auf jeder Seite wiedererkennt.

Ein einziges Gedicht ist anders: Es trägt den Titel *Elève-toi, mon âme*[47] (Erhebe dich, meine Seele). Gedankenvoll legt sie den Text aus der Hand.
Im Herzen der Komponistin spricht Hettichs Stimme, wenn der Bariton, getragen von der Gegenstimme des Cellos, von seinem Leid singt:

„Wie der verwundete Adler sich in den Raum schwingt,
ohne auf den Pfeil in seiner Seite zu achten,
und den Blicken Trotz bietend, die seiner Spur folgen,
sein purpurnes Blut in den Äther verströmt,

So erhebe dich, meine Seele, und lass deine Wunde
sich dem Schmerz öffnen, der sie erweitert.
Je tiefer die Verletzung ist, desto reiner scheint uns
der namenlose Schmerz des ewigen Träumens.

Geh', bezwinge die Gipfel, wo der stolze Adler unterliegt,
bewahre den unerschütterlichen Stolz auf dein Leid
und wie der Adler, o meine Seele, suche dir ein Grab,
das so groß ist wie deine Trauer.“[48]

Mel Bonis liest das Gedicht immer wieder. Sie erinnert sich an einen Traum, der oft wiederkehrte: „Ich war noch ein Kind: Ich träumte, dass ich mich in der Abenddämmerung auf einem Feld auf dem Land befand. Ein Adler flog auf mich zu, ohne dass ich Angst bekam. Als er mir ziemlich nahe gekommen war, öffnete er seine Fänge ein wenig und ließ mich eine diamantene Krone sehen. Ich messe diesem wunderbaren Traum keinerlei Bedeutung bei.“[49]
Mel Bonis folgt dem Flug des Adlers auf seinem Weg in die Ewigkeit. Sie begleitet ihn mit ihrer Musik.

Hettich lässt nichts mehr von sich hören. Mélanie begreift es nicht.
An dieser Stelle müssen wir den dritten Mann vorstellen, der in ihrem Leben eine Rolle spielte, ihren Beichtvater. Jede Woche gesteht sie ihm in der Kirche Saint Augustin in der ihr vertrauten Atmosphäre des Beichtstuhls pflichtbewusst ihre geheimsten Gefühle. Dieses Mal spricht sie davon, wie schmerzlich sie auf ein Zeichen des geliebten Mannes wartet. Mit seiner Antwort auf dieses Geständnis macht er ihr begreiflich, dass selbst das Leiden untersagt ist, da sie damit die Gebote der Kirche verletzt. So achtenswert die Bemühungen ihres Beichtvaters auch sind, er kann nicht alles verstehen. Abgesehen von den Streitereien mit seinem Kantor ist ihm die Musik herzlich gleichgültig.
Für Mélanie ist die Musik ein Teil Gottes, ein Teil der Ewigkeit, ein Gebet. Sie gibt dem verletzten Adler und dem Adler mit der diamantenen Krone eine musikalische Form. Sechs ‚b' unterstreichen den feierlichen Ernst des Stückes. Die orchestrale Wirkung des ungewöhnlich dichten Klaviersatzes unterstützt die dramatische Intensität der Musik, die vor allem im letzten Teil spürbar wird. Hier zeigen sich zum ersten Mal die Kraft der melodischen Inspiration und die harmonische Farbigkeit, die die Spätwerke von Mel Bonis auszeichnen werden.

* * *

An den Samstagen treffen sich alle Domanges wie üblich in der Rue Monceau. Ein Familienereignis tröstet sie über ihre Trauer hinweg. Eine Hochzeit! Eugène wird seine Adèle Greder heiraten! Eugène ist, genau wie sein Vater, ein ‚netter Typ'. Fröhlich und begeisterungsfähig, interessiert er sich leidenschaftlich für alles, was modern ist. So macht es Albert und ihm ungeheuren Spaß, mit einem Installateur das Haus mit einer Zentralheizung zu versehen.
An diesem Samstag erscheint Eugène mit seiner gesamten Kameraausrüstung, ein beachtliches Arsenal, das ein Vermögen gekostet hat. Eine aufregende Sache. Ein Amateurfotograf! Was für eine Idee! Jeder weiß doch, dass man nur zum Fotografen zu gehen braucht, sich ein bisschen hübsch macht und ruhig vor dem gewählten Hintergrund posiert, um der Nachwelt eine Erinnerung zu hinterlassen! Aber nein: Eugène möchte etwas anderes. Er stellt gleißend helle Lampen auf und lichtet das Leben ab, so wie es ist: die Familie bei Tisch, seine Braut, den Wein, der reichlich fließt, Albert, der sein Lächeln wieder gefunden hat. Er spricht von Farbfotografie: Man habe eine neue Technik entdeckt, die auf der Wellenlänge der Farben beruhe. Er holt Flüssigseife aus der Küche und bläst durch einen Ring Seifenblasen in den Raum, zeigt dem aufmerksamen Publikum, dass die kleinen Seifenblasen nicht dieselbe Farbe haben wie die gro-

ßen, und erklärt so die aufeinander folgenden Töne der Farbskala. Ein gewisser Lippmann, so sagt er, habe diese Entdeckung auf die Farbfotografie angewendet, aber da er seine Erfindung nicht industriell verwerten wolle, müsse man noch ein wenig warten.
Farbfotos! denkt Mélanie, warum nicht gleich ein Foto meiner Gedanken? Eines Tages, denkt sie bei sich, kann man vielleicht den majestätischen Adler abbilden, wie er inmitten der Seifenblasen tausend Meter über dem Tisch fliegt. Man könnte das Foto in der Dunkelkammer entwickeln und allen Domanges zeigen.

Abends liest Mélanie, Gebetbücher, philosophische Werke und erbauliche Romane – auf keinen Fall die von Balzac oder Zola! An diesem Abend vertieft sie sich in eine Zusammenfassung der neuen Enzyklika ‚Au milieu des sollicitudes', in der Papst Leo XIII. erklärt, dass die Anerkennung der Republik nicht die Hinnahme einer religionsfeindlichen Rechtsprechung bedeuten dürfe und man den Kampf fortführen müsse.[50]
Und dann öffnet sie ihrem Mann die Türe, an der er in letzter Zeit wieder häufiger anklopft.

* * *

Währenddessen schreibt Hettich bei Kerzenlicht:

WENN MAN WÜSSTE

„ Die Stunden entflohen, die Tage und die Jahre
Wie liebte ich sie! Wie liebte sie mich! In uns war Nacht
O, die Blicke ihrer Augen! Wie sanft schient ihr mir doch…
Wie teuer wart ihr mir, verwelkte Blumen
Auf ihrem jungen Busen… Vage Blässe ihrer Stirn
Gelassene Schamlosigkeit ihrer gefühllosen Haut…"[61]

* * *

Mélanie hat einen Termin bei Leduc, um Korrektur zu lesen.
Wie sie erwartet hat, ist auch Hettich da.
Während sie alle begrüßen möchte, lässt er sie mit niemandem sprechen. Er nimmt ihre Hand und sagt leise:

„Ich habe Ihnen alles anvertraut, was mir am Herzen liegt, und Sie geben mir zwei Monate lang kein Lebenszeichen!“
Überrascht antwortet sie:
„Aber ich habe auf Sie gewartet. Glauben Sie mir, ich habe auf Sie gewartet. Seien Sie nicht böse!“
Er zieht sie die Treppe vom Laden zum Redaktionsbüro in der ersten Etage hinauf und nimmt sie in die Arme. Seine Kraft lässt keinen Raum für Widerstand.

* * *

Heute befindet sich ein Kino in der Rue de Grammont 3, wo das alte Haus Leduc stand. Der letzte, der den Ort noch kannte, Gilbert Leduc, ist 1985 gestorben. Da die Familie weder Fotos noch Zeichnungen oder Pläne der Örtlichkeiten aufbewahrt hat, werden wir nie erfahren, ob es überhaupt eine Treppe zwischen Laden und Redaktionsbüro gab.

Das Geräusch von Schritten und Gesprächen reißt sie auseinander. Sie steigen die Treppe bis zur letzten Stufe hinauf.
Als die anderen kommen, sitzen Hettich und Mélanie schon im Büro. Alle beugen sich über die Arbeit des Druckers. Mel Bonis betrachtet glücklich ihre gedruckte Musik, aber sie wird mit hundert Korrekturvorschlägen wieder kommen. Sie zeigt Madame Leduc ihre neuen Manuskripte, ganz unten im Stapel liegt *Elève-toi*…. Hettich greift danach und steht auf:
„Jetzt ist es Zeit, sich an die Arbeit zu machen!“ sagt er zu Mélanie, und in seinem Blick liest sie seine ganze Freude. In Gegenwart von Emma Leduc, Michalon, dem Drucker und vielleicht ein oder zwei Redakteuren der Zeitschrift verabredet Hettich ein Treffen mit Mélanie, das sie nicht ablehnen kann.

* * *

Über die Liebesbeziehung zwischen Hettich und Mel Bonis wissen wir gleichzeitig viel und wenig. Wir wissen, dass es sie gab, kennen aber weder ihre Dauer noch den genauen zeitlichen Ablauf.
Nachkommen bezeugen, dass Hettich Mel Bonis sieben Jahre lang ‚den Hof gemacht’ hat. Sie soll maßgeblich an der Erstellung eines mehrbändigen Werks mitgewirkt haben. Die Abfassung des ersten Bandes (oder der Bände I und II) der ‚Anthologie des airs classiques’ von Amédée L. Hettich entspräche dieser Periode.

Wir kennen den Herausgeber, mit dem beide zu Beginn der 1890er Jahre zusammenarbeiten: Alphonse Leduc. Die Familie Leduc, die immer noch einen Musikverlag besitzt, erinnert sich gerne an die Freundschaft zwischen Hettich und Alphonse II, die später von seinem Sohn fortgeführt wurde.
Das Haus Leduc könnte einer der Treffpunkte von Mélanie und Hettich gewesen sein.
Mel Bonis' Werk beginnt in dieser Zeit Form anzunehmen. Warum gerade in diesen Jahren? Es gibt weder einen familiären noch einen gesellschaftlichen Grund dafür, eher das Gegenteil ist der Fall: Die Familie Domange wird ständig größer und fordert immer mehr Einsatz. Doch die in Zusammenarbeit mit Hettich entstandenen Werke, die Lieder und die ersten Bände der Anthologie legen nahe, dass der Einfluss dieses Mannes, seine Ermutigung und seine Unterstützung ihre schöpferische Aktivität gefördert haben.
Was Hettichs Gedichte angeht, so sind sie nicht schwer zu entschlüsseln. Viele der Gedichte, die unter dem Titel ‚1893-1897' zusammengefasst sind, gewähren einen Einblick in seine seelische Verfassung während dieser Jahre.
So können wir uns dank der Arbeiten, die Hettich und Mel Bonis uns hinterlassen haben, und der Analyse ihrer Schriften und Werke den Personen nähern.
Hettich ist ein kontaktfreudiger Mensch, sensibel, ehrgeizig und von erstaunlicher Arbeitskraft. Seine Redegewandtheit macht ihn zu einem gern gesehenen Gast auf Gesellschaften, und er genießt das. Wenn er auch im eigentlichen Sinne nicht schön ist, so ist er doch eine elegante Erscheinung mit einem fein geschnittenen Gesicht. (Erhaltene Fotos zeigen ihn nur als älteren Mann.) Frauen ziehen ihn magisch an, er ist selbstsicher, geschickt in vielerlei Hinsicht, energisch und leistungsfähig in Idee und Ausführung; charmantes Geplänkel genießt er – kurz, er ist der Prototyp des Verführers.
In jungen Jahren war er sicher in Mel Bonis verliebt, vielleicht etwas weniger, als sie es zu der Zeit war[52]. Daneben wird er wohl eine ganze Reihe anderer Frauen gekannt haben. Zwischen 1886 und 1892 wird er sie hin und wieder gesehen haben.
Wir werden niemals erfahren, warum sie eines Tages ihre Zusammenarbeit wieder aufnehmen, noch wo oder in welchem Rhythmus.
Ihre immer häufigeren Begegnungen, ihre intellektuelle und musikalische Übereinstimmung, die so weit in die Vergangenheit zurückreichende Zuneigung, all das hat Einfluss auf Hettichs Gefühle und er setzt seine ganze Energie, seine Erfahrung, seinen Einfallsreichtum ein, um sie zu verführen, aber Mélanie widersetzt sich all dem. Ihr Widerstand steigert seine Liebe. Ihm wird die Zeit lang. In ‚Vers à chanter' schreibt er:

„Bisweilen sind die Götter, ach, der Frömmigkeit müde
Und deshalb weine ich."[53]

Mel Bonis' Persönlichkeit ist nicht leicht zu fassen. Ihr Arbeitsstil ist uneinheitlich: Einerseits finden wir Entwürfe und schnell hingeworfene Notizen, auf der anderen Seite ausgefeilte Texte von gesellschaftlicher Bedeutung. Auch in ihren Werken finden wir eine gewisse, wenn auch anders geartete Widersprüchlichkeit: Im selben Jahr komponiert sie sowohl Werke voller Inspiration, die ihre Seelennot widerspiegeln, als auch leichte Musik, die dem Zeitgeschmack entspricht und um die sich die Verlage reißen. Und beim Zuhören spürt man, mit welchem Vergnügen sie geschrieben wurden.
In Mélanie schwelt seit eh und je ein heftiger Konflikt zwischen ihrer natürlichen Vitalität, die nach Ausdruck sucht, und den Normen der strengen Erziehung, die sie verinnerlicht hat und die ihr ganzes Leben bestimmen.
Voller Verzweiflung und gleichzeitig voll unbändiger Lebensfreude fühlt sie, dass sie nicht dem idealen Bild der Frau entspricht, die sie sein möchte. Sie sucht einen Weg, den es nicht gibt, einen Weg, der von der Liebe zu Gott zur Liebe zu einem Menschen führt, vom Festhalten an der Familie zur schöpferischen Leidenschaft, von ihrer Aufgabe als Mutter zur wachsenden Macht ihrer Sinnlichkeit. Ihre Liebe ist mit ihrem Leben nicht vereinbar, sie leugnet sie, sie weist sie zurück, sie verbirgt sie schließlich, aber sie entgeht ihr nicht. Sie wird ihr Leben lang daran leiden.

* * *

In ihrem Herzen hört sie Jesus Christus spechen:
„Du hast in deinem Inneren eine unwiderstehliche Kraft gespürt, die dich zu einem anderen Wesen drängt und dich treibt, dein Herz mit einem anderen zu vereinigen, deine Seele mit einer anderen, dein Leben mit einem anderen. Der Wunsch zu lieben und geliebt zu werden verfolgt und quält dich. Hüte dich: Menschenliebe, die nicht von der Kraft der Gnade lebt, verdirbt, verbrennt und verzehrt das, was das Lebendigste in deinem Herzen ist. Ich, Jesus Christus, bin das schönste der Menschenkinder. Gib mir dein Herz und deine ganze Liebe: Meine Liebe bewahrt dich vor Schuld und Schande."[54]

* * *

Mélanie klingelt an der Türe des Verlagshauses Leduc. Das Zusammentreffen mit Hettich macht ihr Angst. Seine Liebe zurückweisen oder sie annehmen: Wie sie sich auch entscheidet, beides ist gleich undenkbar. Sie will ihm sagen, dass es nur einen einzigen Weg gibt zu verhindern, was sich anbahnt: sich nicht mehr zu sehen, die gemeinsamen Pläne aufzugeben, den Herausgeber, die Stadt, den Beruf, die Freunde zu wechseln, sich nie mehr zu begegnen. Aber Hettich geht dieser Konfrontation aus dem Weg. Mélanie hört Stimmen: Er ist nicht allein, und so wird sie nichts sagen können. Sein Freund, der Komponist Louis Bourgault-Ducoudray[55], stellt sich ihr vor. Er hat so viel von ihr gehört! Er ist hocherfreut, ihre Bekanntschaft zu machen. Er bleibt bis zum Ende des Treffens, ein Buch in der Hand, während sie Stunden an der Musik von *Elève-toi, mon âme* arbeiten.

Elève-toi, mon âme, ein ausgesprochen romantisches Werk, erscheint erst zwei Jahre später unter mysteriösen Umständen. Ausnahmsweise ist nicht Leduc der Herausgeber, sondern Bretonneau in Paris, ein Unbekannter, von dem wir nirgendwo eine Spur gefunden haben. Das Lied trägt die Nummer ‚eins' in seinem Katalog und wird einige Zeit später von einem gewissen Pfister übernommen, einem kleinen Pariser Herausgeber, der nach 1900 auftaucht. Am Ende des Ersten Weltkriegs wird der Verlag von Maquaire übernommen. Im handgeschriebenen Werkverzeichnis von Mel Bonis erscheint dieses Lied nicht. Der Grund mag die Bürde von Emotionen und Verbotenem sein, die auf ihm lastet. Gleichwohl wurde es nicht vernichtet und blieb in einem einzigen Exemplar im Familienarchiv erhalten.[56]

I.6
„Piangero!"

Am 24. März 1893 bricht die Familie Domange nach London auf, um die Hochzeit Eugènes mit Adèle zu feiern. Für Mélanie ist die Überfahrt eine Qual. Sie leidet unter Übelkeit, kein Wunder bei dem Seegang. Aber während der Messe, zwischen Predigt und Tausch der Ringe, überfällt sie die Übelkeit von neuem, und sie muss hinausgehen. Nach der Rückkehr gibt es keinen Zweifel mehr, Mélanie schreibt ein Wiegenlied. Sie widmet es Madame Eugène Domange, der frisch Vermählten. *Berceuse*, nach einem Gedicht von Edouard Guinand, wird zu ihren Lebzeiten nicht veröffentlicht.

Albert ist sehr glücklich. Wenn es ein Junge wird, wollen sie ihn in Erinnerung an seinen verstorbenen Halbbruder Edouard nennen.

Mélanie komponiert viel, ohne ihr seelisches Gleichgewicht wiederzufinden. In ihrer Beziehung zu Hettich gibt ihr die Schwangerschaft Sicherheit. Sie ist wie eine Festung, die ihre Tugend schützt.

* * *

Hettich plant eine französische Sammlung der großen Arien des italienischen, englischen und deutschen Repertoires, die bereits erwähnte ‚Anthologie des airs classiques'. In seinem sängerischen Umfeld sieht er das Bedürfnis nach Übersetzungen, die diese Werke leichter zugänglich machen. So könnte man dieses Repertoire nicht nur Amateursängern erschließen, sondern auch einem Publikum, das keine Fremdsprachen spricht. Die Idee entspricht dem Zeitgeist, der nach einem weniger elitären Zugang zum kulturellen Repertoire sucht. Hettich findet Unterstützung bei Persönlichkeiten seines Umkreises, die sich mehr oder weniger für die Förderung des Gesangs interessieren (die Familie hat zahlreiche Briefe aufbewahrt, die dies bezeugen), Persönlichkeiten wie Widor, Taffanel, Théodore Dubois, Bourgault-Ducoudray und viele andere, Musiker, Komponisten, Musikwissenschaftler und Mitarbeiter der Ministerien für Erziehung und bildende Kunst.

Hettich möchte mit Händel beginnen. Zunächst muss die umfangreiche Literatur gesichtet werden. Um eine Auswahl zu treffen, verbringen Mélanie und er Nachmittage in der Bibliothek und sehen Unmengen von Kantaten und Opernarien durch.

Eines Tages klagt Mélanie über Erschöpfung. Als er den Grund begreift, ist Hettich sehr unglücklich. Er schreibt an das Ungeborene und gibt ihm den poetischen Namen ‚Blüte der geliebten Lilie':

„O du Blüte der geliebten Lilie, deren Blässe mich anzieht,
Kind des Kusses, den meine Lippen sich gewünscht hätten,
O vertrautes Wesen der Stunde, in der nicht ich erwählt wurde!
Indem sie dir das Leben gab, hat die Natur sich in meiner Qual gefallen"[67]

* * *

Mélanies Schwangerschaft lässt sich nicht mehr übersehen. Sie ruht sich vor dem Kaminfeuer aus. In der Hand hält sie das Heft mit seinen Gedichten.

Nach einer langen Weile der Stille spricht sie von Aufbruch, aber es fällt ihr schwer, ihren Entschluss umzusetzen. Sie fühlt sich wohl hier, weit weg vom geschäftigen Treiben zu Hause und den Kindern, die sie beanspruchen.

Er fragt: „Darf ich Ihnen den Schluss meines Briefes an Ihr Kind vorlesen?"

„Geh! Am Schicksal will ich mich nicht rächen,
Da an seiner Seele deine reine Seele aufblüht,
Da an seinem Mund, Kind, dein Kuss seinen Duft verströmt,
Liebe ich dich in der neuen Blüte dieser langsamen Taufe.‘[68]

* * *

Es ärgert Mélanie sehr, dass Albert seine neuerliche Vaterschaft großtuerisch feiert – mit leichten Mädchen, was er besser verheimlichen sollte. Hatte sie bisher die Eskapaden ihres Gatten als Entlastung empfunden, so sieht sie sie doch jetzt mit anderen Augen. Mélanie ist gekränkt. Eifersüchtig ist sie gewiss nicht, eher fürchtet sie, der Lächerlichkeit preisgegeben zu werden. Sie wirft ihrem Mann seine Seitensprünge vor, die die Moral verbietet, die Gesellschaft aber eher amüsiert betrachtet, da es sich um einen ‚Herrn' handelt …

Ein wunderbar ruhiges Menschenkind ist aus dieser bewegten Zeit hervorgegangen. Mélanie nimmt es in ihre Arme und fühlt die Entspannung. Das Menschenkind ist mein Großvater, Edouard Domange. Wir sind in Sarcelles, im November 1893.

* * *

Clémenceau hat soeben eine Wahlniederlage erlitten. Die 40 Sozialisten ziehen siegesbewusst ins Parlament ein. Die Folgen des Panama-Skandals sind immer noch spürbar. Die Familie Domange, die bei dieser Geschichte große finanzielle Einbußen erlitten hat, lädt dennoch zu einem Dîner ein, um Mélanies glücklich überstandene Schwangerschaft zu feiern.
Das Kind, das bei der Geburt die Nottaufe erhalten hat, wird mit etwa drei Monaten in aller Form getauft. Familie und Freunde kommen in der Kirche Saint-Augustin zusammen. Mélanie begrüßt ihre Eltern, ihre Schwester Madame Aboilard, ihren Schwager und die kleine Louise und schließlich alle Domanges. Die Gesellschaft ist elegant, die Frauen, gepudert und parfümiert, tragen riesige, mit Federn, Blättern oder Blüten geschmückte Hüte. Albert betrachtet alle seine Kinder, vom Ältesten, dem 28-jährigen Henri, bis zum zweiten Edouard. Der lächelt engelsgleich in seinem Taufkleidchen, dessen Spitzenbesätze bis zu den Füßen seiner Taufpatin hinabreichen, die ihn auf dem Arm trägt.
Der Pfarrer erinnert an die Taufe Jesu durch Johannes den Täufer im Wasser des Jordan, bevor er zum Taufakt kommt. Der Täufling, obwohl mit Wasser besprüht, strahlt. Der Priester beschließt diese Zeremonie wie alle anderen auch,

Mélanie Domange und ihre Kinder Jeanne, Edouard und Pierre, 1898

indem er daran erinnert, dass Gott Frankreich dem Heiligen Herzen Jesu anvertraut hat. Und man geht auseinander mit dem Lied: „Heilige Frankreich, damit es sich seiner Taufe erinnert".

Am Nachmittag ist großer Empfang in der Rue de Monceau. Adèle, die eine hübsche Stimme hat[59], singt die *Berceuse* von Mel Bonis. Liebenswürdig spendet die Familie Beifall: der Sängerin, der Komponistin am Klavier und dem Textdichter, Edouard Guinand, der überglücklich ist.

An diesem Tag gibt Pierre seine erste Vorstellung als Zauberer. Er ist zehn Jahre alt und bekommt stürmischen Applaus.

Abends klopft Albert wieder an die Türe seiner Frau. Aber Mélanie weigert sich zu öffnen und bittet ihren Mann, für immer von seinen Besuchen abzusehen. Die Hausangestellten verbreiten die Neuigkeit, bald ist das ganze Haus informiert, und man spricht noch heute davon.

* * *

Der Pariser Herausgeber Baudoux finanziert Hettichs Projekt, die ‚Anthologie des airs classiques'. Die ersten beiden Bände erscheinen 1899 und 1902. In diesem Jahr erkrankt Baudoux und übergibt seinen Verlag an Bellon und Ponscarme, die ihrerseits drei Jahre später von Rouart übernommen werden, der sich bald darauf mit Lerolle zusammenschließt. Die vier restlichen Bände der Anthologie erscheinen also (ab 1905) bei Rouart, Lerolle & Cie. Es war höchstwahrscheinlich Massenet, der Hettich mit Baudoux zusammengebracht hatte, einem Verleger, der vor allem junge Komponisten herausbrachte, besonders wenn es sich um Schüler von Massenet und Chausson handelte.

Mel Bonis hat jetzt wieder Zeit und wird die treibende Kraft des Unternehmens. Gemeinsam treffen sie die Übereinkünfte mit dem Verleger. Baudoux gibt zwischendurch einmal ein Kinderstück von Mel Bonis heraus, *Tambours et clairons*, das Pierre Domange gewidmet ist, vielleicht als Dank für seine Zaubervorstellung. Hettich übersetzt die Texte der Arien und Mélanie passt seine Übersetzungen an die Musik an. Es ist eine wirkliche Gemeinschaftsarbeit. Immer wieder werden Sätze umformuliert. Es gilt die Stimmführung zu beachten, den Sinn der Texte zu bewahren. Nicht nur die melodische Linie, sondern auch die Begleitung muss mit der musikalischen Aussage übereinstimmen. Oft muss eine Klavierfassung erstellt werden. Dann folgen die Abschrift, die Reinschrift und die Korrektur nach dem Satz.
Die Zeit vergeht, eine Zeit der Arbeit an Händel, eine schwierige Zeit, eine Zeit im Verborgenen. Wochen und Monate gehen ins Land.

* * *

Eines Tages probieren sie ihre französische Fassung der Arie der Kleopatra aus ‚Julius Caesar' aus. Sie haben sich einigermaßen geeinigt und eine Form gefunden. Hettich singt. Mélanie unterbricht ihn:
„Ich möchte etwas ausprobieren: Setzen Sie sich doch bitte an meinen Platz."
„Aber ich bin kein Pianist!"
Sie lächelt: „Es ist nicht für lange. Schauen Sie, Sie haben nur drei Noten zu spielen."
Hettich setzt sich ans Klavier, Mélanie singt. Ihr Timbre ist bezaubernd. Er möchte, dass sie an ihrer Stimme arbeitet. Er schlägt es ihr häufig vor: Sie bräuchten ein ganzes Leben, um alles zu verwirklichen, was sie gern zusammen tun möchten.
Sie singt, aber auf Italienisch. Und dann unterbricht sie sich:

„,Piangero!' Das ist aber doch viel schöner als ‚Ich werde weinen!' und ‚la mia sorte' singt sich soviel besser als ‚mein eigenes Schicksal'." Hettich ist verärgert.
„Seien Sie nicht beleidigt", sagt sie. „Man könnte es gar nicht besser übersetzen. Es ist nur so, dass die französische Sprache…"
„Wir haben das hundertmal besprochen. ‚Piangero… la mia sorte', natürlich klingt das viel besser! Es versteht nur niemand, was das heißt."
Schließlich übersetzt Hettich „Piangero, piangero la mia sorte…" mit „Sans amour, sans espoir, sur moi, je pleure".[60]

Eines Tages spielt sie ihm zum ersten Mal ihr Klavierstück *Eglogue* vor. Es ist das schönste der fünf Stücke für Klavier, eine ihrer ersten Veröffentlichungen, die Leduc jetzt neu herausgibt und deren Ausarbeitung Hettich regelmäßig verfolgt. Es ist eine ebenso schlichte wie feinsinnige Musik, ein kurzes Hirtengedicht von beispielhaft prägnanter Knappheit, in dem jede Note der melodischen Linie bedeutungsvoll ist und jede Note der Begleitung reich an Emotion. In der feinen Ausführung der Phrasenabschlüsse blüht Mélanies Empfindsamkeit in ihrer ganzen Fülle auf. Als das Stück zu Ende ist, gibt Hettich seiner Bewunderung Ausdruck.
Sie lächelt. „Vom Blick ihrer Augen"[61] bewegt, gesteht er ihr ohne nachzudenken seine Liebe.
Und sie antwortet, wie erwartet, sie sei verheiratet, er sei ein verheirateter Mann, ihre Liebe sei unmöglich. Und sie bittet ihn, nie mehr davon zu sprechen.
Dennoch kommt der Tag, an dem er sie küsst, und wir finden die Erinnerung daran in seinen Versen wieder:

„Ich liebe die Strenge deines Mundes
Die deinen Körper, dessen Durst ungestillt ist, Lügen straft
So milde ist dein Mund, dass ich ihn kaum
Mit einem Kuss berühre'[62]

Ein andermal diskutieren sie stundenlang ganz theoretisch über das Thema ‚Religion und Ehebruch'. Wenn er seine religiösen Pflichten auch mehr oder weniger gewissenhaft erfüllt, fühlt Hettich sich doch, nach eigener Aussage, im Prinzip der christlichen Moral verpflichtet. Er schätzt tugendhafte Frauen, und junge Mädchen sollten seiner Meinung nach so erzogen werden, dass sie Abscheu vor der Sünde empfinden. Kurzum, er ist gegen den Ehebruch im Allgemeinen. In ganz besonderen Fällen allerdings ist er entschieden dafür, etwa wenn zwei Menschen von hoher Spiritualität, die gegen ihren Willen … oder als Folge

dummer Umstände eine Ehe eingehen mussten, sich seit jeher lieben und in ihrer irdischen Liebe das Wirken der Liebe Gottes spüren.
Am nächsten Tag sagt sie, um der Diskussion ein Ende zu machen:
„Die Liebe, die wirkliche Liebe will das Glück des geliebten Menschen auch um den Preis jedes Opfers, selbst wenn es darin besteht, ihm, wenn es möglich ist, den Weg zu versperren, falls er einen Weg einschlagen würde, der sein Seelenheil gefährden könnte. Wenn er sich widersetzt, bleibt dem, der liebt, nur noch, schweigend „die schmerzhafte Marter der Liebe" zu erdulden. Man leidet in dem Maße, wie man liebt."[63]
Jeden Freitag gesteht Mélanie ihre Sünden in der Abgeschlossenheit des Beichtstuhls. Der Pfarrer beurteilt die lässlichen Sünden nach solchen, die den Todsünden näher und solchen, die ihnen ferner liegen. Er erlegt ihr ihre Buße auf und entlässt sie mit dem stets gleichen Rat, diesen Mann nicht mehr zu sehen. Das würde das schmerzliche Problem der Versuchung aus der Welt schaffen. Sie erklärt ihm daraufhin, dass sie an einem gemeinsamen Projekt arbeiten und nur sie ihren Teil der Aufgabe ausführen kann. Er erwidert, dass Gottes Wille wichtiger sei als irdische Aufgaben.
Tage vergehen, Monate.
Mélanie und Hettich nehmen ihre Gespräche wieder auf über das schicksalhafte Verlangen, einander zu gehören, wenn man sich liebt, und über das Verbot des Ehebruchs.

* * *

Bei Hettich lesen wir:

„Mein Schmerz ist unermesslich und grenzenlos,
Bodenlos die Quelle meiner Tränen,
Ohne Kraft mein Denken und meine Hoffnung ohne Waffen,
Blumenlos mein später Sommer."[64]

Mel Bonis komponiert nicht mehr.
Madame Domange fährt die Hausangestellten wegen einer Nichtigkeit an, für mittags und abends setzt sie das gleiche Menu fest, Jeanne muss ihr zehnmal dieselbe Frage stellen und bekommt doch keine richtige Antwort. Albert zieht es vor, so selten wie möglich nach Hause zu kommen, und man versteht ihn. Die junge Mutter geht an ihrem Baby vorbei, ohne es wahrzunehmen. Nachts schläft sie nicht, sie isst nichts mehr. Keine Erklärung, kein Wort. Mélanie geht nicht mehr zur Kommunion. Sie verbringt Stunden vor einem Blatt Notenpa-

pier und schreibt keine einzige Note. Das Klavier bleibt stumm. Die Zeit vergeht. Zwei Monate, drei Monate?
Es ist eine lange, dunkle Zeit. Der Arzt weiß keinen Rat. Die Kinder weinen.
Eines Tages sagt Jeanne Monchablon: „Tu, was du willst, aber tu endlich etwas!"
Mélanie tut nichts.
Und eines Tages weigert sich die Zeit, noch eine Sekunde weiterzugehen.

* * *

Ist es Tag? Ist es Nacht? Mélanie verlässt das Haus ohne nachzudenken. Um sich in die Seine zu stürzen oder um an seine Türe zu klopfen. Sie ist weder geschminkt, noch hat sie Schmuck angelegt. Sie trägt ein langes, gerade geschnittenes Kleid.
Er nimmt den Kamm aus Bernstein aus der lebendigen Fülle ihres Haars.[65]

I.7
„Die Liebe, von der man träumt, ist süßer, Madeleine, o Madeleine!"

„Weihnachten! Es ist Weihnachten!"
Draußen schneit es. Mélanie läuft los. Sie schaut zum Himmel empor und lässt die Schneeflocken ihr Gesicht sanft berühren. Weihnachten! Im Schnee zeichnen sich die leichten Spuren ihrer Stiefel ab.
Eilig begibt sie sich in die ‚Magasins Réunis', kauft in zwei Stunden so viel ein wie sonst in drei Wochen. Sie merkt, dass sie kein Geld bei sich hat.
„Ich bin Madame Domange", sagt sie zu den Verkäuferinnen, „Sie werden mir wohl Kredit geben". Und das Personal liest ihr ihre Wünsche von den Augen ab.
Die Kutsche hält vor dem Haus in der Rue de Monceau, beladen mit Unmengen von Einkäufen. Mélanie holt heimlich den Stallburschen und das Zimmermädchen herbei, damit sie ihr beim Ausladen helfen.
Morgen wird ihr Haus, wie alle anderen, von Adolphe Adams Weihnachtslied widerhallen.
Die Familie ist glücklich. Die elsässischen Hausangestellten strahlen: „Madame ist wieder da! Wir haben uns große Sorgen gemacht!"
Bald wird sie ihr schönstes Geschenk bekommen:

WEIHNACHTSGESCHENKE

„Mein Herz, da ich weiß, wie gern du gefällst,
Will ich dir heimlich
Ein geheimnisvolles Geschenk bringen,
Einen Spiegel, in dem die Zeit nichts ändert,
In dem du ein Engel bleibst, auch wenn du ein Dämon bist,
Und der dir in meinen Augen zulächelt.

Weit weg von den Gärten mit ihrer unnützen Ernte,
Wo die Zeit mit gleichgültigem Atem
Die Blume erblühen und welken lässt,
Pflückte ich sie für dich,
Da ich ihr ewige Anmut wünschte,
Zwischen Efeu und Immortellen in meinem Herzen.

Dann schenke ich deinen schwankenden Stimmungen
Felder voller Qualen und Wonnen,
Die keine Vergangenheit je erfasst hat.
Ein Ozean, dessen Wellen sich über den Strand ergießen,
Ein Himmel, dessen Blau aus Träumen gemacht ist:
Das ist meine Liebe…"[66]

* * *

Es kommt wieder Leben ins Haus, Mel Bonis komponiert wieder. Sie schreibt einige ihrer schönsten Klavierstücke, *Carillon mystique*, die *Barcarolle-Etude* und vor allem die *Ballade.*

Ebenfalls für Klavier entstehen die ersten Stücke eines Zyklus, den sie weiblichen Sagengestalten widmet. Die griechische Mythologie, die Gralslegende, Literatur oder Theater liefern ihr die Vorlage für eine musikalische Gestaltung unterschiedlicher Facetten der weiblichen Natur. Die so entstandene Musik lässt deutlich erkennen, welche Gedanken Mel Bonis in dieser Zeit bewegen, in der ihr Leben aus den Fugen gerät. Die Sammlung, die unserer Meinung nach das Beste ist, was sie für Klavier geschrieben hat, wird am Ende sieben Konzertstücke umfassen, die nicht alle datiert sind und zu unterschiedlichen Zeitpunkten erscheinen. Mel Bonis komponiert *Phoebée* 1897 (datiertes Manuskript), dann *Viviane* und *Salomé* (erste Ausgabe aller drei Stücke 1909 bei Leduc). *Desdémone* wird 1913 beim selben Herausgeber veröffentlicht und *Mélisande*, 1922 entstanden, erscheint 1925, zusammen mit den vier ersten Stücken. *Omphale*, preisgekrönt bei einem deutschen Kompositionswettbewerb, entsteht 1910. Das Manuskript von *Ophélie* haben wir erst kürzlich entdeckt, und die erste Veröffentlichung erfolgte 1998 beim Verlag Armiane. Alle sieben Stücke zusammen bilden unter dem Titel *Femmes de légende* den ersten Band der Gesamtausgabe der Klavierwerke von Mel Bonis beim Verlag Furore in Deutschland. Obwohl nicht alle aus der Zeit stammen, über die wir gerade berichten, betrachten wir die Sammlung in der folgenden Werkanalyse als ein Ganzes.

* * *

Ein Klavierzyklus: Les Femmes de légende

Mélisande, Symbol der reinen Liebe, geht auf Maeterlincks Schauspiel ‚Pelléas et Mélisande' zurück (Uraufführung 1893 im Théâtre des Bouffes-Parisiens). Dieses Stück erinnert an eine der wunderbarsten Szenen der französischsprachigen Literatur. Mélisande, in ihrem Turm eingesperrt, spricht mit Pelléas, während sie ihr langes blondes Haar kämmt. Akt III, Szene 2: „Ihr Haar löst sich plötzlich, während sie ihren Kopf neigt, und hüllt Pelléas ein…"
PELLEAS: „Dein ganzes Haar, Mélisande, dein ganzes Haar ist vom Turm gefallen! ... Nie sah ich Haare wie die deinen, Mélisande! ... Sieh, sieh, sie kommen von so hoch oben und überfluten mich bis ins Herz hinein … Sie sind warm und weich, als ob sie vom Himmel kämen! … Ich sehe den Himmel nicht mehr durch deine Haare, und ihr schönes Licht verbirgt mir sein Licht! …Sieh, sieh nur, meine Hände können sie nicht mehr fassen … Sie fliehen vor mir, sie fliehen bis zu den Ästen der Weide … Sie fliehen nach allen Seiten … Sie zittern, sie bewegen sich, sie wogen in meinen Händen wie goldene Vögel; und sie lieben mich, sie lieben mich tausendmal inniger als du."
Mel Bonis gibt diesen Bildern eine ebenso wunderbare pianistische Form. Ihre harmonische Gestaltung ist schön und originell. Die feine Gemütsbewegung, die die Weichheit des Anschlags zum Klingen bringt, spricht den Hörenden an, und den Spielenden lädt die Zartheit des Stückes ein, in seiner Interpretation den Klängen und Farben nachzuspüren. Es verwundert nicht, dass das Stück seine verdiente Aufnahme gefunden hat, als es 1898 bei Leduc erschien (zu dieser Zeit arbeitet Debussy schon an seiner Oper ‚Pelléas et Mélisande', die 1902 uraufgeführt wird, und Schönberg denkt vielleicht schon an seine symphonische Dichtung von 1902/1903, die ebenfalls den Titel ‚Pelléas et Mélisande' tragen wird). Mel Bonis' *Mélisande* wird mehrere Male neu aufgelegt. Im handge-

schriebenen Katalog ihrer Werke notiert Mel Bonis zu *Mélisande*: „Mein Lieblingsstück“. Gabriel Pierné schreibt ihr: „Ich habe die wunderbare Bekanntschaft Ihrer Mélisande gemacht, deren melancholische Anmut und pianistisch hübsche Gestaltung mir sehr gut gefallen haben. Ich beglückwünsche Sie von ganzem Herzen und ich werde meiner aufrichtigen Bewunderung dadurch Ausdruck geben, dass ich dieses Werk all denen ans Herz legen werde, die ich für würdig erachte, es zu spielen.“[67]

Wie Mélisande, die unter der Eifersucht ihres Gatten Golaud leidet, verkörpert auch Desdemona die reine junge Frau, die gequält wird von der Eifersucht eines Ehemanns. Sie ist die weibliche Hauptperson in Shakespeares ‚Othello', der Rossini und Verdi zu einer Oper angeregt hat. Mel Bonis hat sich, um ihrer *Desdémone* Gestalt zu geben, von Maurice Bouchors ‚Chansons de Shakespeare' anregen lassen. Wenn *Mélisande* und *Desdémone* auch vom Thema her vergleichbar sind, so ist ihre musikalische Gestalt doch ganz unterschiedlich. Während *Mélisande* impressionistisch ist, kann man *Desdémone* als klassisch bezeichnen. Es ist ein Lied ohne Worte von eindringlicher Traurigkeit.

Viviane ist eine starke Persönlichkeit. Das unberührte junge Mädchen, das verpflichtet ist, Jungfrau zu bleiben, wenn es seine Zauberkraft als Fee bewahren will, nimmt in der Gralslegende Lanzelot wie eine leibliche Mutter auf (sie ist also eine jungfräuliche Mutter) und zieht ihn in ihrem Schloss auf dem Grunde des Sees auf (Motiv der Kälte). Gegen ‚Gefälligkeiten‘, die nur Köder sind, kauft sie dem ihr in wahnsinniger Liebe verfallenen Zauberer Merlin seine Zauberkraft ab. Durch Zauberei entführt sie, wen immer sie will, in ihr Schloss im See. Nach der Wiederauffindung des Grals überlässt Merlin Viviane seine letzte Zauberkraft: die, einen Menschen für immer gefangen zu halten, und natürlich entscheidet sich Viviane für Merlin. Er ist nun in Vivianes Liebe gefangen. Aber dann weichen die Überlieferungen voneinander ab: Schließt sie sich mit ihm zusammen ein? Lässt sie ihn allein? Ist der Ort der Gefangenschaft das Grab? Welche Lesart der Legende legt Mel Bonis ihrem Stück zugrunde? In der Musik finden wir keine Antwort: Das dreimal wiederkehrende Hauptthema drückt in der Schlichtheit seiner Walzerform den Liebreiz, das Lächeln der Fee aus. Majestätische Momente, die das Schloss auf dem Grund des Sees und die Macht der Fee erahnen lassen, durchziehen das Stück.

Der griechischen Mythologie entstammt *Omphale*, Königin von Lydien, der Herakles mit seinen Heldentaten diente. Sie verliebt sich in ihren Sklaven, lässt ihn frei und heiratet ihn. In der lateinischen Version der Sage demütigt Omphale den Helden, indem sie ihn wie eine Frau kleidet und ihn zu ihren Füßen Wolle spinnen lässt. Dieser Aspekt der Sage scheint in Mel Bonis' Musik keine Rolle zu spielen. Man erkennt in ihr vielmehr die Königin und Frau: „Sanft und lieb-

kosend“ entfaltet das Stück seine schillernden Harmonien. Mel Bonis reicht es 1909 bei einem Wettbewerb der Berliner Zeitschrift ‚Signale für die musikalische Welt‘ ein. Aus 874 eingereichten Stücken wählt eine Jury zehn Stücke aus, zu denen *Omphale* gehört. In der Jury sitzen Ferruccio Busoni, Gustav Hollander und Philipp Scharwenka. Das Stück wird 1910 von Simrock in einem Sammelband mit dem Titel ‚Preisgekrönte Kompositionen' veröffentlicht.
Salomé trägt alle Facetten der Verführung in sich. Ihr Zauber und ihre Faszination finden Ausdruck im gekonnten Einsatz des Rubato, subtile Klangbilder beschwören durch eine langsame Folge absteigender Akkorde und die fremdartig wirkenden übermäßigen Quinten die Welt des Orients und des Bauchtanzes herauf (*Moins vite,* S. 3). Langsame Synkopen und leichfüßig dahin gleitende Passagen malen überraschende Bilder. Ein wiegender Rhythmus, der 3/4- und 2/4-Takt in der rechten Hand verbindet, liegt über einer eindringlich psalmodierenden Linie in einem nicht notierten 5/8-Takt der linken Hand, der ein geheimnisvolles Pianissimo anvertraut wird. Die Interpretation sollte in Tempo und Intensität abwechslungsreich gestaltet werden, sich aber dennoch von den wie immer detaillierten Anweisungen der Partitur leiten lassen. An anderer Stelle stellt ein schwingendes Motiv den Schleiertanz dar: Auf einer einzigen Seite hebt es sich empor und entwickelt sich vom „moderato“ bis zum bewegtesten „agitato“. Dann bestimmen Leidenschaft und Zerstörung die musikalische Gestalt (*„vivo“* S. 5), so als ob das Klavier im brutalen Crescendo zweier rascher Passagen in Flammen aufginge. Sie enden beide im Fortissimo, wobei die beiden letzten Töne mit aller Boshaftigkeit angeschlagen werden sollen, derer man fähig ist. Im folgenden, mit „vite“ bezeichneten, 6/8-Takt zeichnen die beiden Hände die acht gleißenden Stufen nach, die uns in die Hölle hinabführen. Ein „retenu“ und ein „moins vite“[68] geleiten uns sanft zur ruhigen Erinnerung an einen trügerischen Traum. Noch im Nachhall des abschließenden Ritardando im Pianissimo erklingt plötzlich ein völlig unerwarteter Schlussakkord, der fast die Saiten zum Bersten bringt!

Die Figur des folgenden Stückes steht in völligem Gegensatz zur Salome: *Ophélie* fließt in ihrer musikalischen Gestalt in der Bewegung des Flusses, der sie zu Gott führt. Wie das Bild der unendlichen Zeit findet auch diese Musik in ihrem mystischen Lauf nicht wirklich ein Ende. In ihr klingen die berühmten Verse von Rimbauds ‚Ophélie' nach:

„Auf stiller, schwarzer Flut, im Schlaf der Sterne,
Treibt, einer großen Lilie gleich, die bleiche Ophelia
Langsam dahin, auf ihre langen Schleier gebettet…“

Mélisande, das „Lieblingsstück“ von Mel Bonis im Band 1 der Neuausgabe der Klavierwerke: *Femmes de légende* im Furore Verlag (fue 4180)

Phoebée, Schwester des Sonnengottes Phoebus, symbolisiert den Mond, den Bogen (im weiteren Sinne also auch Diana und die Jagd), die Nacht, die kühle Seite der Weiblichkeit, die Jungfräulichkeit, die Keuschheit. In der geheimnisvollen Atmosphäre dieses Nachtstücks erkennt man den Mond in seinem silbernen Widerschein.
Den Eindruck des Ungewöhnlichen vermittelt vor allem der Rhythmus: Das Stück steht im 3/4-Takt, während ein Zweierrhythmus der Bewegung zugrunde liegt und die wesentlichen Interventionen der rechten Hand eher wie zufällig erscheinen. Die geheimnisvolle Stimmung wird verstärkt durch gleichförmige, außerhalb der Tonalität liegende Arpeggien im Pianissimo, die durch den Pedalgebrauch ineinander verschmelzen. Vielleicht ist dieser Anfang, bei dem alle schwarzen Tasten des Klaviers zum Einsatz kommen, eine Anspielung auf das Dunkle. Die folgenden chromatischen Passagen verstärken diese Empfindung. Der Akzent liegt auf dem melodischen Thema, das in Oktaven erklingt und sich majestätisch, wie es einer Gottheit wie Phoebe wohl ansteht, in mehreren Modulationen hin zu einer strahlenden hohen Dur-Auflösung entwickelt. Wie um dauerhaft zu einer tiefen Basis zu finden, erleben wir, ausgehend von den höchsten Tönen des Instruments, einen regelmäßigen lebhaften harmonischen Abstieg im Staccato, der sich auch durch die zeitweilige Verwendung der Pentatonik reizvoll vom Rest abhebt. In der folgenden Passage entfernt sich die Melodie zeitweise von der Tonart der Begleitung. Gewagte harmonische Fantasien im ruhigen Rhythmus des Anfangs, die Rückkehr zum Pianissimo und der silbrig weiche Klang der beiden Pedale lassen uns die geheimnisvolle Kühle der Nacht spüren, bevor sie sich in der ruhigen Vollkommenheit eines As-Dur-Akkords auflösen. Dann gewinnt der melodische Ablauf wieder an Gewicht. Sanfte, kurz angeschlagene Töne auf der unbetonten Taktzeit erscheinen wie Sterne am Himmel. Die Pracht der Moll-Themen wird durch die Dur-Schlüsse noch unterstrichen. Die bemerkenswerte Struktur dieses Stückes, die wahrhaft neue Wege einschlägt, entführt den Hörer in eine eigenartig zeitlose Nachtstimmung.

* * *

Es ist kein Zufall, dass sich Mel Bonis für diese sieben Frauengestalten entscheidet. Mit ihnen identifiziert sie sich, sie stehen für ihre Sehnsüchte und ihre inneren Konflikte:
Vier der sieben Figuren haben eindeutig gebieterische Züge.
Außer bei Omphale und Salomé, der Verkörperung der Sinnlichkeit, ist Keusch-

heit die Konstante. Während erstere ihren Gatten demütigt, lässt die zweite Johannes den Täufer enthaupten. Bei Ophélie, Phoebée und Viviane verbindet sich mit der Keuschheit die Kälte, symbolisiert durch das Wasser, die Nacht und den Tod.
Der Mann ist entweder das verbotene Wesen (Pelléas, in manchen Versionen Merlin), gewalttätig (Golaud, Othello) oder ein Schwächling (in manchen Überlieferungen Herakles, Johannes der Täufer, Merlin).
Das einzig vorstellbare Glück ist zweifellos das von Pelléas und Mélisande als Symbol der reinen Liebe erlebte, dargestellt in musikalischen Bildern von blühender Schönheit.

Nach dieser Analyse der *Femmes de légende* wenden wir uns dem übrigen musikalischen Schaffen Mel Bonis' in dieser Zeit zu.
Intensiv arbeitet sie an der *Suite en forme de valses*, leichter Musik, für die ihr Verleger Interesse zeigt. Es ist für sie die erste Gelegenheit, sich mit Orchestrierung auseinanderzusetzen, nachdem die Fassungen für Klavier solo und für Klavier zu vier Händen ein Editionserfolg waren.
Auch die Kammermusik beginnt einen größeren Raum einzunehmen. Mélanies Musikerfreunde, Gabrielle Monchablon, Louis Fleury und die anderen, bitten sie, Stücke zu schreiben, die sie gemeinsam spielen können. Sie schreibt Trios und Quartette auch für entferntere Bekannte wie die drei Schwestern Chaigneau[69]. Zieht man die Qualität dieser Werke, ihren Charme und ihre relative ‚Leichtigkeit' in Betracht, so scheinen die beiden ersten Trios, die *Suite orientale* und die *Suite en trio* für Flöte, Violine und Klavier ungefähr in dieser Zeit geschrieben worden zu sein. Dass sie erst später herausgegeben worden sind (1900, 1903) erklärt sich wohl aus der Tatsache, dass ihr Verleger Leduc vor allem Stücke für Solo-Instrumente veröffentlichte und an anderen Werken nicht interessiert war.
Die wenigen Werke für Violoncello und Klavier, die sie vielleicht für den Freund schrieb, der seinerzeit mit Hettich und ihr *Elève-toi, mon âme* vom Blatt gespielt hatte, werden unverzüglich herausgegeben.
Mel Bonis tritt der ‚Société des compositeurs' bei. 1899 beteiligt sie sich zum ersten Mal an dem dort ausgeschriebenen Wettbewerb mit einer Suite für Oboe, Horn, Violoncello und chromatische Harfe und erringt einen Ehrenpreis, dessen Urkunde erhalten ist. Wahrscheinlich handelt es sich bei diesem Werk um das *Nocturne* von 1892[70], das zu ihren Lebzeiten unveröffentlicht blieb.

Ihre Familie zeigt weiterhin wenig Interesse für ihre Arbeit. Ihr immer stärker werdendes Bedürfnis, sich in ihr Arbeitszimmer zurückzuziehen, und ihre mangelnde Begeisterung, den Sommer in Etretat zu verbringen, wo die ständig wachsende Familie sich lachend und lärmend trifft, schreibt man ihrer gesundheitlichen Verfassung zu.

Klavier spielt Mélanie nur gerne für sich selbst, für Hettich und wenn sie mit ihren engsten Freunden Kammermusik macht. Zum Komponieren bedient sie sich kaum des Instruments, wenn sie auch fertige Passagen hier ausprobiert und einige ihrer Werke einübt. Immer noch scheut sie davor zurück, in der Öffentlichkeit zu spielen: Sie findet, dass sie eine allzu mittelmäßige Pianistin ist. Wahrscheinlich lähmt sie weiterhin das Lampenfieber. In mehr als einem Konzert singt Hettich ihre Lieder, doch weigert sie sich, ihn auf dem Klavier zu begleiten. Zum Lampenfieber gesellt sich hier wohl die Scheu, zusammen gesehen zu werden.

Beide stehen in Verbindung zu etlichen Komponisten, besonders eng fühlen sie sich Louis-Albert Bourgault-Ducoudray und Paul Locard verbunden. Sie kommen mit Herausgebern, mit Schülern zusammen. Ihre Beziehung beschränkt sich also nicht auf Zweisamkeit. In der musikalischen Welt sieht man sie gemeinsam und weiß, dass sie zusammen arbeiten. Niemand denkt an eine andere Art von Beziehung.

Monsieur Hettich ist eine anerkannte Persönlichkeit. Er ist immer noch eine gute Erscheinung mit seinem grauem Haar, dem gepflegten Bart und dem gut geschnittenen Anzug. Er hält Vorträge und gilt in der Sängerwelt als Autorität. Während den meisten Bekannten des Ehepaars Domange eine Mel Bonis unbekannt ist, wissen alle Musiker, mit denen Mel Bonis verkehrt, dass sie eigentlich Madame Domange heißt, eine Frau der Gesellschaft, die über jeden Verdacht erhaben ist.

* * *

Zärtlich betrachtet Madame Domange ihren kleinen Edouard[71], der schon ganz allein mit dem Löffel isst.

Bald werden Alberts erste Enkelkinder zur Welt kommen und ihm Gesellschaft leisten. Doch das erste Kind von Adèle und Eugène lebt keine zwei Monate. Glücklicherweise kommt ein knappes Jahr später Marcel zu Welt, der 90 Jahre alt werden wird.

In der Zwischenzeit hat Henri endlich Marguerite Dussausse geheiratet – eine Vernunftheirat mit einer reichen Erbin. Wider Erwarten wird es eine glückliche Ehe. Ihr Sohn Jacques Domange wird 1897 geboren. Ihm folgt kurz darauf Eugènes zweiter Sohn Roger Domange, der Edouards engster Freund sein wird.

* * *

Mélanie ist noch keine 40 Jahre alt. Sie führt ein großes Haus und ist Mutter von drei Kindern. Aber in vieler Hinsicht ist sie immer noch ein junges Mädchen. Hettich preist in unzähligen Gedichten die reine, die jungfräuliche Frau. Er nimmt Rücksicht auf Mélanies Zurückhaltung und tritt ihr mit zärtlicher Zuneigung gegenüber:

„Wenn Sie, in sanfter Aufmerksamkeit,
Ein wenig
In meinem ängstlichen und klagenden Lied
Mein Geständnis hören könnten,
Wenn Sie Ihre stolze Haltung
Aufgäben,
Und sich in meinen Armen meinen Wünschen geneigter
Hingeben könnten…“[72]

Immer wieder betont er die spirituelle Dimension ihrer Liebe.
In den folgenden Versen, die sie unter dem Titel *Prière de Noël*[73] zu einer vierstimmigen Motette verarbeiten werden, bittet er Christus um Verzeihung:

… „Christus! der du Mensch warst wie wir
Erinnere dich an die Leiden der Menschen
So jämmerlich, böse oder verrückt sie auch sind
Möge dein Herz uns auf immer mild gesonnen sein
Und uns so lieben wie wir sind
Möge uns vieles verziehen werden
Gemäß deinen göttlichen Worten
Christus! oh du, der du uns
Dein mit Dornen geschmücktes Mitleid schenktest!“…[74]

* * *

„Dich zu sehen ist mein ganzes Verlangen
Dich zu verlieren ist mein ganzer Schmerz“[75]

Immer wieder gibt es Trennungen und Versöhnungen: Trennung, als Mélanies Beichtvater beschließt, sich nicht mehr um ihr Seelenheil zu kümmern, nachdem er ihr gesagt hat: „Oh Sie erbärmliche und uneinsichtige Sünderin! Was

werden Sie Gott antworten, der alle Ihre Vergehen kennt, Sie, die Sie schon im Angesicht eines zornigen Mannes zittern? Warum bringen Sie Ihr Leben nicht für den Tag des Jüngsten Gerichts in Ordnung? Sie täuschen sich selbst, indem Sie sich einer so gegen die Ordnung verstoßenden Liebe hingeben. Je mehr Sie sich selbst schonen wollen, indem Sie dem Verlangen Ihres eigenen Fleisches nachgeben, desto härter werden Sie bestraft werden und desto mehr Grundlage für das ewige Feuer werden Sie zusammentragen.“ [76]
Neuerlicher Bruch, als Mélanie ihre Freundin Lucie Lange wieder trifft, eine ehemalige Mitstudentin aus der Klasse Guirauds, jetzt Schwester Marie du Sacré Cœur. Mélanie bewundert den inneren Frieden ihrer Freundin und ihre Fähigkeit zuzuhören. Sie möchte ihr ähnlich werden. Für sie komponiert sie ihr *Regina Coeli*, ein Duett für zwei Sopranstimmen. Seine Melodien steigen zum Himmel auf, getragen vom Engelschor der Harfenbegleitung.

Gegen Ende des Jahres 1897 stirbt Mélanies Vater. Der Schmerz führt sie tief zu ihren Wurzeln zurück und erweckt die Werte ihrer Kindheit zu neuem Leben. Mit Sicherheit gibt es einen engen Zusammenhang zwischen dieser seelischen Erschütterung und dem ersten Bruch mit Hettich.
Dieses Ereignis setzt einen Schlusspunkt unter Hettichs Gedichte der Jahre 1893-1897. Das letzte trägt den Titel ‚Remember'. In seiner Sehnsucht beschwört der Dichter die Stunden eines verlorenen Glücks und seinen verzweifelten Versuch, die Zeit anzuhalten.

Es wird immer schwieriger, die Ereignisse zu rekonstruieren.
1898 gibt Leduc Hettichs Gedichtband ‚Vers à chanter' heraus, dessen zweiter Teil den Titel ‚1893-1897' trägt.
Gedichtbände gehören eigentlich nicht zum Verlagsprogramm Leducs; es ist als außergewöhnliche Gunst und ein Zeichen der Freundschaft[77] des Verlegers zu Hettich zu sehen. Der verteilt das Werk großzügig an alle, die seine Verse vertonen könnten. Er bekommt zahlreiche lobende Briefe, aber letztlich ist dem Unternehmen kein Erfolg beschieden. Während ihm sonst beruflich alles gelingt, haben seine Gedichte nicht den Erfolg, den er sich erhofft.
Nach ‚Remember' haben wir noch eine handgeschriebene Sammlung, die sein dichterisches Werk fortsetzt. Die erste Gruppe von Gedichten trägt als Datum das Jahr 1898 und ihr Ausdruck tiefster Einsamkeit spiegelt den Bruch mit Mélanie wider. Auf seinen Reisen an die Küsten der Bretagne, in die Berge von Saas-Fee und in die heimatlichen Wälder fasst Hettich, von der Landschaft inspiriert, seine Verzweiflung und seine Empörung, seine Erinnerungen, sein Geheimnis und seinen ewig geträumten Traum in Worte. Er be-

schwört „das unmögliche Vergessen", sehnt sich nach dem Tod und nach einem Wiedersehen im Jenseits.
1898 und 1899 erscheint bei Leduc eine Sammlung von Werken von Mel Bonis, die etwa zwanzig Titel umfasst.
1898 gibt Baudoux den ersten Band der ‚Anthologie des airs classiques' heraus. Als einziger Autor wird Hettich genannt.[78]

Doch Hettich und Mélanie finden wieder zusammen, denn 1899 wird ihre Tochter geboren.

Mélanie wirft einen letzten Blick auf ihre Manuskripte. Sie sitzt im Büro Alphonse Emile Leducs, der die Leitung des Hauses von seiner Mutter übernommen hat. Monate sind vergangen, aber sie denkt immer noch an Hettich. Vor allem hier denkt sie an ihn und glaubt seinen Schritt im Treppenhaus zu erkennen.
Er kommt herein und schließt die Türe ab; zum letzten Mal finden sie zueinander.
Als er geht, sagt er: „Sie werden mich nie mehr verlassen. Ich nehme Sie überallhin in meinem Herzen mit."
Sie sagt nichts. Auch er wird sie nicht mehr verlassen: Er hat sein Leben mit ihrem verschmolzen.

* * *

Mélanie, die 20 Jahre lang über die religiösen und gesellschaftlichen Hindernisse nachgedacht hatte, die ihrer Verbindung im Wege standen, hat die natürliche Folge einer möglichen Beziehung, die Mutterschaft, ausgeblendet. Auch jetzt noch, während das Kind in ihr wächst, verschließt sie sich der Wahrheit. Sie nimmt wohl die Symptome wahr, glaubt aber, mit 41 Jahren nicht mehr schwanger zu werden.

Mein Großvater ist sechs Jahre alt. Mélanie liebkost ihren kleinen Edouard. Lassen wir sie selbst berichten: „Edouard sagte zu mir: ‚Ich brauche dich nur anzusehen, dann bin ich schon glücklich'." Und ein anderes Mal: „Ich spiele gerne, aber noch lieber bin ich mit dir zusammen." Und so könnte ich noch viele kleine Momente großen Glücks aufzählen… Eines Abends sollte ich mein kleines ‚Trio Flöte, Geige, Klavier' öffentlich spielen. Ich hatte Migräne mit Übelkeitsanfällen und fühlte mich sehr schlecht. Er bat mich flehentlich: ‚Ich bitte dich,

Mama, geh' nicht hin, du wirst krank werden'. Er weinte und klammerte sich an mich. Ich sagte zu ihm: ‚Komm mit mir, dann bist du beruhigt.' Mit großer Mühe konnte ich mein Stück spielen; dann kehrte ich schnell mit meinem kleinen Schatz, der nun ganz beruhigt war, nach Hause zurück."[79]

Die Erkenntnis ihres Zustands kommt spät. Jetzt ist Mélanie vollkommen einsam.
Sie isst so gut wie nichts, sie schnürt ihre Korsetts, so eng es geht.
Sie vertraut sich ihrem Beichtvater an, der von der Strafe Gottes spricht und ihr Höllenqualen voraussagt. Alle finden, dass sie unglaublich schlecht aussieht. Die Tage reihen sich gleichförmig aneinander bis zu dem Augenblick, in dem sie bewusst an dieses Kind denkt und wahrnehmen muss, dass es existiert. Sie begreift, dass dieses Kind zum Leben bestimmt ist, dass man sich um seine Ankunft kümmern muss. Mit Schrecken denkt sie an die Jugendfürsorge, die elternlose Kinder in armen Familien unterbringt, die sie schlagen und oft nicht einmal für ihr bloßes Überleben sorgen können. Sie will niemanden um Hilfe bitten. Sie schämt sich so sehr. Dieses Kind ist für sie Gottes Strafe für ihre Verfehlung.
Monate vergehen, ehe sie es Hettich sagt.
Zu ihrer Überraschung strahlt er vor Freude. Seine Gedichte sprechen jetzt nicht mehr von Liebesleid, sondern erzählen lustige Geschichten vom Lande.

* * *

Mélanie zieht sich mit ihrer Kammerfrau Choute nach Sarcelles zurück. Als es soweit ist, erklärt sie wohl ihrer Familie, dass sie wegen ihrer angegriffenen Gesundheit in die Schweiz fahre, um eine Kur zu machen. Alle finden diese Idee hervorragend, sind der Meinung, dass sie Erholung dringend nötig habe und nehmen die Trennung in der Hoffnung in Kauf, sie in besserer Verfassung wiederzusehen.
Wir wissen nicht, wo Mélanie sich verborgen hielt. Einige ihrer Nachkommen (bei den Domanges) sprechen von der Schweiz, andere (bei der Familie Hettich) von Italien, und in der Tat hat Hettich Beziehungen dorthin. Begleitet von der treuen Choute, wartet sie auf ihre Niederkunft. Hettich reist ihr nach. Schließlich wird das Kind in Paris geboren, am 7. September 1899 in der Rue Guy de la Brosse 8 im 5. Arrondissement.
Auf der Geburtsurkunde steht als Name des Kindes Madeleine Verger, „Eltern unbekannt" …„Urkunde ausgestellt nach Vorstellung des Kindes und der Aussage von Pierre Sébileau, 38 Jahre, Professor an der Medizinischen Fakultät,

wohnhaft in der Rue de Londres 6, der der Geburt beiwohnte, in Gegenwart von Charles Léon Hess, 50 Jahre, Komponist, wohnhaft in der Rue du Cherche-Midi 4b, und von Amédée Hettich, 43 Jahre, Künstler, wohnhaft auf dem Boulevard des Batignolles 33, die als Zeugen zusammen mit dem Aussagenden unterzeichnet haben.“ Madeleine hat also keine Eltern: Mélanie, die mit Monsieur Domange verheiratet ist, kann nur Kinder angeben, die Domange heißen. Hettich, der ebenfalls verheiratet ist, könnte ein außereheliches Kind nur mit dem Einverständnis seiner Frau anerkennen.

Dem kleinen Mädchen geht es gut, doch die Mutter schwebt zwischen Leben und Tod. Wegen ihrer Schwäche war die Geburt schwierig, lang und schmerzhaft. Mélanie glüht vor Fieber, fantasiert und schläft viel. Nur wenige Minuten am Tag ist sie bei Bewusstsein und dann hat sie nur den einen Wunsch – zu sterben.

Und dann wacht sie eines Morgens, nach langem Kampf, mit einem Lächeln auf. Hettich legt seine Hand auf ihre Stirn: Sie ist fieberfrei.

Sie nennen das Kind Madeleine. In einer Reihe von Gedichten, die Hettich zwei Jahre zuvor in sein schwarzes Heft geschrieben hatte, findet sich das folgende:

‘Die Liebe, von der man träumt, ist süßer,
Madeleine, oh! Madeleine
Die Liebe, von der man träumt, ist süßer
Ginge es uns ebenso gut in unserem Heim
Um zu zweit Wolle zu spinnen‘[80]

Hettich muss seinen Traum von einer Familie aufgeben, einen Traum, den er sein ganzes Leben lang gehegt hat.

Für das kleine Mädchen hat man eine Pflegefamilie gefunden, ein ehemaliges Zimmermädchen von Mélanie, das einen Schuster geheiratet hat und auf dem Land lebt. Manche meinen, dass es sich um Neuilly-sur-Seine handelt. Madeleine scheint bis zu ihrem 14. Lebensjahr in dieser rechtschaffenen Familie aufgewachsen zu sein. Warum hat man sie unter dem Namen Verger eingetragen? Hießen ihre ‚Adoptiveltern’ Verger oder stammt dieser Name nicht vielmehr von der Familie Hettich? In deren Familiengrab wurde 1885 eine gewisse Marie-Caroline Mousseaux, geborene Verger, beigesetzt.

Vater, Mutter und Kind – alle drei müssen ihren eigenen Weg gehen.

* * *

„L’amour qu’on rêve est plus doux“ – aus Hettichs Carnet noir

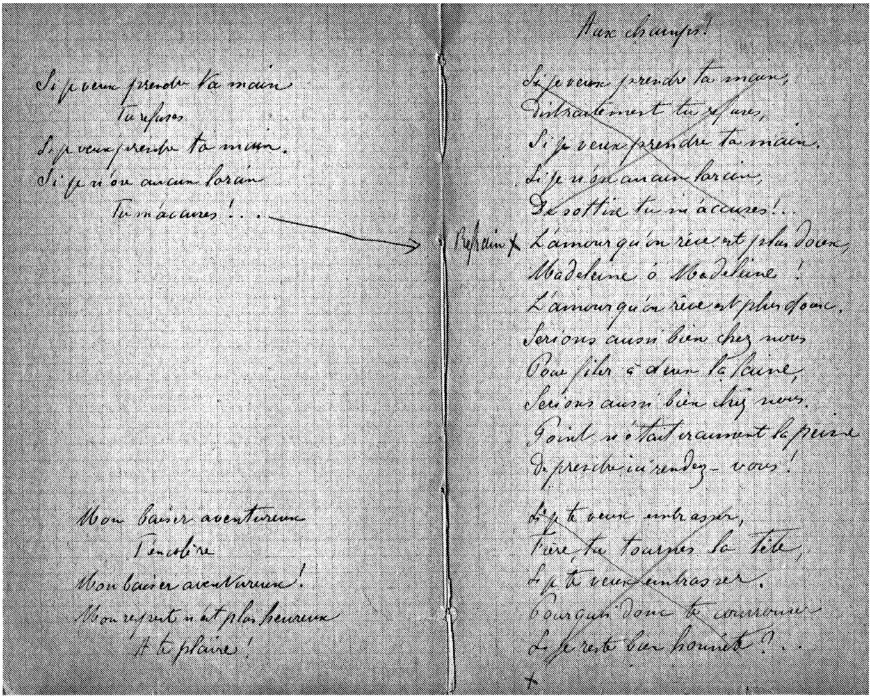
Si je veux prendre ta main
Tu refuses
Si je veux prendre ta main.
Si je n'ai aucun larcin
Tu m'accuses !..

Mon baiser aventureux
T'énerve
Mon baiser aventureux !
Mon esprit n'est plus heureux
A te plaire !

Aux champs !

Si je veux prendre ta main,
Distraitement tu refuses,
Si je veux prendre ta main,
Si je n'ai aucun larcin,
De sottise tu m'accuses !..
Refrain × L'amour qu'on rêve est plus doux,
Madeleine ô Madeleine !
L'amour qu'on rêve est plus doux.
Serions aussi bien chez nous
Pour filer à deux la laine,
Serions aussi bien chez nous.
Point n'était vraiment la peine
De prendre ici rendez-vous !

Si je te veux embrasser,
Fière tu tournes la tête,
Si je te veux embrasser,
Pourquoi donc te courroucer
Si je reste bien honnête ?..
×

Zweiter Teil

1899 – 1937

„Die Musik kann der Liebe ihr irdisches Kleid nehmen und ihr den Körper eines Engels geben."
François René de Chateaubriand

II.1
Versuch einer Verarbeitung

Zurück in der Rue de Monceau, findet Mélanie keine Ruhe. Ihr Albtraum lässt sie nicht los. Ihr Mann und ihre Kinder, die gehofft hatten, sie erholt wiederzusehen, sind enttäuscht und beunruhigt. Sie kümmern sich liebevoll um sie und stellen ihr tausend Fragen über diese Kur, die so wenig Positives bewirkt hat. So vorsichtig und sparsam Mélanie auch antwortet, ist sie doch gezwungen zu lügen. „Lügen", so wird sie schreiben, „heißt sich selbst verleugnen, heißt stillschweigend anerkennen, dass man etwas Dunkles ist, in dem niemand klar sehen kann."[81] Eine neue Erkenntnis versetzt sie in Angst: „Mein ganzes Leben lang werde ich gezwungen sein zu lügen!" Mélanie fühlt sich für alles Böse verantwortlich, trägt alle Sünden der Welt. Überwältigt von Scham betrachtet sie ihre Kinder: „Sie sind gut, ehrlich, aufrichtig, selbstlos, ritterlich, unfähig zu Falschheit und Treulosigkeit. Sie kennen weder Begierde noch Eifersucht noch niedrige Rachsucht. Sie können schweigen, ein Geheimnis bewahren: Sie mögen keinen Klatsch. In ihnen ist nichts Dunkles, nichts Kleinliches, nichts Wankelmütiges. Sie besitzen die Selbstbeherrschung, die ihrer Mutter fehlt. Was ist das für eine Mutter?"[82]
Ihre ganze mütterliche Liebe lässt sie meinem Großvater zuteil werden. Sie überschüttet den kleinen Edouard mit Liebkosungen, und er kuschelt sich in ihre Arme und trocknet zärtlich ihre Tränen.
Kein einziges Werk von Mel Bonis erscheint im Jahr 1900 außer der *Suite orientale*, die sie schon vorher geschrieben hat und die jetzt bei Durand herausgegeben wird. Dieser erste Vertrag mit Durand wird auch der letzte sein.

Immer noch geschwächt, nimmt Mélanie wieder Kontakt mit Leduc auf, um die unterbrochenen Arbeiten weiterzuführen – die Klavierstücke. Sie macht einen Termin aus. Sie weiß, dass Hettich kommen wird: Seit zehn Jahren ist er immer da gewesen, selbst wenn er bei der Terminabsprache nicht dabei war. Immer war es Gelegenheit zu einem vertraulichen Gespräch. Mélanie ist bereit dazu, sie hat ihm Wichtiges mitzuteilen.

Mel Bonis im Alter von 43 Jahren

Als sie einander gegenüber stehen, ist sein Blick voller Mitgefühl.
Er hatte gehofft, sie sähe besser aus, nie zuvor waren ihm ihre grauen Haare aufgefallen.
Sie sagt ihm, dass sie damit gerechnet habe, ihn zu sehen, dass sie ihm Wichtiges sagen möchte: Sie bittet ihn um Verzeihung, dass sie ihn nicht so lieben konnte, wie es hätte sein müssen. Sie bereut, nicht genügend Kraft gehabt zu haben, ihm zu widerstehen, bereut, schwach geworden zu sein, anstatt für sie beide die Schönheit eines absolut reinen Gefühls zu bewahren.
Er weist diese Gedanken zurück, spricht von der Schönheit ihrer Liebe, die immer noch in ihm lebendig ist. Er bittet sie inständig, diese Erinnerung in Ehren zu halten.
Er bedauert, ihr nicht etwas von seiner eigenen Kraft weitergeben zu können, sie nicht trösten zu können, ihr das Lächeln nicht wiedergeben zu können. Er findet, dass das Leben sehr ungerecht ist.
Mit fester Stimme entgegnet sie, dass Gott es so gewollt habe und seine Pläne, so undurchdringlich sie auch scheinen mögen, einem höheren Willen entsprängen, einer nicht anzuzweifelnden Logik.
Er schweigt einen Augenblick und fragt mit unsicherer Stimme:
„Möchten Sie etwas über Madeleine erfahren?"
Mélanies Augen werden groß. Mit tonloser Stimme sagt sie:
„Haben Sie sie gesehen?"
„Sie ist sehr hübsch, sie gleicht Ihnen schon. Vorgestern hat sie ihren ersten Zahn bekommen."
Mélanie bricht in Tränen aus und presst die Hand vor den Mund, damit niemand sie hört.

* * *

Mélanie schreibt:
„Wer bist du nur, oh du, der du heimlich auf den unsicheren Pfaden unserer enttäuschenden Paradiese umherirrst oder zwischen unseren reinsten Freuden? Dein schönes Antlitz ist verschleiert von Melancholie, aber dein Blick ist tief, als ob er den Himmel widerspiegelte und in einen Abgrund tauchte. Du verbirgst dich wie eine Schlange unter den Blumen. Und dennoch widersteht niemand deinem düsteren Ruf. Sag mir, wer bist du nur?
‚Ich bin die unvermeidliche, die große Freundin, die man verkennt und fürchtet, der Schatten jeder menschlichen Glückseligkeit, die glühende Asche jeder Flamme. Ich bin auf dem blutbefleckten Kreuz, in der herben Lust des Opfers. Man findet mich überall dort, wo man sich Illusionen hingibt, die ihre Wurzel in der

Lüge haben oder in den die ruhmreichen Gipfel umhüllenden Wolken, die die Schwachheit des Menschen nie zu erreichen weiß. Ich neige mich über Wiegen, ich blühe auf Gräbern; ich entblättere nichtige Trunkenheit, aber ich streue Samen in Ruinen aus. Ich bin der Schmerz, die untrennbare Tochter der mächtigen, wunderbaren, unerbittlichen Liebe'."[83]

In den folgenden Jahren versucht Mélanie, mit sich ins Reine zu kommen. Ihre Schuld ist unerträglich, sie mag sich nicht mehr ins Gesicht sehen. Sie empfindet sich selbst gegenüber einen Hass, der sie zerstört. Sie isst und schläft nicht mehr, hat überall Schmerzen. Dieser Hass zieht auch ihre Beziehung zur Familie in Mitleidenschaft und verdunkelt schließlich das Bild ihres Gatten, das von Beginn an getrübt war, und das ihres Geliebten, das sie an Höllenqualen erinnert …

Mélanie tut Buße. Sie verzichtet auf jegliche Eleganz und lehnt alles ab, was mit Verführung zu tun haben könnte. Nie mehr wird sie ein Mieder tragen, sich nicht mehr schminken. Nur ein Perlenhalsband betont noch ihre Stellung als Madame Domange.

Um zu überleben, muss Mélanie die Energie, die diese Verbitterung ihr abverlangt, umwandeln – ein Kraftaufwand, der sie auslaugt und sie mit 42 Jahren zu einer alten Frau werden lässt. Ihr Zufluchtsort ist mehr denn je Gottvater, das verherrlichte Bild des Menschen, das einzige männliche Bild, das ohne Makel ist. „Mein Gott, es ist nicht ein Augenblick heiliger Trunkenheit, der die Vereinigung der Seele mit Dir heiligt … Man muss darüber hinaus gehen, höher steigen… Es ist nicht einmal das glühende Bedürfnis nach Liebe, das uns in der Deinigen zur Ruhe kommen lässt, es ist noch mehr nötig. Wir brauchen die heitere Gelassenheit, die ein Verzicht auf alles, was dem Menschlichen noch zu nahe ist, mit sich bringt: Wir müssen den Zyklus der Leidenschaft hinter uns lassen, dürfen nur noch eine unbewegliche Sache in Deinen Händen sein, ein Etwas, aufgehoben im Frieden und der Sanftheit einer völligen Hingabe, mit einem Herzen, das rein ist von jeglicher Suche nach dem eigenen Ich. Erst dann spüren wir, wie sich die wahre Liebe zu Gott und allen Seelen entfaltet." [84]

Mélanies Leben war schon immer von ihrer Frömmigkeit geprägt, nun aber, im zweiten Abschnitt ihres Lebens, vollzieht sich eine völlige Hinwendung zum Religiösen, die ihre gesamte Lebensführung bestimmen wird, ihre seelischen Regungen, ihr Bedürfnis, Menschen in Not zu helfen und karitativ tätig zu sein, die aber ebenso bestimmend sein wird für ihr philosophisches Denken und vor allem für ihre Kreativität. Diese Wandlung ist der erste Schritt im Prozess der Loslösung, an der sie jetzt arbeiten wird.

* * *

Man ist übereingekommen, dass Hettich Mélanie über das Kind berichtet – vielleicht postlagernd, vielleicht an jedem ersten Dienstag eines Monats. An diesem Dienstag schreibt er: „Monsieur und Madame Verger erziehen sie gut. Ich merke, dass sie liebevoll mit ihr umgehen und ihr gleichzeitig nicht jede Laune durchgehen lassen. Sie lassen sie auch einmal weinen: Sie werden wie ich denken, dass sie recht daran tun." Dann liest sie auf einer herausgerissenen Heftseite:

„Oh wie süß wäre es für mich gewesen,
In meinem erinnerungsreichen Alter
Auf dem mit Steineichen begrenzten Weg
Bis zu unserem Zuhause hinab zu steigen…
Von allem, was war, bleibt nichts
Nichts wird jemals wiedererstehen
Deshalb beweine ich traurig
Das, was ich liebte"[85]

Sie rollt die beiden Blätter zusammen und wirft sie wie alle vorhergehenden in einen Abfallkorb des Parc Monceau.
Sie kehrt auf ihre zweite Etage zurück, um ihrem Tagebuch ihre Gedanken über die irdische Liebe der Frau anzuvertrauen:
„Liebe", so schreibt sie, „verräterische Liebe! Deine stets wechselnde Maske verbirgt sich hinter dem bleichen Gesicht eines Possenreißers. Du täuschst viele, bis sie deine wahre Natur entdecken. Dann merken sie, dass das, was sie in dir suchten, sie selbst waren. Da sie sich nicht finden, hassen sie dich, aber immer wieder begeben sie sich auf die vergebliche Suche.
Liebe, göttliche Liebe, der Weg, der zu dir führt, ist übersät mit Dornen und Stacheln. Aber du wandelst die vergossenen Blutstropfen in duftende Blüten. Und sie verströmen ihren Duft in alle Ewigkeit."[86]

* * *

Schöpferisch tätig zu sein wird ein weiterer Schritt ihrer inneren Entwicklung sein.
Albert beginnt sich wirklich Sorgen zu machen: Er fürchtet, zum dritten Mal Witwer zu werden. Oft bleibt er an der Ecke der großen Boulevards stehen, um bei der kleinen Blumenverkäuferin einen Strauss zu erwerben. Eines Tages macht er Mélanie einen anrührenden Vorschlag:
„Meine Liebe, warum komponieren Sie nicht ein bisschen?"

Mélanie flieht vor dem Lärm und der Unruhe der Ferien in Sarcelles oder Etretat. Die Familientreffen, bei denen man ihr immer wieder neue Babys in die Arme legt (André und Raymond Domange, 1901, Simone Domange, 1902, Enkelkinder von Albert), zerreißen ihr das Herz. Ihre Umgebung glaubt, dass sie unter einer Depression leide.
Aber in ihrem Zimmer in der zweiten Etage entsteht das Werk einer großen Komponistin, ein Werk von unerhörter Vitalität.

Mel Bonis' Musik gewinnt eine neue Dimension. Sie ist Mittel ihrer Wiedergeburt und Ausdruck ihrer Lebenskraft. So verwandelt sie ihre Leidenschaft in schöpferische Arbeit und macht den Versuch, sich unter ungeheurem und stetigem Kraftaufwand mit ihrem Glauben zu versöhnen. Im wechselnden Rhythmus von Misslingen und Schönheit schreitet ihre Musik voran, so wie der verworrene Weg eines Menschenlebens Unwetter und Sonne ausgesetzt ist und ohne je ans Ziel zu gelangen, dem Ideal der Vollkommenheit und Reinheit entgegenstrebt.
Mélanie schreibt religiöse Musik, Orgelstücke, A-capella-Chöre, Gebete für eine Stimme, und nimmt ihre ersten gewichtigen Kammermusikwerke in Angriff. Die Arbeit an ihrem *Quartett in B-Dur* für Streicher und Klavier wird sie fünf Jahre lang beschäftigen. Die Chronologie der Veröffentlichungen zeigt, dass sie sich fast immer mit mehreren Werken gleichzeitig befasst: Im Vordergrund steht ein wichtiges Werk, das immer wieder überarbeitet, durchdacht, bis zum Schluss geändert wird und den wesentlichen Teil ihrer Energie und ihrer Konzentration in Anspruch nimmt. Daneben entstehen einfachere, kürzere Werke, zu Beginn dieser Periode hauptsächlich geistliche Musik, zu der sich aber bald wie früher ‚Genrestücke' gesellen.
Mel Bonis stürzt sich leidenschaftlich in die Arbeit an ihrem Quartett. Sie beginnt 1900 in Etiolles damit, auf dem Lande südlich von Paris, in der Nähe des ‚Forêt de Sénart', wo ihre Eltern leben, in der Ruhe einer heilsamen Abgeschiedenheit. Zurück in Paris, arbeitet sie mit solcher Intensität weiter, dass sie alles um sich herum vergisst. Sie kann nicht aufhören, selbst wenn ihr Kopf nicht mehr will. Einmal soll man sie nachts um drei angetroffen haben, verfangen in einer teuflischen Modulation in Ceses-Dur, aus der sie nicht mehr herausfand. Sie, die stets die Wohltaten des Schlafes gepriesen hatte, mit dessen Hilfe das Gedächtnis Daten speichern und das Denken Probleme lösen sollte!
Erstmals beginnt Mel Bonis nun, sich um die Verbreitung ihrer Musik zu kümmern. Sie nimmt ihre Karriere in die Hand und begnügt sich nicht mehr damit, ihre Musik im privaten Rahmen zu Gehör zu bringen:

Das Klavierquartett in B-Dur von Mel Bonis

Neuausgabe im Furore Verlag (fue 4170)

Sie beginnt Musik zu schreiben, die zur Aufführung im Konzertsaal geeignet ist. Zwar sucht sie die Einsamkeit ihres Musikzimmers, doch ist sie, wie ihre Korrespondenz bezeugt, auch mehr und mehr eingebunden in das Musikleben. Joseph Daene, Organist und Pianist, spricht von den Konzerten mit Werken von Mel Bonis, die er gegeben hat. Der berühmte Flötist Philippe Gaubert hat mit ihm zusammen die *Suite en trio* für Flöte, Violine und Klavier gespielt. Bourgault-Ducoudray wird beim nächsten Dezemberkonzert die *Prière de Noël* singen lassen, die vierstimmige Motette auf ein Bußgebet Hettichs, die sie ihm gewidmet hat. Marcel Samuel-Rousseau bittet um ein Arbeitstreffen in Sarcelles, da er Werke für Orgel oder Chor aufführen möchte...
1901 wechselt Mel Bonis den Herausgeber. In eben diesem Jahr übernimmt der junge Alphonse Emile Leduc die Geschäfte des Verlags, der seit dem Tode seines Vaters unter der Interimsleitung seiner Witwe im Niedergang begriffen ist. Seit fast zehn Jahren hat Mel Bonis ausschließlich Klavierstücke sowie einige Lieder nach Texten von Hettich bei Leduc veröffentlicht. Jetzt widmet sie den größten Teil ihrer Zeit der Kammermusik und der religiösen Musik, Werken also, die sich an eine andere Klientel wenden. Es ist anzunehmen, dass Emile Leduc nicht bereit ist, dieses Risiko auf sich zu nehmen.
Sie kommt jetzt mit Eugène Demets ins Geschäft, einem jungen Herausgeber, der sein Verlagshaus 1899 eröffnet hat. Auf dem Kopfbogen des Verlags E. Demets, Rue de Louvois 2 in Paris, 2. Arrondissement, liest man: „Der Verlag E. DEMETS setzt sich zum Ziel, die Verbreitung musikalischer Werke zu fördern. Er bietet den Herren Komponisten an, ihre Werke zu außerordentlichen Konditionen, was den Preis, die Schnelligkeit und die Ausführung angeht, zu drucken, herauszugeben und auf den Markt zu bringen, wobei ihr Eigentumsrecht, wenn sie es wünschen, gewahrt bleibt." Es ist sehr wahrscheinlich, dass Madame Domange Investitionen getätigt hat, und also Albert Domange das musikalische Schicksal seiner Frau großzügig gefördert hat. Im Katalog des Verlags Demets sollten zahlreiche junge Komponisten erscheinen, wie Déodat de Séverac, Henry Duparc, Marcel Labey, Paul Locard, Armande de Polignac, Maurice Ravel, Pierre de Bréville, Désiré-Emile Inghelbrecht, Paul Ladmirault, Joaquin Turina, Auguste Serieyx und andere.

Zwischen 1901 und 1905 gibt Demets außergewöhnlich viele Werke von Mel Bonis heraus: die *Suite en trio* für Flöte, Violine und Klavier, die *Sonate pour violoncelle et piano,* die *Sonate pour flûte et piano*, die Orchesterstücke *Bourrée*, *Pavane* und *Sarabande*, die Melodramen *A Suzanne* und *Sorrente*, die Lieder *Ave Maria* und *Noël de la Vierge Marie*, die Klavierstücke *Barcarolle* und *Le Moustique.* Selbst wenn einige Werke wahrscheinlich früher entstanden sind, wie etwa das Trio, dessen

Stil an die vorhergehende Periode erinnert, so waren diese vier Jahre für Mel Bonis eine ungeheuer intensive Arbeitsperiode, in der sie komponierte, korrigierte, wieder und wieder abschrieb, kommunizierte, sich um Interpreten und Konzerttermine bemühte, selbst Klavier spielte und sogar dirigierte.

* * *

Mélanies Stiefsohn René, der jetzt 25 Jahre alt ist, besucht seine Stiefmutter regelmäßig. Da er sich immer noch leidenschaftlich für Pferde interessiert, hat sein Vater ihm in Paris ein Unternehmen gekauft, das Pferde vermietet. Er ist von zu Hause ausgezogen und wohnt jetzt in einem Appartement in der Rue Théodore de Banville, das sein Vater ihm geschenkt hat. René, dieser große schüchterne junge Mann, ist der einzige, der es wagt, an die Tür des Musikzimmers zu klopfen. Verwirrt betrachtet er den Tisch, der mit bekritzelten Blättern übersät ist, den Papierkorb, der überquillt, die geheimnisvollen Zeichen, die über das Papier laufen, sich ineinander verwickeln, aneinander stoßen, die das Notenpapier bis zum Rand füllen, geleitet von der kraftvollen Hand der zerbrechlichen Person, die da in ihrem Reich sitzt.
Er zeigt Interesse, fragt Mélanie, warum sie immer Tonarten mit so vielen ‚Bs' wähle. Sie antwortet, dass sie es nicht absichtlich tue, nicht einmal bemerkt habe, dass das von ganz alleine komme, vielleicht um den Ernst der Aussage zu unterstreichen. Er fragt, wie sie denn den Ernst dessen, was sie schreibe, empfinden könne, ohne das Geschriebene zu spielen. Sie antwortet ihm, sie müsse ja auch nicht laut lesen, um zu verstehen, was er zum Beispiel meine, wenn er ihr einen Brief schreibe.
Schließlich sieht er, der sonst so schüchtern ist, seine Stiefmutter lange an und rückt mit dem heraus, was ihm auf dem Herzen liegt: Schon vor einem Jahr ist sie aus Italien zurückgekehrt, und noch immer sieht sie schlecht aus. Schon seit langem möchte er mit ihr darüber sprechen. Er nimmt ihre Hand und bittet sie, ihm zu sagen, was los sei. Da sie ausweichend antwortet, fragt er sie:
„Was hat man Ihnen nur angetan?"
Er sagt, dass er ihr wirklich helfen möchte, aber dafür müsse er verstehen. Mélanie dankt ihm für seine Zuneigung, bringt zum Ausdruck, wie wohl ihr diese tue, doch außer dem Gebet gebe es kein besseres Heilmittel für eine Mattigkeit wie die ihre.
René spricht von Jeanne und Pierre, die sich ein wenig allein gelassen fühlten, er spricht von Albert, der traurig aussehe. Er betont, wie viel Liebe auf sie warte, die sie ungenutzt ließe, wenn sie den ganzen Tag komponiere.
Mélanie findet René verändert:

„Man könnte glauben“, sagt sie, „ich weiß nicht … Man könnte glauben, dass du glücklich bist.“
Trotz der tiefen Freundschaft, die diese beiden Menschen verbindet, können sie sich einander nicht wirklich öffnen. Renés Glück trägt den Namen Madame F., wie er liebt sie Pferde. Da sie verheiratet ist, darf auch er nicht reden.
Er geht hinunter und Mélanie folgt ihm. Sofort stürmt Jeanne auf sie zu und überschüttet sie mit tausenderlei Geschichten.

* * *

Alle brauchen Mélanie, vor allem Hettich. Er weiß nicht mehr, wo ihm der Kopf steht. Er besucht Madeleine regelmäßig beim Ehepaar Verger, wagt aber nicht sie zu berühren, weiß nicht, wie er mit ihr umgehen soll. Was fängt man mit einem kleinen Kind an, noch dazu einem Mädchen, wenn man ein Mann von 45 Jahren ist, der nie ein Kind gehabt hat und niemanden um Rat fragen kann? Es ist unglaublich, wie viele Fragen er sich stellt. Abgesehen davon ist er mit seiner Anthologie im Verzug, wofür Baudoux kein Verständnis zeigt. Die Geschäfte des Verlegers gehen schlecht, er setzt Hoffnungen auf diese Veröffentlichung.
Hettich merkt, dass Mélanie ihn versteht. Das Wetter ist schön und dieser Tag ist ein Geschenk. Gemeinsam vertonen sie einen Text, den Hettich zwei Jahre zuvor geschrieben hat:

„Die Liebe, von der man träumt, ist schöner, Madeleine …“

und geben ihm den Titel *Reproche tendre* (Zärtlicher Vorwurf). Charles Panzera, der Jahre später Hettichs Schüler sein wird, liebt dieses Lied und singt es oft im Konzert.

Einige Tage später, nach einer ermüdenden Arbeit an der Anthologie, zeigt Hettich Mélanie auf einem losen Blatt ein Gedicht mit dem Titel *Pourriez-vous pas me dire?*, ein bukolisches Intermezzo, das er ganz hinten in einer Schublade gefunden hat. Schon beim Lesen hört Mélanie, was sie damit machen wird: für den Refrain ein sanft wiegender Sechsachteltakt in einem sehnsuchtsvollen h-Moll, für die Strophen das hübsche Licht einer kurzen Modulation nach Fis-Dur, das Ganze sehr schlicht. Sieben Jahre nach der Entstehung von *Elève-toi, mon âme* (Erhebe dich, meine Seele) haben wir beim Lesen dieser Partitur den Eindruck, dass beide einen anderen Weg gefunden haben, einen, der zum Frieden führt.

II.2
Das Klavierwerk

Mel Bonis hinterlässt der Nachwelt ein umfassendes Werk von ungefähr 300 Stücken, unter denen, mit Ausnahme der Oper, fast alle klassischen musikalischen Genera vertreten sind: Chöre, Orgelwerke, Lieder, Kammermusik (darunter etliche Meisterwerke wie die Klavierquartette und die Sonaten), Orchester- und Klavierwerke. Mit seiner postromantischen Tonsprache fügt sich dieses Werk gut in seine Zeit ein. Es ist vielfältig, dramatisch oder humorvoll, oft kraftvoll und sinnlich, mit orientalischen Verfremdungseffekten, immer ideenreich, empfindsam und anspruchsvoll. Dank der Originalität der harmonischen und rhythmischen Gestaltung erkennt man die sehr persönliche Tonsprache leicht wieder.

Der Hauptteil des Werks entsteht zwischen 1892 und 1914. Aber auch von 1922 bis an ihr Lebensende komponiert Mel Bonis, wenn auch in einem weniger strengen Rhythmus. Insgesamt kann man drei Schaffensperioden unterscheiden:

Erste Periode, 1892–1900: Schwerpunkt: eher ‚leichte' Musik;
Zweite Periode, 1900–1914: Schwerpunkt: ‚ernste' Musik;
Dritte Periode, 1922–1937: Schwerpunkt: ‚geistliche' Musik.

Allerdings dienen die oben genannten dominierenden Merkmale nur der groben Orientierung, denn im Laufe jeder Periode überlagern sich die Stile. Bereits in der zweiten Periode schreibt sie geistliche Werke, in der ersten Periode entstehen auch ‚ernste' Stücke und einige ihrer schönsten zu dieser Kategorie zählenden Werke gehören zur dritten Periode. Was die ‚leichte' Musik betrifft – Genrestücke, Salonmusik –, so durchzieht sie Mélanies gesamtes Schaffen.

* * *

Die ersten Werke erscheinen 1884 bei Léon Grus. Acht Jahre später, von 1892 bis 1901, übernimmt Alphonse Leduc die Herausgabe ihrer Werke. Nur viermal in dieser Zeit arbeitet Mel Bonis auch mit anderen Verlagen zusammen: mit Hamelle, Baudoux, Bretonneau und Durdilly. Von 1902 bis zum Kriegsbeginn 1914 ist es hauptsächlich Eugène Demets, der ihre Werke herausgibt. Hin und wieder wird sie ihm untreu und unterzeichnet Verträge bei Poulalion, Hamelle, Durand und Simrock und gelegentlich auch bei Leduc. 1923 wird Demets von

Eschig übernommen, der ihre Werke weiter verkauft und neue verlegt, vor allem Klavierstücke und die Sammlungen für Kinder. Während des Ersten Weltkriegs erscheint nichts, in den darauf folgenden Jahren erscheinen ihre Werke unregelmäßig bei Eschig oder Senart, der nach dem Zweiten Weltkrieg von Salabert übernommen wird, und bisweilen auch bei Hamelle und Schneider. Die Orgelmusik erscheint gesondert bei der ‚Schola Cantorum' in Paris, bei ‚La Musique Sacrée' in Toulouse und bei Carrara in Italien.

Etwas ein Drittel ihres Werkes wird zu ihren Lebzeiten nicht veröffentlicht, nicht eingerechnet alles, was vielleicht verloren gegangen ist oder vernichtet wurde. Sieht man sich die Manuskripte näher an, so findet man zunächst diejenigen, die Mel Bonis den Verlegern nicht vorlegen wollte und auf denen wir Bemerkungen finden wie: „Schlecht, nicht veröffentlichen" u. Ä. Eine zweite Gruppe bilden Jugendwerke wie das *Premier morceau de piano* (Erstes Klavierstück), Lieder auf Texte von Edouard Guinand und schließlich die späten Werke. Diese in ihren letzten Lebensjahren geschaffenen Werke, in einer Zeit also, da sie schon sehr unter körperlichen und seelischen Beeinträchtigungen litt, zählen zu ihren Meisterwerken, darunter vor allem die Gesamtheit der religiösen mehrstimmigen, von ergreifender Spiritualität geprägten Werke wie die *Messe*, das *Ave verum*, das *Salve Regina*, das *Tantum ergo*.

* * *

Im Jahre 1900 hat Mélanie schon einen Großteil ihres Klavierwerks geschrieben. Wir wollen es an dieser Stelle in seiner Gesamtheit vorstellen. Neben den pädagogischen Sammlungen, die zu ihrer Zeit einen gewissen Erfolg hatten, besteht das Klavierwerk von Mel Bonis aus etwa 60 Stücken, die in allen Schaffensperioden entstehen. Es handelte sich ursprünglich sowohl um Sammelbände wie Einzelstücke. Etwa ein Drittel ist erst vor kurzem vom Verlag Armiane in Versailles herausgegeben worden.

Der Furore-Verlag in Kassel hat es übernommen, die Gesamtheit des Klavierwerks von Mel Bonis herauszugeben. Die Stücke sind dabei auf mehrere Bände aufgeteilt worden, um eine relative Homogenität nach Art und Schwierigkeit zu gewährleisten: Femmes de légende; Pièces pittoresques et poétiques Band A, B und C; Pièces de concert; Danses Band A, B und C; Pièces pour piano à quatre mains Band A und B; Pièces pour deux pianos.

Die Klaviermusik entsteht im Wesentlichen während der beiden ersten Perioden (1892-1900 und 1900-1914), wobei die hervorragendsten Stücke hauptsächlich aus der zweiten Periode stammen. Die Kinderstücke gehören durchweg der dritten Periode an.

Hier eine Beurteilung anlässlich der Erscheinung der CD ‚L'Ange Gardien' von Laurent Martin: „Die Musik von Mel Bonis ist ganz einfach herrlich. Sie bewegt sich zwischen traumhafter Postromantik und unaufdringlichem Impressionismus … Dieses Werk zeugt von großem pianistischen Schreibtalent, lässt abwechselnd Intelligenz, Sensibilität, Emotion und eine Spur Humor aufscheinen und ist immer höchst verführerisch. Mel Bonis' Musik entwickelt eine absolut bemerkenswerte poetische Ausdruckskraft sowie eine wirkliche Qualität der melodischen Erfindung."[87]

Die Klavierwerke

Wir haben die erste Kategorie der Stücke für Klavier solo ‚Pièces de concert' genannt.
Hierzu gehören die Stücke, die unter dem Titel *Femmes de légende* zusammengefasst wurden: *Desdémone, Mélisande, Omphale, Ophélie, Phoebée, Salomé* und *Viviane.* Dieses Ensemble lässt die Sagengestalten auf schöne, brillante und variationsreiche Weise lebendig werden (vgl. Kap. I.7).

Die Sammlung *Pièces de concert* umfasst die eigentlichen Konzertstücke, d. h. die gewichtigsten und eventuell auch virtuosesten, die Mel Bonis geschrieben hat.
Die *Ballade* ist eines ihrer bemerkenswertesten Werke für Klavier. Sie entstand 1897 und erschien bei Leduc. Gewidmet ist sie Gabrielle Monchablon, der Tochter von Jeanne, der Herzensfreundin. In diesem etwa zehn Minuten dauernden Konzertstück wechseln sich zwei Ideen ab: die eine vorwärtsdrängend und voller Charme, immer wieder in unterschiedlichen Formen und Tonarten auftretend und die andere, die sich im Schwung romantischer Phrasen entwickelt, deren lange, großzügige Linien einander an Brillanz übertreffen. Die letzte Phrase führt zur Apotheose des Stücks, in die Höhen des Instruments, in einem strahlenden gis-Moll und einer überraschenden Pianissimo-Stimmung. In einem virtuosen Crescendo neigt sich die Passage dem Ende zu, wobei die linke Hand ein neues Thema anschlägt, das auf den Schluss vorbereitet und in einigen Variationen eine sich steigernde, ergreifende Klage aufsteigen lässt. Erst dann kommt in majestätischem Zeitmaß der feierliche Schluss, der ohne jede Zurückhaltung Ausdruck der romantischen Grundhaltung der Komponistin und ihrer Zeit ist. Man kann sich gut vorstellen, dass dies das Lieblingsstück Gabrielle Monchablons war.

Madame

Dès que je serai un peu libre je vous demanderai la permission de vous rapporter moi-même le manuscrit que vous avez eu la bonté de m'envoyer. Il me serait infiniment agréable de vous remercier et de vous offrir mes compliments pour le bien intéressant travail que vous avez entrepris et que je vous souhaite obligée de terminer. Cette preuve de votre intérêt pour ma musique venant d'une si parfaite musicienne me touche et me flatte plus que je ne saurais l'exprimer.

Je vous prie Madame de vouloir bien agréer tous mes remerciements avec mes bien respectueux hommages

Gabriel Fauré

Die *Barcarolle en mi bémol*, 1906 bei Demets erschienen, ist ebenfalls Gabrielle Monchablon gewidmet. Der erste Teil singt, im Sechsachteltakt, die Barkarole, wobei die rechte Hand das romantische Lied des Gondoliere übernimmt. Die Begleitung bezaubert durch den Reichtum an Harmonien, das Rubato und geradezu ungestüme Augenblicke. Das zweite Motiv nimmt das erste Thema wieder auf, jedoch in einer ruhigeren Atmosphäre, und teilt es auf zwei Stimmen auf, so als ob zwei Gondolieri sich zum Singen am Kai zusammengefunden hätten. Ein dritter Teil, in sanftem Gegenrhythmus, bringt in einer Palette einschmeichelnder Harmonien etwas sehr Weibliches zum Ausdruck. Die Rückkehr zur mitreißenden Idee des Anfangs führt dann bis zu einem Höhepunkt („vivo") und einem virtuosen Abstieg, dem ein „più vivo" in die andere Richtung der Tastatur folgt – ein Übergang, der an Liszt oder Chopin erinnert. Das folgende Moderato in A-Dur verlässt den Sechsachteltakt der Barkarole und führt uns mit seiner sanften Phrasierung in himmlische Gefilde. Nur langsam, „rêveusement" (träumerisch), kehrt man während des folgenden Andantino aus dieser ganz besonderen Atmosphäre zurück. Zunächst leiser und langsamer werdend, steigert man schließlich ein wenig die Klangintensität, um über die notwendige Modulation zum ersten Thema des Stückes zurückzukehren. Diese Rückkehr führt rasch und in einer Rubato-Orgie zu neuen Entwicklungen. Den überraschenden Abschluss bildet eine kurze Koda, vivo, pianissimo. Dieses gut strukturierte, ideenreiche und romantische Stück ist sehr typisch für seine Schöpferin.

Die *Barcarolle-étude* erscheint 1899 bei Alphonse Leduc. Gewidmet ist sie einem Pianisten mit Namen Daene, einem Musiker aus Bordeaux, mit dem Mel Bonis lange Zeit in Briefkontakt stand und der ihre Werke häufig spielte oder zur Aufführung bringen ließ. Hier nutzt die Komponistin die harmonische Entwicklung der Barkarole, um den Pianisten technische Übungen an die Hand zu geben: interessante Doppelgriffübungen für die rechte Hand und schöne Geläufigkeitsübungen für die linke.

Die *Etude en sol bémol majeur* erschien nicht zu Lebzeiten der Komponistin. Auf dem Manuskript finden wir die Jahreszahl 1930. Mel Bonis hat das Stück ihrem Patenkind Antoinette Fleury gewidmet, der Tochter von Gabrielle Monchablon und Louis Fleury, die zu dieser Zeit 20 Jahre alt und Pianistin war.

La Cathédrale blessée schließlich entstand 1915 (Datierung des Manuskripts), im Gedenken an den Dichter Lucien Augé de Lassus. Es ist damit eines der wenigen Stücke, die während des Krieges entstehen. Herausgegeben wird es aber erst 1929 bei Eschig. Mel Bonis, deren Söhne und Schwiegersöhne an der Front sind, bringt hier ihren Schmerz zum Ausdruck.

Wir haben dieser Gruppe von Werken zwei kleinere Stücke hinzugefügt: das *Prélude en la bémol majeur,* opus 51, Antonin Marmontel, Professor am Konservatorium, gewidmet, und die reizende *Romance sans paroles* in Ges-Dur, opus 56. In dieser Romanze teilen sich die beiden Hände in die Melodie, in einer harmonischen Verflechtung von Stimme und Gegenstimme. Darunter liegt ein samtener Teppich von Arpeggien von hinreißenden, immer ausgesuchteren Harmonien. Hier hat jede Note ihren Wert, jede Phrase ihren Sinn; wie selbstverständlich entfaltet sich eine zunächst ruhig fließende, dann mitreißende innere Bewegung.

Das bedeutendste Ensemble von Klavierkompositionen haben wir *Pièces pittoresques et poétiques* genannt. Ursprünglich wurden viele dieser Stücke einzeln herausgegeben, andere wurden in Bänden zusammengefasst, so dass jeweils eine abwechslungsreiche, aber doch homogene Sammlung entstand. Dies ist der Fall bei den *Cinq pièces musicales*, die 1889 bei Durdilly erschienen, und den *Cinq pièces pour piano*, die 1897 bei Leduc herauskamen (und zum Teil identisch sind). Der dritte Band dieser Kategorie sind die *Cinq pièces pour piano*, die Madeleine unter ihrem späteren Familiennamen Madeleine Quinet gewidmet sind und 1926 bei Senart veröffentlicht wurden. Auf der Titelseite eines von ihr nummerierten Exemplars hat Mel Bonis mit Bleistift notiert: *Cinq petites pièces pour piano* („nicht sehr einfach").

Die Neuausgabe ordnet alle diese Stücke chronologisch nach ihrem Entstehungsdatum und fasst sie in drei Bänden zusammen. Hier einige Kommentare:

La chanson du rouet (Das Lied des Spinnrads) (Leduc 1895) erinnert in der interessanten harmonischen Gestaltung eines sich ständig wiederholenden Motivs über einer liedhaften Melodie an die Mechanik des Spinnrads. Mel Bonis widmet dieses Stück der jungen Louise, der Tochter ihrer Schwester.

In *Papillons* (Schmetterlinge) (Schlussstück der *Cinq pièces pour piano*, Leduc 1897) tanzen die Schmetterlinge, rasch und leicht, im bukolischen Licht ihres Flugs in überraschendem Wechsel von Moll zu Dur.

Mit unbändiger Vitalität treiben die *Marionnettes* ihre Späße, in raschem Tempo und Staccato-Anschlag. Von den tiefen Tönen bis zu den Höhen ist ihnen die Tastatur willkommene Bühne für ihre Spiele.

Le Moustique (Demets 1905) ist dem Pianisten Camille Decreus gewidmet. In einem strengen musikalischen Muster folgen wir dem aggressiven und geschickten Flug der Mücke. Ohne Vorwarnung wechselt sie das Tempo, entfernt sich und nähert sich wieder in dicht aufeinander folgenden Crescendi und Diminuendi und lässt am Doppelstrich einen wütenden Hörer zurück.

L'Ange gardien entstand 1913 und wurde zu Lebzeiten der Komponistin nicht herausgegeben, da sie mit diesem Stück nicht zufrieden war („schlecht, nicht herausgeben", liest man auf dem Manuskript). Wie eine Erscheinung in der Nacht wiegt der Schutzengel das Kind in einer Farbabstufung magischer Harmonien, die der Empfindung des begleitenden Textes entsprechen:

„Caresse qui se penche
Frôlement d'aile blanche
C'est ton ange gardien"
(„Liebkosung, die sich niederbeugt
Leichte Berührung eines weißen Flügels
Es ist dein Schutzengel")

Wenn man sich *Il pleut!* (Senart 1913) anhört, hat man den Eindruck, als höre man im lebhaften Staccato der Melodie und der fließenden Leichtigkeit der Begleitung den Regen an die Scheiben eines kleinen Hauses klopfen, das, von Buschwerk umgeben, irgendwo auf dem Lande steht: Auf kurze stürmische Regengüsse im heftigen „fortissimo subito" folgt plötzlich die Freude an einer sanften Aufhellung des Himmels, und man hört das Lied ‚Il pleut, il pleut, bergère!' Dieses Lied ist der Tochter Madeleine unter ihrem Namen Madeleine Verger gewidmet, die zu dieser Zeit 13 Jahre alt ist. Es wurde für eine anspruchsvolle Sammlung des Herausgebers Senart mit dem Titel ‚La musique contemporaine' ausgewählt, eine Anthologie vokaler und instrumentaler Werke der besten Komponisten der Zeit. Auf der vierten Umschlagseite erscheint Mel Bonis' Name unter 150 weiteren – ausnahmslos männlichen – Komponistennamen, darunter Paul Bazelaire, Ermend Bonnal, Jean Cras, Claude Delvincourt, Louis Diemer, Maurice Emmanuel, Reynaldo Hahn, Paul Hillemacher, Vincent d'Indy, Paul Inghelbrecht, Henri Letocart, Guy Ropartz, Albert Roussel, Marcel Samuel-Rousseau, Charles Tournemire, Marcel Tournier, Louis Vierne, usw. Mel Bonis hat mit mehreren von ihnen korrespondiert; einige sind Widmungsträger (Joseph-Ermend Bonnal, Henri Letocart für die Orgelwerke); es gab sogar freundschaftlich-musikalische Beziehungen, die die Generationen nach Mel Bonis Tod fortführten, so etwa zu Paul Bazelaire, Marcel Samuel-Rousseau und seiner Frau sowie Marcel Tournier.

Im Stück *Près du moulin* (Bei der Mühle) (Senart 1926) hört man durch ein immer wiederkehrendes Motiv in beiden Händen das regelmäßige Klappern der Mühle im Rauschen des Baches. Der Mittelteil des Stückes, in dem mehrere unterschiedlich gebaute Arpeggien an das Rauschen des Windes im Blätterwerk eines Waldes erinnern, entführt uns in die Landschaft rings umher.

Au crépuscule (In der Abenddämmerung) (Hamelle, ohne Jahr) beschreibt mit seinen Harmonien die Farbschattierungen des Abendhimmels und lässt uns in einem „poco crescendo ed animato“ das letzte Aufglühen der Sonne miterleben, in dem eine strahlende Modulation bis zum Cis-Dur führt, um uns dann im Es-Dur „quasi andante“ des Anfangs zur Ruhe im Schweigen der Nacht zurückzuführen.
Dann haben wir noch die fünf Stücke von 1926, *Une flûte soupire* (Eine Flöte seufzt), später in eine Fassung für Flöte und Klavier umgeschrieben, *Berceuse triste* (Trauriges Wiegenlied), empfindsam und wehmütig, *Boston valse*, hübsch und im Geschmack der Jahre um 1925 geschrieben, *Agitato*, pianistisch virtuos, und die eher meditativen *Cloches lointaines* (Ferne Glocken).
Ob es nun Stücke sind wie *Gai printemps* (Fröhlicher Frühling), *Papillons* (Schmetterlinge), *Près du ruisseau* (Am Bach), *Aux champs* (Auf den Feldern) oder solche wie *Carillon mystique* (Geheimnisvolles Glockenspiel) oder *Cloches lointaines*, Mel Bonis zeichnet sich im Genre der beschreibenden Musik aus. Wie eine begabte Malerin nutzt sie die Palette der Tastatur einfallsreich und natürlich, mit außerordentlichem Können, einer hohen Intelligenz und einer weit gefächerten Sensibilität.
Die Bände, die den Titel *Danses* tragen, umfassen Walzer, Scherzi, Pas redoublés, Mazurken usw. und bilden den letzten Teil ihres Werks für Klavier solo.
Wie bereits angesprochen (1. Teil, vgl. Kap. I.4), entstanden damals viele leichte Stücke, ‚Salonstücke' genannt. Sie wurden als tägliches musikalisches Brot gespielt von jedem, der fähig war, sich auf den Tasten eines Klaviers zurechtzufinden, sei es, um Groß und Klein zum Tanz aufzuspielen, als musikalische Untermalung eines Zusammenseins mit Freunden, um Familienabende angenehm zu gestalten oder einfach aus Freude am Spiel. Dieses Genre hatte seine Spezialisten wie Olivier Métra, doch auch ernsthafte Musiker wie Charles Gounod versuchten sich gerne darin. Zu ihnen gehört auch Mel Bonis: Der spielerische Teil ihrer Persönlichkeit findet hier in der Musik seinen Ausdruck. Wir finden bei ihr nur ein Dutzend Stücke dieser Art für Klavier solo, es würde mich aber nicht wundern, wenn sie sehr viel mehr geschrieben hätte; vieles ist vielleicht verloren gegangen oder unter Pseudonymen verborgen, die wir noch nicht haben entschlüsseln können. Als Pseudonym haben wir in der Klaviermusik ‚Mélas Bénissouvski' entdeckt, eine hübsche Abwandlung von ‚Mel Bonis', und ‚Henry Wladimir Liadoff' – vielleicht eine Anspielung auf einen Zeitgenossen, den Russen Anatoli Liadoff, der zu dieser Zeit in Paris Stücke herausgab. Mel Bonis machte es auch Spaß, manche dieser kleinen Stücke mit dem Namen ihrer Söhne zu zeichnen. So erscheint 1905 bei Demets *Black Pearl*, eine Habanera von Pierre Domange, die ‚einer schwarzen Perle' gewidmet ist und eine exotische Titelseite aufweist.

Das Stück *Les Gitanos* von 1891 ist in diesem Genre zweifellos das gelungenste. Von seinem Erfolg beim Walzerwettbewerb der Zeitschrift ‚Piano-Soleil' haben wir bereits berichtet und man kann sich gut vorstellen, dass diese Stücke Verlagserfolge waren. Ihre Entstehungsdaten umfassen den Zeitraum zwischen 1884 und 1925. Erwähnung verdient auch *L'Escarpolette* (Die Schaukel) (Leduc 1901), ein Walzer, der schon beim Spielen schwindelig macht. Eine geschickte Nutzung des Dreivierteltakts und, im zweiten Teil des Stückes, bis in die Höhen aufstrebende Achtel malen das Hin- und Herschwingen der Schaukel im Luft- wie im Klangraum.
Aber Mel Bonis' Tänze können auch ernsthaft sein wie der *Boléro*, der dramatisch und wunderschön an die Trauer um ihren Sohn erinnert.
Das Ensemble *Bourrée*, *Pavane* und *Sarabande* hat Mel Bonis ihren Kindern Pierre, Jeanne und Edouard gewidmet. Die drei Werke, die sie auch orchestriert hat, waren Gegenstand intensiver Arbeit. Die Komposition der *Pavane* im alten Stil entfaltet ihre Themen zwei-, drei- und vierstimmig. Die *Sarabande* fügt überraschende Harmonien in die majestätische Reihe ihrer Akkorde ein. Die drei Tänze erscheinen zwischen 1904 und 1909 bei Demets in einer Klavier- und in einer Orchesterfassung. Darüber hinaus haben wir eine vierhändige Fassung der *Pavane* gefunden, die am 24. Februar 1906 als Musikbeilage der Zeitschrift ‚L'Illustration' erschien.

Das Repertoire für *Piano à quatre mains* (Klavier vierhändig) ist relativ umfangreich, wenngleich es sich meist um Werke handelt, die ursprünglich für andere Instrumente geschrieben wurden. So haben wir eine Übertragung der *Suite dans le style ancien* für Kammerorchester, ein sehr gut gemachtes Arrangement des Wettbewerbswalzers *Les Gitanos* von 1891, eine Übertragung der *Suite en forme de valses* von 1898 für Orchester und der *Pavane*, 1909 (s. o.). Der schillernde, wiegende *Songe de Cléopâtre* (Kleopatras Traum) ist ebenfalls die Übertragung eines Orchesterstücks. Nur die sechs *Valses-caprice*, herausgegeben bei Poulalion, scheinen ursprünglich für Klavier zu vier Händen geschrieben worden zu sein. Es gibt wohl bei Leduc Hinweise auf einen Vertrag, der 1898 über *Six pièces brèves à quatre mains* abgeschlossen wurde, aber keine Spur der Partituren mehr.

Für zwei Klaviere zu vier Händen, *Deux pianos à quatre mains*, hat Mel Bonis zwei Werke geschrieben, ein eher leichtfüßiges *Scherzo* (Leduc 1912) und eine Reihe von *Variations* (Demets 1910). Im Grundgefühl romantisch, aber in der Struktur klassischer als das Quartett und die Sonaten, die ihrer Entstehung vorausgehen, sind die *Variations* ebenfalls ein großes Kammermusikwerk. Mel Bonis wandelt das von Feierlichkeit geprägte Thema in neun Variationen ab, vom Schnellen zum Langsamen, von Dur zu Moll, in ständig wechselnden Färbungen: fließend, zärtlich, fröhlich, leidenschaftlich, sportlich, kriegerisch, anrührend und – zum Abschluss – strahlend. Das ganze Werk lebt von der Intensität der Emotion und nutzt hervorragend die Möglichkeiten der Instrumente. Der Pianist Francis Planté (1839–1934) nahm dieses Werk nach seinem Rückzug ins Béarn in sein Repertoire auf.

Wir beschließen diese Darstellung des Klavierwerks von Mel Bonis mit der Sammlung der Stücke, die zu ihren Lebzeiten den größten wirtschaftlichen Erfolg hatte: mit den Kinderstücken, den *Morceaux pour enfants*.

Es heißt, dass Mel Bonis diese Stücke, einer spontanen Eingebung folgend, oft in wenigen Stunden niederschrieb. Sie scheinen in der Tat in einem Zug geschrieben worden zu sein und verdanken ihren Charme dieser Spontaneität. Mel Bonis' pädagogisches Verständnis und ihre Liebe zu Kindern werden in aller Einfachheit zu nützlichen und attraktiven pädagogischen Werkzeugen. Diese Stücke zu beschreiben, bedeutet gleichzeitig, die Kinder in ihrer Umgebung und vor allem ihre Enkelkinder vorzustellen.

Der erste Band, *Scènes enfantines*, erscheint 1912 bei Demets und erfährt mehrere Neuauflagen bei Eschig, der Demets übernommen hat. Es sind kleine Stücke, die Situationen des täglichen Lebens zum Thema haben und oft von kleinen Sätzen begleitet werden, die die Kinder mit Vergnügen entdecken. Sie sind bestimmt für junge Anfänger, die ihre ersten Schritte am Klavier schon getan haben. Mel Bonis widmet sie den 6- bis 12-jährigen Kindern aus ihrem Umfeld, die wohl schon Klavierunterricht haben. Odette und Yves Dubosc, den Kindern von Freunden, widmet sie die Stücke *Aubade* (Morgenständchen) und *Marche militaire*, Jean Duroyaume und seiner Schwester Françoise *Frère Jacques* und *Cache-cache* (Versteckspiel). Es handelt sich um den Neffen und die Nichte von Adèle, der Frau von Eugène Domange. Françoise Duroyaume ist zwölf Jahre alt, hat im Konservatorium schon einen ersten Preis in der musikalischen Grundausbildung (solfège) gewonnen und ist eine viel versprechende Harfenschülerin. Sicher hat sie *Cache-cache* besonders gemocht, weil es sich auch gut auf der Harfe spielen lässt. Dieses Stück, das bei allen kleinen Pianisten sehr beliebt war, wurde 1993 bei Lemoine in einen Band mit dem Titel *Six pièces pour le piano* aufgenommen. Françoise Duroyaume, dieses Mädchen mit blauen Augen und einem ausgeprägten Charakter wird zehn Jahre später Edouard Domange heiraten und meine Großmutter werden. Die nächsten drei Widmungsträger zählen zu Mel Bonis' ‚Stiefenkelkindern': Max Domange, acht Jahre alt und fünfter

Sohn von Eugène und Adèle, erhält die *Valse lente*, Simone Domange, zehn Jahre alt und drittes Kind von Henri und Marguerite Domange, *Joyeux réveil* (Fröhliches Aufwachen) und der kleine Arnold, sechs Jahre alt und Sohn von Alfred Domange, bekommt *Carillon* (Glockenspiel). Das Kind, mit dem die Liste schließt, hat keinen Namen. Das traurige Wiegenlied mit dem Titel *Bébé s'endort* (Baby schläft ein) trägt als Widmung „à … ?". Natürlich handelt es sich um Madeleine, die so alt ist wie Françoise Duroyaume, der Familie aber noch unbekannt ist und in ihrer Pflegefamilie Klavier spielt. Beim Lesen dieser Widmung denkt man unwillkürlich an die des Gedichts von Hettich, die wir dem Anfang des ersten Kapitels dieses Buches als Motto vorangestellt haben.

Dem zweiten Band, *Album pour les tout-petits* (Album für die ganz Kleinen) ist es zu verdanken, dass Mel Bonis auch heute noch einer ganzen Reihe von Klavierlehrern bekannt ist. Dieses Heft, das 1913, im Jahr der Verlagsauflösung, bei Poulalion herauskam, wurde sogleich vom Verlagshaus Combre übernommen, wo es heute noch erhältlich ist. In großen Noten geschrieben und mit hübschen Titeln versehen wie *Gros chagrin* (Großer Kummer), *Goutte de pluie* (Regentropfen), *Compliment à grand-maman* (Glückwunsch an Großmutter) usw., sind die kleinen Stücke noch heute beliebt. Wir haben einige lobende Briefe aufbewahrt, die Mel Bonis zum Zeitpunkt des Erscheinens erhalten hat wie diesen Brief von Marcelle Cheridjan, einer Schweizer Konzertpianistin: „Ihre kleinen Stücke sind ganz einfach reizend! Aus pädagogischer Sicht finde ich sie vollkommen, vielleicht weil sie meinem Verständnis von Klavierunterricht für die Allerkleinsten entsprechen … Mehrere meiner Schüler bitten mich schon darum für ihre eigenen Schüler. Es wird ein Erfolg sein! Und ich werde dem Herausgeber schreiben …"

14 Jahre später fasst Mel Bonis 17 kleine Stücke unter dem Titel *Dix-sept pièces enfantines* (Siebzehn Kinderstücke) zusammen, die 1926 bei Eschig herausgegeben werden. Sie sind für etwas fortgeschrittene Anfänger gedacht und „allen kleinen Domanges, den jetzigen und den zukünftigen" zugeeignet. Zu dieser Zeit gibt es 28 Enkelkinder von Alberts Seite, und es wächst bereits die Generation der Urenkel heran.
1928 gibt Mel Bonis bei Eschig ein drittes Album für Kinder heraus, *Miocheries* (etwa: Für die Knirpse). Die zu Beginn leichten Stücke nehmen rasch an Schwierigkeit zu. Der Band ist reich bebildert: Es sind hübsche, drollige mehrfarbige Bilder. Illustrator ist ein gewisser I. Dola. 1928 hat Mel Bonis selbst elf Enkelkinder (ohne die ‚Stiefenkelkinder'). Von den 14 Stücken ist jedes außer dem ersten, *Pour commencer* (Zum Beginn), dem neunten, *Pour eux tous* (Für alle) und

dem letzten, *Pour finir* (Zum Schluss) einem bestimmten ihrer Enkelkinder gewidmet: den vier Kindern von Pierre (Michel, Bernard, Etienne und Martine), den drei Kindern von Jeanne (Guy, Jeannine und Denise) und den drei Kindern von Edouard (Claude, Huguette und Daniel).

1930 gibt Mel Bonis, auch bei Eschig, einen Band mit vierhändigen Stücken heraus, *Six pièces à quatre mains*. Die obere Stimme ist sehr leicht, so dass auch Anfänger die Stücke zusammen mit ihrem Lehrer spielen können.

In schon sehr fortgeschrittenem Alter gibt sie, wieder bei Eschig, 1936 *Neuf pièces faciles* (Neun leichte Stücke) heraus. Sie sind kurz und ausdrucksvoll und lassen das pädagogische Bestreben, die Spieler in jedem Stück etwas Neues lernen zu lassen, klar erkennen. Gewidmet sind sie Huguette und Yvette Domange, den beiden Töchtern des früh verstorbenen Edouard und seiner Frau Françoise Duroyaume, die beide eine musikalische Karriere vor sich haben.
Nach diesem raschen Überblick, der uns mit der Nachkommenschaft von Mel Bonis bekannt gemacht hat, kehren wir zu den ersten Jahren des Jahrhunderts zurück, um Mel Bonis' Schicksal weiter zu verfolgen und die übrigen Aspekte ihres Werks kennen zu lernen.

„Fifille sage“ (aus den *Miocheries*)

1928 hat Mel Bonis bereits 11 Enkelkinder. Im Verlag Eschig gibt sie ein Klavieralbum für Kinder heraus: *Miocheries* (etwa: Für die Knirpse). Der reich bebilderte Band enthält hübsche, mehrfarbige Bilder.

II.3
Die Familie Domange von 1900 bis 1914
Das Orgelwerk

Jeanne geht zur Schule und hat Unterricht bei Mademoiselle Pape-Carpantier. Sie findet dort wunderbare Freundinnen, Mariette und Renée Fasquelle und May Mendès. Mariette und Renée sind die Töchter von Eugène Fasquelle, dem Nachfolger des Herausgebers Charpentier, der für das Haus ‚Fasquelle Charpentier' verantwortlich ist. Hier werden Alfred de Vigny, Victor Hugo, Alexandre Dumas, Honoré de Balzac, Alfred de Musset, Gérard de Nerval, Georges Sand, Théophile Gautier und Emile Zola verlegt. An der Seite von Emile Zola, seinem Superstar, ist Eugène in die Affaire Dreyfus verwickelt, die immer noch die Gemüter bewegt. Jeannes dritte Freundin May ist entfernt verwandt mit dem späteren Mendès France. Die vier Mädchen halten zusammen wie Pech und Schwefel. Sie treffen sich einmal bei der einen, einmal bei der anderen, am liebsten aber in der Rue Monceau, wo man viel Platz und einen Garten hat und wo man Jeannes ältere Brüder trifft. Sie sind Pierres liebstes Publikum, wenn er seine neuesten Zauberkünste vorführt. Dank ihrer Hartnäckigkeit bringen sie ihn jedes Mal dazu, ihnen seine Tricks zu verraten. Selbst dem viel älteren René gefällt es in ihrer Gesellschaft. Die Stimmung in der Rue de Monceau ist fröhlich. Donnerstags wechseln sich Mélanie, Madame Fasquelle, Madame Mendès und die Kindermädchen ab, um die vier Mädchen zum Schlittschuhlaufen in den Palais de Glace zu bringen.
Mélanie erteilt Religionsunterricht und singt in der Schule mit den Kindern. Sie schließt Freundschaft mit der Schulleiterin, Madeleine Pape-Carpantier. Sie ist 1855 geboren und die Tochter der berühmten Marie Pape-Carpantier, der Gründerin der ‚école maternelle' (staatliche Vorschule) in Frankreich. Diese Frau, die den Sinn für Pädagogik und Dichtung von ihrer Mutter geerbt hat, ist für Mel Bonis' Arbeit empfänglich und interessiert sich besonders für ihre Lieder. Zusammen schreiben sie ein Madrigal für zweistimmigen Frauenchor und Solo. Der Text beschreibt die Natur, die den Zauber und die Schönheit junger Mädchen mit reinem Herzen preist. Musik und Worte, ob nun für Musikschülerinnen bestimmt oder nicht, sprechen ganz unmittelbar das Gefühl an. Das *Madrigal* wird 1901 von Hachette herausgegeben. Die Uraufführung des *Madrigal* mag im Juni dieses Jahres bei der Feier nach der Preisverteilung am Schuljahrsende stattgefunden haben: Die Schülerinnen bilden den Chor, Mademoiselle Pape singt das Sopransolo und Madame Domange hat die Klavierbegleitung übernommen. Das Publikum flüstert in wohlwollender Erwartung:
- Man sagt, dass Madame Domange diese Musik geschrieben hat! Das ist doch

wohl nicht möglich! Eine Frau, eine Dame der Gesellschaft, eine Mutter, die komponiert! Noch dazu eine so hübsche Musik!
In der ersten Reihe erkennt man die Väter Domange, Fasquelle und Mendès. Eine Nelke im Knopfloch, den Zylinder auf den Knien, der Bart tadellos – so klatschen sie begeistert Beifall (es gibt nicht häufig Gelegenheiten, wo die Welt der Madame Domange auf die der Mel Bonis trifft).
Einige Anekdoten in ‚Souvenirs et réflexions' zeigen, dass Mélanie trotz der Dramen, die sie durchlebt, wieder mitten im Leben steht. So schildert sie eine Frauendemonstration, an der sie mit Mademoiselle Pape teilnahm und bei der es um Vereinsgesetzgebung ging. Statt der angekündigten 3.000 erschienen gerade einmal ein Dutzend Frauen. Fröhlich berichtet sie, wie sie von einem Polizisten festgehalten wurde, er sie aber auf das bloße Nennen ihres Namens hin mit einem: „Das ist Madame Domange!" sofort freigelassen hat. All dies zeigt, dass sie ihren Humor wieder gefunden hat.
1903 empfängt Mélanie voller Stolz alles, was in Pariser Industriellenkreisen Rang und Namen hat, als ihr Mann zum Offizier der Ehrenlegion ernannt wird.

* * *

Die vier jungen Damen wachsen heran. Jeanne bekommt richtigen Musikunterricht. Sie spielt Klavier und singt. Was sie aber vor allem interessiert, ist der Sport. Sie widmet sich dem Tennisspielen mit Leidenschaft und Erfolg. Am liebsten würde sie das ganze Jahr über trainieren, doch Mélanie ist dagegen: Für ein junges Mädchen aus guter Familie muss Tennis eine spezifisch sommerliche Betätigung bleiben. Trotz allem gewinnt Jeanne mit 15 Jahren ein Damenturnier, das die Zeitschrift ‚La vie au grand air' organisiert hat. Mélanie sagt zwar nichts dazu, aber sie ist doch recht stolz, das Foto ihrer Tochter in den ‚Lectures pour tous' herumzeigen zu können. Jeanne wird einmal sechstbeste französische Spielerin werden und mit den größten Spielern zusammentreffen. Gegen Suzanne Lenglen zeigt sie sich auf dem Platz nicht von ihrer stärksten Seite, hat aber, wie man sagt, hervorragende Momente bei der Begegnung mit Borotra.
Mit ihrer perfekten Statur, ihrem runden, freundlichen Gesicht, ihrer originellen Art, sich zu kleiden und ihrem unbändigen Unabhängigkeitsdrang ist Jeanne eine der Anführerinnen der Jugendlichen in Etretat, wo sich die Familien Domange und ihre Freunde, die Fasquelles, Fleurys, Decreus usw. regelmäßig zusammenfinden. Mélanie lässt ihre Tochter nie ohne Anstandsdame ausgehen. Seit ihrer Kindheit lehnt sich Jeanne gegen die Strenge der mütterlichen Erziehung auf. Eine Lösung dieses Konflikts ist nicht in Sicht.

Jeanne denkt an eine Heirat als Lösung. Einige Jahre später lernt sie im Tennisumfeld in Etretat ihren zukünftigen Ehemann, Robert Brochot, kennen. Der junge Mann leitet mit seinem Bruder ein gut gehendes Familienunternehmen, das Bohrmaschinen herstellt. Aber es ist vor allem der Tennis- und Rugbyspieler Robert, der Jeanne gefällt.

Pierre Domange hat noch nicht einmal sein Abitur, da träumt er schon von einem Haus. Mélanie und er verbringen die Osterferien bei den Aboilards, der Familie von Mélanies Schwester, in deren Landhaus in Candes, einer hübschen Ecke der Touraine. Mélanie findet hier eine Ruhe, die ihrer Arbeit sehr zuträglich ist. Pierre streift umher, geht angeln und fühlt sich hier so wohl, dass er davon träumt, sich hier niederzulassen.

Auch für René ist dieser Ort sehr wichtig, wenn auch niemand etwas davon weiß. Er hält sich in Abwesenheit der Besitzer heimlich im Haus des Hauswarts auf: ein geschützter Ort für ihn und seine Liebe, Madame de F. Beide durchstreifen Tag für Tag zu Pferd die schöne Landschaft. Doch bald erkrankt die junge Frau an einem Rückenmarksleiden, das zu fortschreitender Lähmung führt. Seit dem Tag, an dem sie kein Pferd mehr besteigen kann, verzichtet auch René für immer auf dieses Vergnügen. Er pflegt die junge Frau bis zu ihrem letzten Tag.

1902 verkauft Georges Aboilard, Mélanies Schwager, der mit seinen Geschäften ein Vermögen macht, sein Haus in Candes. Mélanie beschließt, es selbst für Pierre zu kaufen. Auf Grund eines bedauernswerten Missverständnisses hat Georges Aboilard das Haus schon an jemand anderen vergeben. Voller Vertrauen auf seinen guten Stern weiß Pierre, dass er eines Tages dennoch der Besitzer sein wird. Einstweilen beendet er seine Schulzeit und studiert Agrarwissenschaften in Grignon. Seine Leidenschaft für das Zaubern pflegt er weiter, und es vergeht kein Fest im Familien- oder Freundeskreis, ohne dass man nach seiner Kunst verlangt. Nach seinem Militärdienst sorgt Albert für ihn, wie er es für die anderen getan hat: Er kauft ihm eine Wohnung in der Rue Jouffray im 17. Arrondissement in Paris und investiert für ihn in ein Unternehmen, das Haus Müller, das Büromöbel herstellt. Bald gesellt sich René in der Leitung dieses Unternehmens zu ihm, da seine Firma, der Pferdeverleih, der Konkurrenz der Autos nicht standgehalten hat.

Mélanie sieht mit Wohlwollen, wie diskret, aber liebevoll ihre großen Söhne Jeannes Freundinnen betrachten.

Die Zeit der Hochzeiten

Die erste Hochzeit findet 1909 statt: Pierre heiratet Renée Fasquelle, die Tochter des Herausgebers. Eine glückliche Verbindung kündigt sich an: Die jungen Leute lieben sich seit langem, Renée gefällt es gut in Candes, und was die materielle Grundlage angeht, so gestaltet sich durch die Verbindung der Vermögen Domange und Fasquelle alles aufs Beste für das junge Paar. Die Hochzeit am 29. Oktober 1909 in der Kirche Saint Augustin ist ein gesellschaftliches Ereignis, bei dem man Schriftsteller wie Octave Mirbeau und Edmond Rostand als Trauzeugen und andere Autoren wie Philippe Erlanger und Paul Hervieu antreffen kann. Aber auch die Herausgeber Flammarion und Calman-Lévy und ranghohe Politiker sind anwesend, darunter sogar Raymond Poincaré.
Mélanie hat kaum Zeit, sich von den Aufregungen der Hochzeitsfeierlichkeiten zu erholen: Gut einen Monat später richtet sie sich schon wieder darauf ein, die gesamte Familie zu empfangen, dieses Mal in der Rue Monceau, zur Hochzeit von Jeanne und Robert Brochot. Die Trauung findet in der Eglise de la Madeleine statt. Als sie aus der Kirche kommen, streckt Jeanne den Fotografen die Zunge heraus.
Vier Jahre später heiratet René, jetzt 38 Jahre alt, May Mendès, Jeannes andere Freundin, die erst 24 ist. Im Vergleich zu den glänzenden Hochzeiten seiner Geschwister ist die seine schlicht. Hören wir Mélanies Erzählung zu, in einem Auszug aus ihren ‚Souvenirs et réflexions', dem sie den Titel ‚Gänseblümchens Hochzeit' gegeben hat: „R. ist ein charmanter Junge ... Er ist jemand, der nicht so aussehen möchte... Der große Tag kam. An diesem Morgen begab sich René wie gewöhnlich in sein Büro ... Das erste Mal in seinem Leben erklärte er, er habe eine dringende Verabredung, die keinen Aufschub dulde. Vollkommen ruhig machte er sich auf den Weg zum Rathaus, wo die beiden Familien auf ihn warteten. Wie in schweigsamer Übereinkunft bekundete niemand die Freude, die der Situation eigentlich angemessen gewesen wäre. Jeder war glücklich, ließ sich aber nichts anmerken. Der Herr Bürgermeister war korrekt und nichtssagend, wie das so üblich ist. Dann suchte man den Pfarrer auf oder vielmehr den Vikar, da die Messe ohne Prunk in der Marienkapelle gefeiert werden sollte. So schlicht sie war, gab es doch ein wenig Orgelmusik, und es war ein Kirchendiener anwesend. Als dieser sah, dass alle versammelt waren, erkannte er die Braut daran, dass eine winzige Orangenblütenknospe das Oberteil ihres khakifarbenen Kleides schmückte. Trotz einer gewissen Verwirrung, die in dieser Gesellschaft herrschte, war er doch sicher, dass es sich um vornehme Leute handelte: Die Herren waren mit Orden geschmückt, die Damen von unauffälliger, aber gediegener Eleganz. Als der entscheidende Augenblick gekommen ist, der Ton

der Hellebarde verklungen ist und die Orgel die ersten Akkorde gespielt hat, will der Schweizer einen Schritt nach vorne tun, wendet sich aber gleichzeitig kurz nach hinten. Zu seiner Verblüffung drehen ihm alle den Rücken zu ...“[88] Lassen wir Michel Domange weiter erzählen: „Der Bräutigam hat nämlich alles um sich herum vergessen und steht bewundernd vor einem Glasfenster ... In Wirklichkeit guckt er nicht einmal: nein, er hat diese Stelle nur gewählt, um sich einem dieser Rückblicke auf die Vergangenheit hinzugeben, einer dieser ‚Absonderlichkeiten’, die die Eingeweihten nur zu gut kennen ... Man weiß nie genau, wie lange diese einsamen Meditationen dauern. Da ergreift die ‚p'tite mère' des Träumers, die weiß, was in einer solchen Situation zu tun ist, die Initiative und fordert an Stelle des Kirchendieners jeden auf, sich an den Platz zu setzen, den sie ihm zuweist. René ist der letzte, der sich setzt.“[89] Abschließender Bericht von Mélanie: „Als die Messe zu Ende ist, empfiehlt sich René auf Französisch ... Wenige Augenblicke später hätte man die beiden Frischvermählten ‚endlich allein' am Tisch sitzen sehen können ... – ‚Die Leute waren doch nett‘, sagt sie. – ‚Ja, das stimmt‘, pflichtet er bei. Und so speisen sie mit ausgesprochen gutem Appetit.“[90]

Kurz vor dem Ersten Weltkrieg trifft sich an jedem Samstag eine beachtliche Runde zum Essen. An schönen Tagen findet das Zusammensein in Sarcelles statt, wo man mit dem Auto hinfährt.
Albert Domange, inzwischen 78 Jahre alt, geht jetzt ein bisschen später ins Büro. Seine beiden ältesten Söhne arbeiten seit fast 20 Jahren in der Firma Domange mit.
Henri und Marguerite haben ein prächtiges Landhaus in Soisy-sous-Ecole in der Nähe von Paris erworben. Sie haben zwei Jungen und ein Mädchen, Jacques, 18, André, 14, und Simone, zwölf Jahre alt.
Eugène trägt stolz einen beeindruckenden Schnurrbart zur Schau. Er und seine Adèle lieben sich immer noch und haben fünf Söhne zwischen 17 und acht Jahren.
René, noch nicht lange verheiratet, ist schon Vater eines kleinen Gilbert.
Pierre und Renée haben ihr erstes Kind verloren, als es noch kein Jahr alt war, und erwarten ein zweites.
Jeanne ist Mutter eines kleinen Guy. Immer noch genauso eigenwillig wie vorher, macht sie ihrem Mann das Leben schwer, so dass er anfängt, bei einem guten Tropfen Trost zu suchen. Sie macht ihrer Mutter weiterhin Sorgen.
Edouard, 21 Jahre alt, ist der letzte Junggeselle. Schlank, mit dunklen Haaren und den schwarzen Augen seiner Mutter, geht er mit verträumtem Blick durchs Leben. Sein Humor ist unerschöpflich, aber er lächelt nie. Man nennt meinen

Bei der Hochzeit von Pierre Domange und Renée Fasquelle: Eugène Fasquelle und Mélanie Domange

Großvater ‚Marquis' oder ‚le Roi Mystère' (König Geheimnis). Seine Mutter überschüttet ihn mit Zuneigung.

Am Familientisch empfängt man auch Freunde, vor allem die Schwester von Adèle und ihren Mann, die Duroyaumes, und Louise, Mélanies Nichte, jetzt Madame Dubosc, und ihren Mann. Die Kinder dieser engen Freunde wiederum sind mit den jungen Domanges befreundet.

An diesem Samstag im Frühling wird die Unterhaltung plötzlich ernst. Man spricht über die Tragweite der diplomatischen Krise, die die Welt erschüttert. In ein ungewöhnliches Schweigen hinein ergreift Eugène das Wort. Er erklärt, dass nicht nur Europa, sondern die ganze Welt in zwei Lager geteilt ist, die durch das Spiel der Allianzen fest gefügt sind. Er beschreibt die Bündnisse und die Divergenzen. Seiner Meinung nach haben beide Lager nur ein Ziel: den Kampf.
Henri fügt hinzu, dass sich sogar die Arbeiter Sorgen machen. Statt der ‚Internationale' hört man nur das von ihnen:

„Seit ein'ger Zeit ist es der Wahnsinn!
In Europa wird Krach geschlagen!
Das ist nicht sehr lustig und ich kann sagen
Dass wir auf einem Vulkan tanzen,
Um Mazedonien zu befreien,
Bulgaren, Serben, Montenegriner
Sprechen davon, die armen Türken abzumurksen,
Die sowieso schon in der Patsche sitzen …
Plötzlich fängt Griechenland an zu braten,
In Bulgarien geht's drunter und drüber,
Die Herzegowina tobt,
Bosnien denkt über eine krumme Tour nach,
Da bekommt Rumänien Angst,
Ganz Moldavien erhebt sich,
Sogar die Walachen greifen zu den Waffen …"

Die Familie stimmt erleichtert in den Refrain mit ein:

„Ich weiß nicht, ob man mich versteht,
Es ist ganz einfach, aber
Ihr könnt mich ruhig zurechtweisen,
Wenn euch das unangenehm ist …"

Die Spannung hat sich gelöst. Albert ist der Meinung, es sei besser zu lachen, als sich aufzuregen, der Krieg habe schon zweimal gedroht auszubrechen, aber die Diplomatie habe es verstanden, ihn abzuwenden. Er ist wie immer optimistisch. In seinem hohen Alter verlässt er sich auf die Harmonie der menschlichen Beziehungen in der Familie wie in seinem Land. Er sieht zu seinem Sohn Edouard und der jungen Françoise Duroyaume hin, die er gerne als Schwiegertochter sehen möchte. Liebevoll blickt er auf seine Frau, doch die denkt wie gewöhnlich

an etwas anderes. Sie hat diesen Tag wunderbar organisiert. Albert glaubt sogar, dass es ihr zu verdanken ist, dass das Wetter an diesem Tag so schön ist.
In Gedanken improvisiert Mel Bonis in der feierlichen Stille einer Kirche, deren Fenster sie inspirieren, auf der Orgel. In Luçon wartet der Domherr Joubert auf sechs Orgelstücke, die er für seine Anthologie bei ihr bestellt hat.

* * *

Entstehung des Orgelwerks

Wir erinnern uns, wie sehr sich die junge Mel Bonis zur Orgel hingezogen fühlte, wir erinnern uns auch an Aussagen der Familien, die versicherten, dass sie in der Klasse von César Franck gewesen sei, aber wir wissen, dass sie nie offiziell seine Schülerin war. Ich vermute, dass sie das Orgelspiel nie so beherrscht hat, wie sie es gewünscht hätte, da sie in ihrer Jugend nicht genügend Möglichkeiten zu üben hatte. Seit sie verheiratet ist, kann Mel Bonis die Gemeindeorgeln in den Orten nutzen, in denen die Familie Domange die Sommerferien verbringt. In Sarcelles haben die Domanges um 1885 herum vielleicht ihren Beitrag zum Erwerb der Cavaillé-Coll-Orgel geleistet, ebenso wie die übrigen begüterten Familien in ihren Kreisen, vielleicht noch etwas mehr auf Grund der Neigung der jungen Madame zu Musik und Gebet. Mel Bonis hat höchstwahrscheinlich 1889 an der Einweihung teilgenommen. Sie brauchte nur die Straße zu überqueren, um zu spielen. Wir wissen auch, dass ihre Tochter Madeleine den gleichen Weg noch ein wenig regelmäßiger beschritten hat, da man auf dem Manuskript des *Offertoire en sol* opus 62 die Widmung lesen kann: „Für Madeleine Quinet, Organistin in Sarcelles“. Die Orgel in Etretat in der hübschen romanischen Kirche aus dem 11. Jahrhundert war ebenfalls eine, allerdings ältere und kleinere, Cavaillé-Coll-Orgel, die 1870 erweitert und restauriert worden war. Mel Bonis spielte im Sommer regelmäßig in der Sonntagsmesse in Etretat. In ‚Ah! Mes aïeux!' erzählt Michel Domange, dass sie an einem Sommersonntag auf Grund einer Wette in der Messe während des Offertoriums eine langsame, einem Gebet angemessene Fassung des berühmten Chansons ‚Viens Poupoule' (Komm, mein Hühnchen) von Maurice Chevalier gespielt habe – im andächtigen Schweigen der Kirchengemeinde, die nichts gemerkt habe.
An diesen beiden relativ bescheidenen, aber schön gebauten Instrumenten, in der Stille einer ländlichen Kirche, stellen wir uns die Musikerin vor, die glücklich ist, ihre eigenen Kompositionen zu spielen, zu improvisieren, die Kleinen Präludien von Bach zu spielen, neue Kompositionen ihrer Zeitgenossen vom Blatt zu spielen.

Als sie Witwe geworden war und sich in der Rue Berthier niedergelassen hatte, hatte sie eine Orgel in ihrem Salon – ganz wie ihr Nachbar Cochereau, wohl nur etwas kleiner.

Mel Bonis schreibt viel für Orgel. Es scheint, dass der Hauptteil des Orgelwerkes teils in den Jahren vor Ausbruch des Ersten Weltkriegs, teils ganz am Ende ihres kompositorischen Schaffens um 1930 herum entstanden ist.
Veröffentlichungen sind im Verlag ‚La Musique Sacrée' in Toulouse erschienen, in der Schola Cantorum in Paris und um 1930 im Verlag Carrara in Bergamo in Italien in dessen Zeitschrift ‚Maestri del Organo'. 1913 erscheint *Prière* von Mel Bonis in der Monatsschrift ‚L'Organiste Paroissial', die von der ‚Procure de musique religieuse'[91] in Paris herausgegeben wurde. Es gibt auch Spuren einer Veröffentlichung der *Elévation en ré* in ‚La petite maîtrise' 1936 an der Schola Cantorum.
Nach Mel Bonis' Tod sorgt ihre Tochter Jeanne 1971 für die Veröffentlichung eines Bandes mit 21 Stücken beim Verlag Carrara. Er trägt den Titel *Composizioni per organo* und umfasst den Hauptteil ihrer Kompositionen, die bis dahin unveröffentlichten und die ursprünglich in Toulouse und Paris erschienenen[92]. Es fehlen darin nur *Prière*, das in ‚L'Organiste Paroissial' erschienen war, sowie fünf weitere unveröffentlichte Stücke für große Orgel (bei der SACEM[93] registriert).

Vor allem bei der Wahl der Registrierung hat Mel Bonis oft ihr bekannte Persönlichkeiten aus der Welt der Orgel um Rat gefragt. In ihrer Korrespondenz finden wir Joseph Daene, Lehrer in Bordeaux, Eugène Gigout, Kantor in Saint-Germain-des-Prés in Paris und Lehrer am Konservatorium, den Kapitular Jean Joubert, Titularorganist an der großen Orgel der Kathedrale von Luçon, und schließlich, um 1930, Henri Letocart, Kantor an Saint Pierre in Neuilly. Sie alle sind Widmungsträger mehrerer Orgelstücke.

Die Werke für Orgel

Mel Bonis' Orgelwerke lassen sich in drei Kategorien unterteilen: Stücke, in denen die Orgel Begleitinstrument ist, Stücke für Harmonium oder Orgel mit nicht obligatem Pedal und schließlich Werke für große Orgel mit Pedal.
Als Begleitinstrument nutzt sie die Orgel für geistliche Werke mit Gesang oder für Kammermusik, vor allem für ihr *Cantique de Jean Racine* (1932) und den *Chant nuptial* für Violine, Harfe und Orgel (1928).

Sie schreibt etwa 30 Stücke für Orgel solo.
Es sind zum größten Teil Stücke für Orgel ohne obligates Pedal oder für Harmonium. Zu dieser Zeit sind die Kirchen noch nicht leer, selbst im kleinsten Dorf erklingt das Harmonium zumindest einmal in der Woche am Sonntag und die Nachfrage nach Noten ist groß. Wie viele ihrer Zeitgenossen, Louis Vierne etwa und eine Anzahl von Vergessenen, Maillochaud, Quignard oder J. de Montber, schreibt Mel Bonis für Gemeinden, die meistens nur über ein von einem Laien gespieltes Harmonium verfügen. Es sind leichte Stücke für die Zeit der Besinnung während des Offertoriums, die Gabenausteilung während der Kommunion oder den fröhlichen Auszug der Kirchenbesucher nach der Messe.
Unter den wenigen Stücken für große Orgel sind vier besonders hervorzuheben.
Das erste ist das *Offertoire en sol*, opus 153, das Madeleine Quinet gewidmet ist. Eine ergreifende Wirkung erzielt der Übergang von G-Dur zu Fis-Dur, wobei das Pedal zum Einsatz kommt, während man die tiefen Bordunregister des Hauptwerks verlässt, um mit dem 8' und 4' Flötenregister in himmlische Höhen entrückt zu werden. Zwei weitere Motive folgen einander im Hauptwerk mit einem Übergang von A-Dur zu G. Der kluge Aufbau und die gewohnt subtilen Harmonien machen die musikalische Qualität dieses Stückes aus und laden zum Gebet ein.
Der *Choral*, dem Komponisten und Organisten Ermend Bonnal aus Bayonne gewidmet, nutzt in seiner besonders interessanten Kompositionsstruktur die Möglichkeiten der vertikalen Polyphonie, die das Instrument bietet. Dieses Stück „übernimmt von Franck Titel und Konzept des fiktiven Chorals, behandelt ihn aber in einem ganz anderen Geist in Form von Variationen für große Orgel mit obligatem Pedal.“[94]
Ihr *Cantabile* widmet sie Désiré Walter, Kantor an Notre Dame de Mongrée. Eine fließende, lebendige Reihe von Arpeggien charakterisiert dieses Stück – „impressionistisch in den harfen- oder klavierähnlichen Sechzehnteln, in der Form, der Harmonie und dem romantischen Grundton an Franck gemahnend“[95] - die zunächst eine Gesangslinie im tiefen Register begleitet und dann mit der berückenden Wirkung des Nachthorns in die Höhen aufsteigt. Hinzu kommt im Bordunregister 16' und 8' eine Gegenstimme auf der Pedalklaviatur. Akkorde, ein Crescendo und die Kopplung der Manuale führen das Stück zu einem brillanten Schluss.
Wir beenden diese Auswahl mit der *Toccata*, einem eindrucksvollen Stück, bei dem das Pedal nicht obligatorisch ist, das aber auf einem Harmonium wegen der schnellen Tempi kaum zu realisieren ist. „Ganz auf ein flüssiges Ostinato aus Vierteln aufgebaut, lässt die Gliederung drei Teile erkennen: eine Art Passa-

caglia bildet den Eingangsteil, der dasselbe Ausgangsmaterial mit Modulationen weiterentwickelt … eine unechte Wiederaufnahme der Exposition, auf die eine neuerliche Weiterentwicklung folgt, endet mit einer schlichten Wiederholung des Anfangs. Bemerkenswert sind die Gegenstimmen in langen Notenwerten … und bezaubernde Wanderungen durch die Harmonien.“ [96] Diese fröhlich-intelligente *Toccata* von Mel Bonis passt wunderbar in jede Hochzeitsmesse!

Zum Abschluss dieses Überblicks über Mel Bonis’ Orgelwerk wollen wir auf ihre Arbeit mit dem Abbé Joubert zurückkommen, die sie 1914 am Familientisch gedanklich so beschäftigt hatte.

Im Frühjahr 1914 führt Désiré Walter, ihr Briefpartner aus Villefranche, sie mit dem Abbé Joubert zusammen, dem Organisten von Luçon (zu dieser Zeit noch nicht Kapitular). Dieser sammelt unveröffentlichte zeitgenössische Werke für Orgel, um seine Anthologie ‚Les maîtres contemporains de l’orgue’ zu vervollständigen. Die ersten sieben Bände hat er bereits in zwei Lieferungen 1912 und 1913 bei Maurice Senart herausgegeben (wir erinnern uns, dass dieser gleichzeitig eine Anthologie zeitgenössischer Klavierkompositionen herausgab, unter denen Mel Bonis schon mit ihrem Stück *Il pleut* vertreten war). In der Anthologie des Abbé Joubert finden wir die berühmtesten französischen Musiker der Zeit: Paul Bazelaire, Ermend Bonnal, Claude Delvincourt, Marcel Dupré, Eugène Gigout, Alex Guilmant, Vincent d’Indy, Emile Pessard, Louis Vierne, Désiré Walter, Marc Delmas, Maurice Emmanuel u. a. Der Abbé plant eine Fortführung seiner Arbeit mit einer ‚Histoire de l’orgue et des organistes du vingtième siècle’ (Geschichte der Orgel und der Organisten des 20. Jahrhunderts), in der, wie er an Mel Bonis schreibt, „Sie sich in guter Gesellschaft befinden werden“. Im Laufe des Frühlings und des Sommers 1914 entwickelt sich ein reger Briefwechsel zwischen dem Abbé und der Komponistin. Sie schickt ihm sieben Stücke, von denen er die vier auswählt, die sich am besten für kleinere Instrumente eignen: *Prélude*, *Fuguette*, *Choral* und *Communion*, die er mit Blick auf eine Veröffentlichung nach ihren Angaben registrieren will. Er bittet sie, noch anderes zu schreiben: „Ich wünsche mir also, dass Sie die Zeit haben, eine Reihe charmanter Stücke à la Franck oder Boellmann zu komponieren ...“ Da kommt es zur Generalmobilmachung. Der Abbé schreibt: „Der Krieg hat alle unsere Editionspläne tiefgreifend verändert“. Er wartet dennoch sehnsüchtig auf die neuen Kompositionen, die Mel Bonis ihm angekündigt hat. Sie hat ihm sieben Stücke für Harmonium, eine *Suite liturgique pour le service de la Sainte messe* (mit ihrem Porträt) geschickt. Auf Grund der Störungen des Postbetriebs erhält er die Sendung erst sechs Monate später. Er bedankt sich sofort, am 6. November

1914: „Ich habe die sieben Stücke für Orgel-Harmonium schon mit großer künstlerischer Befriedigung gespielt und an einem der nächsten Sonntage werde ich sie auf der Cavaillé-Coll der Kathedrale zu Gehör bringen. Der erste Eindruck ist hervorragend: Die entzückende Toccata wird, glaube ich, ganz besonders gefallen“[97]. Themen seiner rührenden Briefe sind auch der Krieg, das Gebet, sein Mitleid mit Mélanies eingezogenen Söhnen und Schwiegersöhnen.
Die Fortführung der Anthologie des Abbé Joubert wird leider durch den Krieg unterbrochen. Wie so viele Projekte wird sie niemals vollendet werden.

II.4
Die ‚Schattenfamilie' von 1900 bis 1914
Die weltliche Vokalmusik

Über Madeleines Kindheit haben wir keine klaren Informationen. Die Aussagen der Nachkommen, die politischen Ereignisse, die erhaltenen Briefe und anderen Dokumente ergeben ein widersprüchliches Bild.
Unter dem Titel ‚Histoire d'un berger pas comme les autres' (Geschichte eines ungewöhnlichen Hirten) schreibt Madeleine ihre Memoiren, ein mit der Schreibmaschine geschriebener Text von ungefähr 20 Seiten, in dem sie ihre Kindheit nach Art eines Märchens erzählt und Orte, Daten und Personen verschleiert: „Meine Geschichte ist nicht die von jedermann“, schreibt sie. „Wenn ich mich entscheide, sie zu erzählen, dann um all denen die Hand zu reichen, die wie ich die größte Einsamkeit kennen gelernt haben, nämlich die, nicht in einer Familie gelebt zu haben. Die Familie ist nicht immer vollkommen, aber sie ist eine Art Zement, der die Grundlage jedes menschlichen Lebens sein müsste.“[98] Wenn es auch unmöglich ist, alle Einzelheiten dieser Erzählung zu entschlüsseln, um die Realität zu rekonstruieren, so kann man doch die Erschütterungen nachvollziehen, die Madeleines Lebensweg begleiten. Man spürt, was das Fehlen von Liebe und der Mangel an Orientierungsmöglichkeiten für sie bedeutet haben, man versteht, wie sehr sie unter den Ereignissen gelitten hat.
Madeleine wächst auf dem Land auf, in Neuilly-sur-Seine, beim Ehepaar Verger. Bei den Domanges ebenso wie in Hettichs Umgebung ahnt niemand etwas von ihrer Existenz. Hettich hat die Kosten ihrer Erziehung übernommen. Madeleine nennt ihre ‚Adoptiveltern' ‚Papa und Mama' und niemand denkt daran, ihr die Wahrheit über ihre Herkunft zu sagen.
Hettich erkundigt sich regelmäßig nach ihr. Für sie ist er ihr ‚Pate'. Als Mélanie es endlich wagt, sie zu besuchen, stellt sie sich als ihre ‚Patin' vor. Madeleine schreibt in ihren ‚Märchenmemoiren': „Die Gervais' (Vergers) bekamen hin und

wieder den Besuch einer Dame, die mich sehr beeindruckte. Ich fand sie sehr schön und sehr einschüchternd. Sie fragte besorgt nach meiner Gesundheit, wollte wissen, wie ich mich fühlte, und nach einer Unterredung mit Madame Gervais verabschiedete sie sich, nachdem sie mich zärtlich umarmt hatte. Bei einem dieser Besuche hörte sie mich eines der Lieder singen, das mir in der Sonntagsmesse so gut gefallen hatte. Sie schien sehr überrascht. ‚Magst du Musik?' fragte sie mich. ‚Oh ja!' antwortete ich, ‚am liebsten höre ich die Orgel in der Messe. Ich habe das Gefühl, im Paradies zu sein und die Engel singen zu hören.' Da sagte diese Dame zu mir: ‚Ich bin sehr glücklich über das, was du da gesagt hast. Auch ich liebe die Musik und sie bereitet mir viel Freude.“[99] An diesem Punkt der Geschichte nimmt die Ich-Erzählerin Flötenunterricht (Madeleine bekam Klavierunterricht).

In der Familie heißt es, dass Madeleines Geburt das Ende der Liebesbeziehung zwischen Hettich und Mélanie war. Aber sie sehen sich, wenn es um ihre Tochter geht, sie setzen ihre Arbeit an der ‚Anthologie des airs classiques' fort. Sie schreiben 1901 zwei neue Lieder zusammen, *Reproche tendre* und *Pourriez-vous pas me dire* und zehn Jahre später ein letztes Lied, *L'Oiseau bleu.*

1906 stirbt Hettichs Frau (Beileidsschreiben von Gabriel Fauré)[100]. Als Witwer kann er sich jetzt um sein Kind kümmern.

Madeleine ist fast sieben Jahre alt. Vater und Mutter geben ihrer Freude Ausdruck, indem sie Hettichs Gedicht *L'Oiseau bleu* vertonen, ein Lied für zwei Frauenstimmen mit einem Refrain, ein lebhaftes, leichtes, fröhliches Lied.

Madeleine schreibt: „Ich war gerade sieben Jahre alt geworden, als die Dame uns wie gewöhnlich besuchen kam. Aber ich sah an ihrem Gesicht, dass dies kein Besuch wie die anderen war. Es war am Ende des Sommers 1927 (in Wirklichkeit 1907) … Sie sagte zu mir: ‚Ich werde dir jetzt Kummer bereiten, aber du musst die Wahrheit über deine Herkunft wissen. Die Gervais' (Vergers) sind nur deine Adoptiveltern. Deine wirklichen Eltern sind bei einem Zugunglück ums Leben gekommen. Aber ich habe deine Mutter im Krankenhaus noch einmal gesehen. Ich liebte sie wie eine Schwester, und bevor sie starb, bat sie mich, mich um dich zu kümmern. Ich habe dich also auch adoptiert. Du kannst nicht mehr bei den Gervais' bleiben: Du musst in ein Internat gehen, um deine Ausbildung zu machen ...' Diese Enthüllung brachte mich völlig durcheinander. Ich liebte Papa und Mama Gervais sehr, und sie zu verlassen, bereitete mir großen Kummer. Natürlich wusste Mama Gervais Bescheid … und ich warf mich weinend in ihre Arme. Ihr gutes Herz war wie meines zutiefst berührt, aber sie erklärte mir, dass mein Fortgehen unbedingt notwendig sei und mir auch unerwartete Freuden bescheren würde … Sie küsste mich zärtlich in meinem Bett und ich schlief recht friedlich ein.“

Zum Schuljahrsbeginn 1907 tritt Madeleine in das Pensionat der ‚Sœurs de Sainte Geneviève' in Neuilly ein. Man kann sich vorstellen, was diese völlige Umstellung ihres Lebens für sie bedeutete. „Das Internat schien mir prunkvoll, die strengen Gebäude waren dafür eingerichtet, Kinder aus reichen Familien aufzunehmen. Ich fühlte mich dort wie ein verirrter Vogel in einem goldenen Käfig. Madame de Boisjoli (Madame Domange), die mich dorthin begleitet hatte, wurde sofort vom Direktor des Internats (der Schwester Oberin) empfangen, und dieser lächelte mir gleich zu. „'Ich verstehe deine Verwirrung, mein Kind', sagte er gütig, ‚aber du wirst sehen, du wirst hier nicht unglücklich sein, du wirst hier bei uns eine Familie finden, die dich liebt, und du wirst Freundinnen finden'. Ich langweilte mich nicht im Unterricht und arbeitete bereitwillig, was mich bei den Lehrern beliebt machte."[101] Die Schülerinnen des Pensionats Sainte Geneviève werden streng erzogen: Sie sind schwarz gekleidet, stehen um fünf Uhr morgens auf und gehen jeden Tag zur Messe. Es dauert sehr lange, bis Madeleine Freundinnen findet.

Die Wochenenden und die großen Ferien im Sommer verbringt Madeleine bei den Vergers, aber auf Grund ihrer neuen Erziehung entsteht eine Distanz zwischen ihnen.

Auch mit ihrem ‚Paten' Hettich verbringt sie Ferien. In ihrem biographischen Bericht ist er „Monsieur Mareil, ein Mann voller Güte, ein Witwer … Er hatte seine Frau durch Tuberkulose verloren (in Wirklichkeit: eine Krebserkrankung). Er hatte nicht wieder geheiratet und lebte mit seiner Schwester zusammen, die den Haushalt führte (die Erzieherin Victorine)."[102]

Hettich hat keine Erfahrung mit Kindern und ist unsicher in Gegenwart seiner Tochter. Er sieht es als seine Pflicht an, dem Bild des guten Vaters entsprechend streng zu sein. Seine erzieherischen Prinzipien bauen auf Distanz. Madeleine bewundert das musikalische Können ihres Paten, und wenn sie ihm heimlich zuhört, weint sie vor Ergriffenheit.[103]

Mélanie besucht Madeleine regelmäßig im Internat. Sie lernt ihr Kind immer besser kennen. Sie entdeckt ein trauriges kleines Mädchen, dem sie sich nur in aller Heimlichkeit widmen kann. Das Kind nennt sie immer noch ‚Madame'.

Madeleines Klavierlehrer ist höchst zufrieden mit ihren Fortschritten. Die musikalischen Fähigkeiten dieses Mädchens, das das musikbegabteste ihrer Kinder ist, berühren Mélanie tief. Hettich gibt sie in kompetentere Hände: Er bittet seinen Kollegen Isidore Philipp, sich um sie zu kümmern. Philipp ist zu dieser Zeit Klavierlehrer am Konservatorium und Autor der vier ersten Bände der berühmten Etüden, mit denen sich noch heute manch einer abmüht.

Das erste Stück, das Mélanie Madeleine widmet, schreibt sie 1912. Es ist *Bébé s'endort* (Baby schläft ein) und trägt als Widmung: "A ...." im zweiten Band der *Scènes enfantines.* Unter den unterschiedlichsten Namen ist Madeleine bei weitem Mel Bonis' häufigste Widmungsträgerin: „A ma petite amie Madeleine", „A Madeleine Verger", „A ma filleule" (An mein Patenkind), „A Madeleine Quinet" usw.

Wie oft samstags holt Madame Domange Madeleine von der Schule ab. Mélanie hat Probleme, ihre Tochter ein bisschen zutraulicher zu machen. Sie stellt ihr tausend Fragen, auf die das Kind nur einsilbig antwortet.
An diesem Tag hat das kleine Mädchen ganz verweinte Augen. Mélanie fragt sie, warum sie traurig sei, doch sie antwortet nicht. Sie fasst sie an der Schulter und spricht sanft zu ihr. Sie fühlt, wie angespannt sie ist. Als sie sich ihr endlich in die Arme wirft, bricht auch Mélanie in Tränen aus. Zwischen zwei Schluchzern spricht das kleine Mädchen: Sie hat Angst vor den Schwestern, sie hat keine Freundin; sie hat Angst vor ihrem Paten; sie will nach Hause zurück, zu ihrer Mama. Mélanie sagt ihr, dass das im Augenblick unmöglich ist, dass sie sie aber im Sommer wieder sehen wird. Für ein Kind sind die Monate, die es von den Sommerferien trennen, eine Ewigkeit. Mélanie tröstet Madeleine. Sie sagt ihr, dass man sie hier auch sehr liebt, dass alles zu ihrem Besten ist, dass sie sich eingewöhnen wird, dass sie selbst ihr dabei helfen will, sich einzugewöhnen.
Als sie am Boulevard des Batignolles 33 ankommen, wo Hettich wohnt, steigen sie die fünf Etagen zu Fuß hoch. Jedes Mal, wenn Hettich ihnen öffnet, fällt ihm die Ähnlichkeit zwischen Mutter und Tochter auf. Er begrüßt Mélanie mit einem Handkuss; er beugt sich zu Madeleine hinab und küsst sie auf die Stirn.
Er betrachtet Mélanie voller Achtung: Ihre Haare sind fast weiß, sie ist groß, fast zu schlank, sie trägt ein elegant geschnittenes Kostüm, einen langen Rock und eine dreiviertellange Jacke. Ihre Züge sind immer noch schön. Sie nimmt die Tasse Tee an, die er ihr anbietet. Ihr strenger Gesichtsausdruck, von Tatkraft und Müdigkeit zugleich gezeichnet, zeugt von der intensiven Arbeit, die ihr der Dienst an ihrer Kunst, an ihrer Religion, an ihrer Familie und all ihren sozialen Aufgaben abverlangt.
Mélanie und Hettich sprechen über ihre kleine Tochter, über ihre Fortschritte in der Schule, ihre musikalische Begabung, über die Schwierigkeit, mit ihr ins Gespräch zu kommen. Er wirft sich vor, dass er nie mit einem Kind habe sprechen können. Mélanie fragt ihn, ob Victorine liebevoll genug mit ihr umgehe, und die Frage erstaunt ihn.
Hettich liebt Madeleine, aber er wagt es nicht, sie zu berühren, genau so wie er auch Mélanie nie berührt.

* * *

Hettich setzt seine glänzende Karriere fort. 1906 bewirbt er sich um eine Gesangsprofessur am Konservatorium. Er nutzt seine Beziehungen in der Musikwelt und im Kultusministerium. Seine Begabung, seine Bildung, seine intellektuellen Fähigkeiten und seine pädagogische Kompetenz überzeugen den Conseil Supérieur d'Enseignement du Conservatoire, so dass dieser seine Bewerbung befürwortet und ihn dem Minister Bienvenu Martin vorschlägt, der seine Zustimmung zur Ernennung gibt. Er ist ordentlicher Professor seit 1909 und bleibt es bis 1927. Man kann sich die Genugtuung des ehemaligen Studenten Hettich vorstellen, als er, der das Konservatorium ohne wirklichen Abschluss verlassen hat, jetzt als Lehrer zum ersten Mal die Türe seines Klassenzimmers öffnet!

1907 nimmt er mit Unterstützung des Verlags Leduc die ‚Collection Hettich' in Angriff, eine außergewöhnliche Sammlung von Vokalisen, die er bei zahlreichen französischen und ausländischen Komponisten in Auftrag gibt – ein ehrgeiziges Werk, das noch heute im Handel erhältlich ist. Die zwölf Bände der ‚Collection Hettich' stellen das vollständigste Bild der Komponisten des ersten Viertels des 20. Jahrhunderts dar: von Gabriel Fauré, Charles Koechlin, Max d'Ollone, Marcel Samuel-Rousseau, Déodat de Séverac usw., die 1907 am ersten Band beteiligt waren, bis zu Albert Roussel, Charles Tournemire, Bohuslav Martinù, Alexandre Tansman, Conrad Beck, Jacques Ibert, Henri Tomasi und anderen in den letzten Bänden, die in den dreißiger Jahren erschienen. Man brauchte drei Seiten, wollte man alle Autoren auflisten. Ravel ist unter ihnen mit seiner berühmten Vocalise-Etude ‚Habanera'. Eine umfangreiche Korrespondenz bezeugt die Begeisterung der Komponisten für das Projekt und der Sänger über das Ergebnis: ein Erfolg für Hettich, der seinen Bekanntheitsgrad steigerte und einen erheblichen Zuwachs an Tantiemen bedeutete, der alleine das Überleben der Familie für die kommende Generation abgesichert hätte.
Parallel dazu arbeitet Hettich an seiner ‚Anthologie des airs classiques' weiter, deren Endfassung 17 Bände umfassen wird. Zu den Händel-Arien fügt er die der italienischen und englischen Meister hinzu, sowie die von Mozart, Weber und Lully. Auch die Anthologie, an der Mel Bonis so erheblich beteiligt ist, verkauft sich noch heute gut.
In den Ferien nimmt Hettich Madeleine mit in seine geliebte Bretagne, und Madeleine marschiert während seiner langen Wanderungen hinter ihm her. In der Märchensprache ihrer ‚Mémoires' hört sich das so an: „Ich habe eine wun-

derbare Erinnerung an diese Ausflüge mit dem Fahrrad (zu Fuß) in der schönen Provence (Bretagne), die ich so liebte.“[104]

Das Heranwachsen Madeleines sieht der Vater mit Unruhe. Er zügelt ihre Lust am Klavierspiel aus Angst, sie könne eine Konzertkarriere ins Auge fassen, die seiner Ansicht nach ‚für eine Frau viel zu gefährlich' ist. Madeleines Töchter berichten über viele Erinnerungen ihrer Mutter, die von ihrer einsamen Kindheit zeugen, von diesem strengen Paten, den sie bewunderte, von dieser Patin, der sie sich mit der Zeit emotional tief verbunden fühlte.

* * *

Mel Bonis und ihre Schattenfamilie finden wir vor allem in ihrer weltlichen Vokalmusik wieder. Hettich ist der Mensch, der Mel Bonis ständig zur Musik geführt hat; er ist auch der erste Dichter, der sie zur Vertonung von Texten angeregt hat.

Mel Bonis' weltliche Werke für Gesang sind in den ersten beiden Kompositionsperioden entstanden, wobei der größere Teil in die Zeit zwischen 1900 und 1914 gehört. Insgesamt handelt es sich um 35 Stücke, in der Hauptsache Lieder, darunter sieben sehr leichte Strophenlieder mit Refrain: *Villanelle*, *Noël pastoral* (Hirtenlied zu Weihnachten), *Madrigal*, *Pourriez-vous pas me dire* (Könnten Sie mir nicht sagen), *Reproche tendre* (Zärtlicher Vorwurf), *L'Oiseau bleu* (Der blaue Vogel) und *Couboulambou à Paris* sowie vier Kinderlieder: *Berceuse de Noël*, *Ronde des Marionnettes*, *Rondo en forme de canon* und *Au clair de la lune* (Beim Mondenschein).

Die meisten Stücke sind für mittlere Stimmen geschrieben, mit Ausnahme der Lieder von 1911 und 1912: *Le dernier souvenir* (Die letzte Erinnerung) für Bassstimme, *Trois mélodies* auf Texte von Maurice Bouchor und *Le Chat sur le toit* (Die Katze auf dem Dach) für Tenor. Es gibt mehrere Duette für Sopran und Alt: *Le Ruisseau* (Der Bach), *L'Oiseau bleu*, einen Kanon: *Rondo en forme de canon* und ein Chorstück: *Au clair de la lune*.

Die Lieder stehen in der Tradition der Romantik: *Invocation* (Anrufung), *Elève-toi, mon âme* (Erhebe dich, meine Seele), *Epithalame* (Hochzeitslied), *Eternelle tendresse* (Ewige Zärtlichkeit), bisweilen mit deutlich beschreibendem Charakter (*Le Ruisseau*, *Le Chat sur le toit*). Um 1910 werden die Stilmittel in *Un Soir* und *Trois mélodies* auf Texte von Bouchor differenzierter und stellen den Emotionen des Textes eine reichere musikalische Ausdruckspalette zur Seite.

Die weltliche Vokalmusik

Die auf Texte von Amédée Landely Hettich komponierten Lieder gehören im Wesentlichen in die erste Schaffensperiode und können den Werken ‚leichteren' Charakters zugeordnet werden. Die ersten beiden entstehen in ihrer gemeinsamen Studienzeit am Konservatorium und zählen zu den ersten Kompositionen überhaupt. Sechs weitere (und eine Motette, die *Prière de Noël*) folgen zwischen 1892 und 1907, so dass wir insgesamt fünf Melodien haben, die der Gattung Lied zuzuordnen sind: *Villanelle*, *Noël pastoral*, *Pourriez-vous pas me dire* (Könnten Sie mir nicht sagen), *Reproche tendre* (Zärtlicher Vorwurf) und *L'Oiseau bleu* (Der blaue Vogel). Hinzu kommen die drei romantischen Lieder: *Sur la plage* (Am Strand), *Le Ruisseau* (Der Bach), ein Duett für Frauenstimmen, dessen impressionistische Musik das bukolische Gedicht gut zur Geltung bringt, sowie *Elève-toi, mon âme* (Erhebe dich, meine Seele), das umfangreiche Lied mit seiner Gegenstimme im Violoncello, das bereits im Kapitel I.5 behandelt wurde. Das gesamte Gesangswerk, das in Zusammenarbeit mit Hettich entstand, ist mit Ausnahme der beiden Duette für Sopran und Alt für Bariton oder Mezzosopran geschrieben. Hettich war Bariton.

Der zweite Dichter, mit dessen Texten Mel Bonis arbeitet, ist Edouard Guinand, Textdichter auch für Chaminade und Falkenberg und Autor des Textbuches zu Debussys ‚L'Enfant prodigue'. Seine Gedichte regen sie zu den vier Liedern ihrer ‚Schweigeperiode' zwischen ihrer Heirat und der Zeit um 1892 an: *Invocation* (Anrufung), *Dès l'aube* (In der Morgendämmerung), *Viens* (Komm) und *Berceuse* (Wiegenlied). Sehr viel später, um 1912 herum, schreibt sie zwei weitere Lieder auf Texte von Edouard Guinand: *Mirage* (Trugbild) und *Chanson de printemps* (Frühlingslied). Sie fasst die Herausgabe einer Sammlung von drei Liedern ins Auge, die *Viens* mit den beiden zuletzt genannten zusammenfügt, und widmet das Bändchen einem befreundeten Anwalt, Pierre Dessaigne, der ebenfalls hin und wieder komponiert. Die Lieder auf Texte von Guinand sind durchweg romantisch und rufen emotionale Bilder zu Natur- und Menschenliebe wach. Zu Mel Bonis' Lebzeiten ist keines von ihnen herausgegeben worden.

Mit Madeleine Pape-Carpantier, der Leiterin von Jeannes Schule, hat Mel Bonis zwei Stücke für Gesang geschrieben: ein Weihnachtslied für Kinder, *La Veille de Noël* (Heiligabend) und das *Madrigal*. Das Weihnachtslied, ein Dialog für Kinder, wurde 1900 von Léon Grus herausgegeben und lässt zwei Kinder auftreten, die die Vornamen von Mélanies Kindern tragen, Jeanne und Edouard. Sie erwarten den ‚Weihnachtsengel', der, wie Jeanne versicherte, ‚Mama glich …' Das *Madrigal*, 1901 bei Hachette erschienen, ist weniger kindlich und für Jeanne und ihre Klassenkameradinnen geschrieben.

Die Texte der übrigen Lieder stammen aus Mélanies eigener Feder. Sie schreibt gerne und wir kennen die Qualität ihrer Prosa aus ihren ‚Souvenirs et réflexions'. Die *Ronde des marionnettes* ist allerdings das einzige Lied, dessen Text sie mit ihrem Namen gezeichnet hat. Es ist ein Kinderlied und erscheint bei Poulalion im selben Jahr wie ihr erster Klavierband für Kinder, das *Album pour les tout-petits*. Die übrigen Werke sind mit Pseudonymen gezeichnet. So findet man etwa den Namen ‚Poul Ar Fentoun' in der *Berceuse de Noël*, in der sie die Kinder auffordert, mit den Armen zu teilen. *La Mer*, ein Lied im italienischen Stil, beschreibt die Meeresküste mit Bildern, die an Hettichs Diktion erinnern, und hebt die Überlegenheit der christlichen Seele über die Naturschönheiten hervor. Beide Lieder gibt Mel Bonis 1903 selbst heraus. Schließlich schreibt sie Anfang der dreißiger Jahre unter dem Pseudonym ‚Jacques Normandin' die Fantasie *Couboulambou à Paris*, über ein Geisterwesen, das, aus dem Nichts kommend, eine moderne Metropole betrachtet.

1907 vertont Mel Bonis, deren Kinder sich anschicken zu heiraten, ein Gedicht von Victor Hugo mit dem Titel *Epithalame* (Hochzeitsgedicht), das bei Demets erscheinen wird. Es handelt sich um ein Duett für Sopran und Alt, das den Abschied der Eltern von der jungen Braut zum Thema hat: „Aime celui qui t'aime …" (Liebe den, der dich liebt …). Empfindet sie Bedauern? Denkt sie an ihre eigene Ehe? Das Lied im romantischen Stil ist gut strukturiert und stellt eine intelligente Kommunikation zwischen den Stimmen und einer ihnen gleichwertigen und klug angelegten Klavierbegleitung dar – eine Melodie, an die man sich lange erinnert.

Nach Victor Hugo vertont Mel Bonis 1908 ein Gedicht mit dem Titel *Un soir* (An einem Abend) von Anne Osmont[105], ein Werk, mit dem sie nicht zufrieden ist und das sie mit dem Vermerk „Nicht herausgeben" versieht. Doch hat diese subtile und starke, für ihren Geschmack vielleicht etwas zu ‚moderne' Musik unsere Aufmerksamkeit erregt. Das kurze Lied behandelt mit originellen Mitteln und einer vielleicht übersteigerten Sensibilität die Themen der Zärtlichkeit und der Suche nach einem Schutzmantel gegen die Unbilden und Gefahren des Lebens.

Auf ein Gedicht von Leconte de Lisle, *Le dernier souvenir* (Die letzte Erinnerung), schreibt Mel Bonis 1909 ein Lied für Bassstimme. Das Thema, die Sehnsucht nach dem Tod, beschwört die dunkle Erfahrung des Todes und die Erleichterung in der Annahme des Unvermeidlichen. Heute mag man eine solche Dichte des dramatischen Ausdrucks als allzu emphatisch empfinden.

Der Dichter André Godard hat Mel Bonis nur zu einem einzigen Lied inspiriert: *Immortelle tendresse* (Unsterbliche Zärtlichkeit). Sie schätzt diesen Autor wegen seiner religiösen Ideen und der Qualität seines rein romantischen Stils. Im September 1919 tritt sie in brieflichen Kontakt mit ihm. Die ersten beiden Antwortbriefe des Dichters beginnen mit den Worten: „Cher Monsieur …“. Es sind nicht die einzigen Briefe, die sie mit dieser Anrede erhält. Godard ist damit einverstanden, dass ‚der Komponist' eines der Gedichte aus seinem Werk mit dem Titel ‚In memoriam' vertont. Zwischen beiden Künstlern entsteht eine von Sympathie getragene Korrespondenz. Godard bringt eigene Vorstellungen hinsichtlich der Wahl des Gedichtes und einzelner Veränderungen ein. Er ist nicht sehr musikalisch, hat aber Jean Gounod viel Lobendes über Mel Bonis' Werk sagen hören und freut sich, seinen Namen mit dem ihren zu verbinden. *Immortelle tendresse* ist wunderbar komponiert, aber wie beim Text des *Dernier souvenir* lächelt der heutige Leser eher über seinen romantischen Überschwang. Das Lied erscheint 1910 bei Demets.

Der Briefwechsel zwischen Mel Bonis und dem Dichter R. du Costal zu *Le Chat sur le toit* (Die Katze auf dem Dach) ist ganz anders geartet. Hier geht es um die Fertigstellung eines Werks des Komponisten Bourgault-Ducoudray, einem hervorragenden Musikwissenschaftler, Freund von Hettich und Bewunderer der Musik von Mel Bonis. Als er 1910 stirbt, hinterlässt er eine unvollendete Arbeit von acht Liedern mit Orchesterbegleitung auf Texte von R. du Costal, ‚Les Poèmes du chat'. Die Orchestrierung ist nicht beendet, das letzte Lied ‚Les Amours du chat' noch nicht begonnen. Mel Bonis fällt die Aufgabe zu, das Werk zu vollenden, eine Aufgabe, die sie unter Beachtung des musikalischen Stils von Bourgault-Ducoudray erfolgreich durchführt. Die Korrespondenz mit du Costal[106] zeigt allerdings, dass diese Zusammenarbeit nicht frei von Spannungen war. Du Costals Schrift bedeckt mal klein, mal riesig groß, die Seiten. Schon seine Unterschrift nimmt sehr viel Platz ein. Der Dichter erregt sich, schreibt der Adressatin bis zu drei Briefe am Tag. Welche Beschwerden wegen einer Silbe, die er anders platziert, wegen eines Interpreten, den er nicht gewählt hätte, oder weil ihm alles nicht schnell genug geht! Allerdings lässt er als Mann von Welt hin und wieder ein Kompliment einfließen… In seiner sinfonischen Form ist das Werk wohl im Januar 1912 entstanden. Mel Bonis‘ Biographie von 1947[107] erwähnt eine Aufführung für den Rundfunk in Rennes unter Leitung von Maurice Henderich im Jahre 1932. Einem Brief des Sohnes von Bourgault-Ducoudray an Pierre Domange entnehmen wir, dass das Werk am 12. April 1939, einem Ostersonntag, im Radio übertragen wurde. Die Familie von Mel Bonis hat nur das gänzlich von ihr geschriebene Lied *Le Chat sur le toit* in zwei Fassungen mit Orchester und mit Klavier aufbewahrt. Die Klavierfassung wird 1925 von Maurice Senart herausgegeben. Die kurzen chromatischen, in Wellen verlaufenden Läufe, die verschwimmenden kleinen Noten und scharfen Dissonanzen folgen den lebhaft-geschmeidigen Bewegungen der Katze und dem Vibrato ihres Liebesschreis.

Mel Bonis schreibt vier Lieder auf Gedichte von Maurice Bouchor, der schon Chausson zu Liedern angeregt hat. *Chanson d'amour* (Liebeslied) für Bariton oder Mezzosopran, geht auf Bouchors Übersetzungen der Shakespearesonette zurück und spricht vom Liebesschmerz als einem Gefängnis. Die in spanischem Rhythmus geschriebene Klavierbegleitung überrascht. Das Manuskript trägt das Datum 1912 und die Bemerkung „Nicht veröffentlichen".
Musikalisch originell und besonders anrührend preisen die drei restlichen Lieder nach Gedichten von Bouchor das Thema, das Mel Bonis am meisten am Herzen lag, die reine Liebe. Sie sind unter dem Titel *Trois mélodies pour ténor* zusammengefasst. Das erste, *Viola,* „très modéré, doux et tendre" (sehr gemäßigt, sanft und zart), beschreibt die staunende Entdeckung der Liebe mit den musikalischen Mitteln einer noch klassischen, aber doch mit harmonischen Überraschungen angereicherten Romantik. *Sauvez-moi de l'amour* (Rettet mich vor der Liebe), „con moto, inquiet et agité" (bewegt, unruhig und erregt), bringt die Gefahr zum Ausdruck, die von Eros ausgeht, und den schmerzlichen Wunsch, seiner Macht zu entgehen. Die Musik folgt dem A-B-A-Schema. Das erste Thema ist von zitternder Angst geprägt, während vom sehr kurzen zweiten eine solch dramatische Intensität ausgeht, dass es fast eine Erleichterung ist, mit den folgenden drei Versen zum ersten Thema zurückzufinden, das zum tragischen Schluss hinführt:

„ Undurchdringliches Gebüsch, das keinen Sonnenstrahl kennt,
Schlag mich, peitsche mein Gesicht
Und lass mein purpurnes Blut in Strömen fliessen."

Das letzte Lied, *Vers le pur amour* (Zur reinen Liebe), besingt in einem wiegenden Rhythmus den Weg in eine andere Welt, der zur reinen Liebe führt:

„In meinem magischen Boot mit seinem Silberschimmer ..."

Das ganze, sehr ruhige Stück sollte nur halblaut gesungen werden. Die Stimmlage ist sehr hoch, und Mel Bonis weist am Rand auf eine mögliche Transposition hin. Von einer klaren Stimme vorgetragen, sollte das Lied Mel Bonis' und Maurice Bouchors Vision der vollkommenen, reinen Liebe zum Ausdruck bringen. Diese drei Lieder tragen kein Datum und wurden zu Mel Bonis'

Lebzeiten nicht veröffentlicht. Die Schreibweise, die musikalische Reife und die Nähe zum Klavierstück *Desdémone*, dem ein Auszug aus denselben Gedichten beigefügt ist, lassen vermuten, dass die Entstehung in die Zeit zwischen 1910 und 1915 fällt. Es ist nicht sicher, ob sie zu Mel Bonis' Lebzeiten gesungen wurden, möglich ist allerdings, dass der Ausbruch des Krieges eine Herausgabe oder Aufführung verhinderte.
1918 – die jungen Leute sind noch an der Front oder in Gefangenschaft – liest Mel Bonis ‚Les Phéniciennes' von Georges Rivollet. Unter dem Titel *Elégie sur le mode antique* vertont sie die Strophen, in denen eine Mutter am Grab ihres für das Vaterland gefallenen Kindes klagt. Die Wahl dieses Themas entspringt Mel Bonis' mütterlicher Angst, der Sorge, in der sie während des Krieges gelebt und vor allem um das Leben ihres jüngsten Sohnes Edouard gebangt hat. Man spürt bei diesem rezitativischen Gesang die Nähe zur griechischen Musik. Das Lied wurde bei Hamelle herausgegeben.
Nach dem Überblick über das Liedschaffen von Mel Bonis und die Dichter, die sie inspiriert haben, bleiben noch zwei etwas weniger ernste Stücke zu erwähnen: das *Rondeau en forme de canon* und *Au clair de la lune* (Beim Mondenschein), dem das bekannte französische Volkslied zugrunde liegt. Es ist eine Bearbeitung für ein Vokalquartett und einen Solisten. Der Sopran singt die berühmte Melodie, Alt, Tenor und Bass begleiten, während der Solist eine Gegenstimme improvisiert. Das *Rondeau* auf den bukolischen Text eines gewissen Dupont ist ein Kanon für Kinder und hat sicherlich, wie das *Madrigal*, der Klasse von Madame Pape-Carpantier viel Spaß gemacht. Die beiden Werke sind nicht datiert und wurden auch nicht herausgegeben. Zwei Werke für Gesang, die der 1946 von ihren Kindern erstellte Katalog aufführt, bleiben unauffindbar: *Chansonnette en duo* und *Le Moulin* (Die Mühle) für zweistimmigen Chor auf ein Gedicht von Victor Wilder, das Julien Hamelle gewidmet ist und, wie wir wissen, 1886 von ihm herausgegeben wurde. Ein schwer lesbares Manuskript liegt uns schließlich noch von einer *Chanson catalane* vor.
Außer den Liedern auf Texte von Hettich, die alle zu Mel Bonis' Lebzeiten veröffentlicht wurden, ist der Anteil der nur im Manuskript vorhandenen, also nicht veröffentlichten Lieder erstaunlich. Mehr als die Hälfte wurden nicht veröffentlicht, während die große Mehrzahl der Klavier- und Kammermusikwerke herausgegeben wurden. Auch die religiöse Chormusik blieb zum großen Teil unveröffentlicht. Diese relativ zurückhaltende Aufnahme der Vokalmusik von Mel Bonis wirft Fragen auf, zumal Werke wie *Un Soir* und die *Trois mélodies* auf Texte von Maurice Bouchor zu ihren Meisterwerken gezählt werden können.

Die Musik drückt weder
die Leidenschaft, noch die Liebe, noch die Sehnsucht
eines Individuums in einer bestimmten Situation aus,
sie ist im Gegenteil die Leidenschaft, die Liebe, die Sehnsucht selbst.
Richard Wagner

II.5
Die Kammermusik bis 1914

Die Kammermusik von Mel Bonis umfasst die bedeutendsten Werke ihres musikalischen Schaffens.
Sie entsteht im Laufe aller drei Kompositionsperioden, im Wesentlichen allerdings zwischen 1900 und 1914, und ist das ideale Ausdrucksmittel für die schöpferischen Ideen der zweiten Schaffensperiode.
Mel Bonis komponiert für die unterschiedlichsten Besetzungen. Wenn sie auch viel für Geige und Violoncello schreibt, ist doch eine Vorliebe für die Flöte erkennbar. Mit vier bedeutenden Werken für Flöte und Klavier – darunter eine Sonate -, mit vier Suiten für Trio oder größere Besetzung, die allesamt der Flöte einen wichtigen Part zuweisen, kann man attraktive Konzertprogramme mit Mel Bonis' Flötenmusik gestalten. Die Freundschaft mit Louis Fleury, dem Ehemann von Gabrielle Monchablon, hat ihre Neigung zur Flöte noch verstärkt und ihre besondere Kunst gefördert, das Instrument zum Singen zu bringen.
Fast immer ist das Klavier wesentlicher Baustein ihrer Kammermusik. Es wird selten als reines Begleitinstrument behandelt, sondern spielt in den Sonaten und Trios, in Quartetten und Septetten eine zentrale Rolle. Werken wie den beiden Quartetten verleiht es sinfonische Dimensionen.
Wir werden an dieser Stelle die Kammermusikwerke der beiden ersten Perioden näher betrachten. Die Werke der letzten Periode nach 1922 behandeln wir im Kapitel II.8.

Die Kammermusik vor 1900

In den Kammermusikwerken ihrer ersten Kompositionsperiode ist eine Neigung zur Salonmusik unüberhörbar. Die Anzahl der Werke bleibt allerdings gering.
Das erste entsteht 1892, als Mel Bonis nach den ersten acht Jahren ihrer Ehe wieder zu komponieren beginnt. Es handelt sich um das *Nocturne* für Streichtrio mit Harfe. Auf der ersten Seite des Manuskripts liest man: „1892 (in der Zeit, in

der sie sich nicht ernst nahm). Nicht veröffentlichen". Das Werk, ein Adagio, weist stellenweise bereits auf die Klavierquartette hin. Während die drei Streichinstrumente in Kontrapunktmanier eine zauberhafte Melodie verarbeiten, haftet den kurzen Tonfolgen der Harfenbegleitung etwas Magisches an.
Das *Nocturne* bleibt jahrelang in der Schublade liegen. Unterdessen hat der Harfenfabrikant Lyon, der sich mit Pleyel und Wolff zusammengeschlossen hat, 1896 die chromatische Harfe entwickelt, die den Unzulänglichkeiten der diatonischen Doppelpedalharfe bei der Ausführung der dem Zeitgeschmack entsprechenden ‚chromatisierenden' Fantasien abhelfen soll. Die ‘Société des compositeurs de musique' die jährliche Wettbewerbe organisiert, verlangt für den Wettbewerb des Jahres 1899 Kammermusikwerke, die dieses Instrument berücksichtigen, um die chromatische Harfe zu fördern. Mel Bonis fällt ihr *Nocturne* ein. Sie überarbeitet die Partitur, ergänzt sie und richtet sie für Oboe, Horn und Violoncello ein: Das Ergebnis ist die *Suite pour harpe chromatique, hautbois, cor et violoncelle.* Sie erhält den Preis zusammen mit Théophile Sourilas.
Die *Méditation* für Violoncello und Klavier existiert auch in einer Fassung für Klavier solo. Sie ist ihrer Freundin Jeanne Monchablon gewidmet und erscheint 1898 bei Leduc, ein melodisches ‚Lied ohne Worte', das den Klang des Instrumentes schön zur Geltung bringt.
Auch die *Sérénade* ist ein Stück für Violoncello und Klavier, von dem es auch eine Fassung für Violine und Klavier gibt. Es ist ein zauberhaftes, humorvolles Stück, über dem ein Hauch von Koketterie liegt. Gewidmet ist es Marguerite Chaigneau, der Cellistin des Trio Chaigneau. Es erscheint 1899 bei Leduc.

Wohl zur selben Zeit, also in den letzten Jahren vor der Jahrhundertwende und vor dem Drama, das ihr Leben erschüttern sollte, schreibt Mel Bonis ihre *Suite orientale* und ihre *Suite en trio.* Beide erscheinen allerdings erst viel später.
Die *Suite orientale* ist für Violine, Violoncello und Klavier komponiert. Sie ist mit ihrem beschreibenden Charakter relativ leicht zu spielen und entspricht in ihrer orientalischen Färbung ganz dem Geschmack der Belle Epoque, die sich für alles Fremdartige begeisterte, das die Weltausstellungen mit sich brachten. Das Werk ist dreisätzig; im ersten Satz, ‚Prélude', herrscht eine düstere und beunruhigende Atmosphäre; der zweite, ‚Danse d'Almées', ist ein orientalischer Tanz in einem Zweierrhythmus, dessen Mittelteil, ‚Poco più lento', mit seinen geheimnisvollen, ständig sich wiederholenden Figuren Ravels ‚Bolero' vorwegnimmt; das Finale, ‚Ronde de nuit', scheint eine Geschichte zu erzählen. Die tiefe Lage des Klaviers beschwört die Nachtstimmung des Anfangs herauf. Im mittleren Teil, vom „dolce lusigendo" (sanft schmeichelnd) an, steigt die dramatische Spannung, etwas Besonderes scheint sich zu ereignen, vielleicht das Auf-

treten einer Person. Schließlich bricht ruhig und friedlich die Mitternacht an und das Stück endet im Geheimnis der Nacht und in einer unbestimmten Ferne.
Dieses Trio erscheint 1900 bei Durand. Es ist Mel Bonis' einzige Erfahrung mit diesem Verlag, die sie zwischen dem Ende ihrer Arbeit mit Leduc und dem Beginn ihrer Zusammenarbeit mit Demets macht. Aufgeführt wird die Suite in der ‚Salle des Agriculteurs' in Paris[108] und im Schweizer Radio unter Mitwirkung der Konzertpianistin Juliette de Crousaz, Professorin für Klavier am Konservatorium in Lausanne (Brief von J. de Crousaz). Mélanie schreibt noch eine Orchesterversion der Suite, aber das Manuskript geht bei Durand verloren. Wir besitzen nur noch einen Entwurf des 'Prélude' und der ‚Danse d'Almées'.

Die *Suite en trio* für Flöte, Violine und Klavier hat Mel Bonis selbst liebevoll „Mon petit trio" genannt. Wie die *Suite orientale* ist sie relativ kurz, für gute Amateure ausführbar und leicht zu verstehen. Sie besteht aus drei Sätzen: einer lyrischen ‚Sérénade' folgt eine bukolische ‚Pastorale' voller harmonischer Feinheiten, die der Flöte schmeicheln; im abschließenden schwungvollen ‚Scherzo' treiben die drei Instrumente ihr Spiel miteinander und das Thema wandert von einem zum anderen. Tausend romantische Feuer bilden den funkelnden Abschluss. Das Werk erscheint nicht vor 1903 und wird vor allem von Mel Bonis selbst und ihrem Bewunderer, dem Marquis de Gantès, einem Amateurflötisten, aus dem Manuskript gespielt. Der Marquis hat eine eigenhändige Abschrift angefertigt.[109] Zum großen Erfolg dieser kleinen Suite wird später der Flötist Louis Fleury beitragen.

* * *

Die Kammermusik der zweiten Periode

Mel Bonis schreibt: „Die Musik gibt der ganzen Schönheit, der ganzen Wahrheit, der ganzen Leidenschaft Ausdruck. Das Ziel unserer ewigen Wünsche nimmt Form an."[110]
Zwischen 1900 und 1910 arbeitet sie mehr denn je. Sie schreibt zahlreiche Lieder; ihre spirituelle Suche führt sie dazu, ernsthaft für Orgel zu komponieren, und die jetzt entstehenden Klavierstücke, etwas weniger zahlreich vielleicht, zählen zu den schönsten des Gesamtwerks. Mel Bonis schreibt und orchestriert ihre drei Tänze: *Bourrée*, *Pavane* und *Sarabande*. Es entstehen die Orchesterfassungen von *Salomé* und *Omphale*. Die meiste Energie aber und die schönste Erfindungsgabe fließen in die Kammermusik. Hier sublimiert sie ihre beherrschte Leidenschaft, die auszuleben das Leben ihr nicht gestattet.

Wir werden die Kammermusikwerke der zweiten Periode näher betrachten und, im Rahmen des Möglichen, ihrer Geschichte nachgehen. Einige, wenn auch wenige Briefe geben Zeugnis von Musikerreaktionen und einigen Aufführungen (manchmal ohne genauere Angaben, bisweilen sogar ohne Datum). „Wenn man Mel Bonis' Lust am Briefeschreiben kennt und weiß, mit welcher Leichtigkeit sie formulierte, scheint es klar, dass ihre Briefpartner zahlreich waren und häufig schrieben"[111], stellen ihre Nachkommen enttäuscht fest. Der folgende Brief der jungen Charlotte Sohy, die unter Mel Bonis' Obhut César Francks Quintett für vier Hände für den Verlag Hamelle einrichtet, bringt die Freude ihrer Briefpartner gut zum Ausdruck: „Schreiben Sie mir, Madame, ich liebe Ihre Briefe so sehr! Sie sind ganz Sie, und beim Lesen meine ich Sie zu hören." In der Familie spricht Mélanie nicht über ihre beruflichen Kontakte. So müssen wir uns mit wenigen Dokumenten zufrieden geben, wenn wir uns das Schicksal ihres Werks in ihrer fruchtbarsten Periode vorstellen wollen.

Von Natur aus bescheiden, besitzt Mel Bonis alle Gaben außer der, sich ins rechte Licht zu setzen. Ihre gesellschaftliche Stellung erschwert ihre Integration in die Welt der Musiker. Man kann sich gut vorstellen, wie ihre Kollegen diese Konkurrentin aufnehmen, die von einem anderen Stern zu kommen scheint. Als Frau und Bürgerliche wird sie im Musikermilieu nicht wirklich aufgenommen und hat nicht die richtige Schule durchlaufen, um ‚sich zu verkaufen'. Norbert Dufourq schreibt: „Mel Bonis entscheidet sich zu komponieren. Die Musik quillt, sprudelt aus ihr hervor trotz einer zarten Konstitution und den ständigen Verpflichtungen, die sie als Familienmutter übernehmen muss. Ganz Empfindsamkeit, Humor, Güte, aber auch ganz Leiden, kümmert sich die Komponistin wenig um ihre Botschaft, weiß sie bei Verlegern, Dirigenten, Interpreten nicht zur Geltung zu bringen. Sie bewahrt ihr kostbares Gepäck bei sich, findet aber Gefallen daran, ihre Traumwelt ständig reicher auszustatten…"[112]

Die Dokumente, die wir besitzen, zeigen, dass Mel Bonis sich dennoch bemüht, ihr Werk bekannt zu machen. Sie ist Mitglied der ‚Société des compositeurs de musique', die die Komponisten unter ihrem Dach vereint und ein Bulletin herausgibt, das über ihre Aktivitäten und vor allem die erschienenen Werke berichtet. Sie organisiert Konzerte mit den Werken ihrer Mitglieder. Ihre Kompositionswettbewerbe, bei denen Mel Bonis zweimal Preisträgerin war – 1898 mit der *Suite pour harpe chromatique, hautbois, cor et violoncelle* und 1904 mit der *Suite pour harpe chromatique et deux instruments à vent* –, sind ebenso hoch geschätzt wie selektiv. Die größten Meister müssen erleben, dass ihre Werke abgewiesen werden, und es kommt nicht selten vor, dass gar kein Preis vergeben wird.

Mel Bonis ist mindestens von 1899 bis 1911 Mitglied der ‚Société des compositeurs' - danach erscheint kein Bulletin mehr. 1910 ist sie neben Bertrand, Del-

mas und Tournier Geschäftsführerin der Gesellschaft. Präsident war zu jener Zeit Alexandre Guilmant, nach ihm ab 1911 Charles Lefebvre. Es scheint, dass Mel Bonis die einzige Frau ist, die jemals Mitglied des Vorstands war. An den Mitgliederlisten der Société wird deutlich, dass sie in dieser Periode in engem Kontakt zu den besten Musikern ihrer Zeit stand. Etliche Briefe bestätigen dies und zeugen von der Hochachtung, die ihr die wichtigsten Musiker der Zeit entgegenbrachten – Fauré, Saint-Saëns, Ermend Bonnal und andere.
Das Komponieren ist eine Herausforderung für Mel Bonis und erfüllt sie ganz, da es ihre Leidenschaft ist. Doch zeigt die Lektüre der Korrespondenzen, welchen Problemen sich Mel Bonis gegenübersieht, um ihre Werke zu einem guten Ende zu bringen, ihnen also ein Forum zu schaffen, sie spielen zu lassen und bekannt zu machen. So gibt es neben einigen glücklichen Momenten auch solche banger Erwartungen und Enttäuschungen.
Während ihre *Suite orientale* 1900 erscheint, beginnt Mel Bonis mit der Arbeit an ihrem *Quatuor en si bémol* (Quartett in B-Dur) für Streicher und Klavier. Sie arbeitet bis zu seiner Herausgabe im Jahre 1905 daran. Zur selben Zeit schreibt sie ihre *Sonate pour flûte et piano*, die ein Jahr später erscheint. Auch die *Sonate pour violoncelle* erscheint 1905 noch vor dem Quartett. In diesem Jahr schreibt Mel Bonis zudem das eben erwähnte *Trio pour harpe chromatique et deux instruments à vent* für den zweiten Wettbewerb der ‚Société des compositeurs' und erhält dafür eine „première mention honorable à l'unanimité", d. h. eine von der Jury einstimmig beschlossene hervorragende Bewertung (das entsprechende Zeugnis befindet sich im Familienarchiv). 1906 ist die Septettfantasie, ihre *Fantaisie en septuor*, die 1910 bei den ‚Concerts Colonne' zur Aufführung gelangt, bereits geschrieben. 1907 erscheinen *Soir* und *Matin*, zwei Trios für Klavier, Violine und Violoncello. Alle Kammermusikwerke dieser Periode werden von Demets herausgegeben.

Mel Bonis' kompositorisches Schaffen verläuft stets am Rande der gesellschaftlichen Stellung der Madame Domange, wie eine kleine Bemerkung des Flötisten Louis Fleury in einem Brief von 1904 an Mel Bonis belegt: „(Gestern Abend in Etretat) haben wir erfolgreich das *Trio flûte violon piano* von Mel Bonis gespielt, vor einer ausgewählten und begeisterten Zuhörerschaft… Mir scheint, dass Madame Domange daran nicht ganz unschuldig ist!"
Wenn man weiß, mit welcher Sorgfalt Mel Bonis arbeitet, wenn man sich vorstellt, dass sie neben dieser musikalischen Produktion alle Aufgaben zu bewältigen hat, die ihr mit dem Tagesgeschäft, aber auch der Ausrichtung von Taufen, Hochzeiten und Ordensverleihungen in der Familie Domange abverlangt werden, wenn man weiß, wieviel liebevolle Zuwendung sie heimlich Madeleine zu-

kommen lässt, wenn man diese Worte ihrer Freundin Gabrielle Monchablon-Fleury liest: „Sie hatte ein hoch entwickeltes soziales Gewissen“[113], und wenn man zu all dem die Kontakte mit den Herausgebern hinzufügt sowie alle ihre Bemühungen, ihre Musik bekannt zu machen, so kann man wohl von einer außergewöhnlichen Schaffenskraft sprechen.

* * *

Nach dem Urteil vieler ist die Kammermusik der zweiten Periode das Wertvollste im Werk von Mel Bonis.

Das *Largo* E-Dur für Violine und Klavier nach einer Händel zugeschriebenen Melodie ist eine kontrapunktische Arbeit in der klassischen Tradition. Es erscheint 1904 bei Demets.

Während sie zur gleichen Zeit am Quartett und an der Flötensonate arbeitet, wird Mel Bonis durch den Erfolg ihrer *Suite en trio* für Flöte, Violine und Klavier ermutigt, die 1903 bei Demets erschienen ist. Zahlreiche Briefe zeugen vom Erfolg dieses Werks. Es gefällt durch seine Fröhlichkeit, seine Eleganz, seinen Charme und auch durch seine nicht ganz übliche Besetzung, die den Wünschen zahlreicher Kammermusiker entgegen kommt.

Mel Bonis gibt die Partitur großzügig an alle weiter, die sie haben wollen. Ihr Bewunderer, der Marquis de Gantès, ist so angetan, dass er ihr zum Dank eine Jagdtasche voller Waldschnepfen in die Rue Monceau schickt! Der Konzertpianist Joseph Daene spielt die ‚Suite‘ in Bordeaux mit dem Flötisten Philippe Gaubert; Louis Fleury spielt sie häufig und der berühmte Flötist Louis Plasse nimmt sie in seine Programme auf; Jan Merri führt sie mit dem Geiger Duttenhoffer und Gabrielle Monchablon auf, um nur einige zu nennen.

1904 erscheint die *Sonate pour flûte et piano*. Sie ist Louis Fleury gewidmet, der sie häufig spielt. Joseph Daene spielt sie ebenfalls und erarbeitet sie mit den Schülern seiner Musikschule in Bordeaux. Heute wie damals bezaubert diese Sonate die Flötisten nicht nur wegen ihrer musikalischen Qualitäten und des ganzen Reichtums der in ihr enthaltenen Emotionen, sondern auch, weil sie ihr Instrument so hervorragend zur Geltung zu bringen weiß.

„Die Flötensonate ist ein großangelegtes 4-sätziges Werk, ganz aus dem Charakter der Flöte – dem Instrument der Leichtigkeit und des Lichts – heraus empfunden, das selbst im flötenfreundlichen Frankreich ohne Beispiel ist. Es ist das französische Pendant zur ‚Undine’ - Sonate Carl Reineckes, dem Musterbeispiel der deutschen Flötenromantik. Den Spielern wird hohe Spielkultur und souveräner Umgang mit den Besonderheiten der spätromantisch-impressionistischen Klangwelt abverlangt. Höhepunkt ist der langsame Satz, ein tiefemp-

fundenes, wehmütiges Thema, und als Kontrast ein scherzoartiger Mittelteil, in dem sich das Hauptthema des langsamen Satzes durch jazzartig swingende Rhythmen in eine lebendige, tänzerische Variante verwandelt, die nach der Rückkehr zum ursprünglichen langsamen Tempo noch einige Male – einem Kobold gleich – durch die Klavierpartitur geistert. Unverständlich, dass dieses Stück nicht schon längst zum Standardrepertoire der Flötenkammermusik gehört, zumal die meisten Flötisten doch einen Mangel an guter romantischer Flötenkammermusik beklagen", schreibt Eberhard Mayer nach seiner Entdekkung der Sonate in der Pariser Nationalbilbliothek.[114]
Uraufgeführt wird die Sonate am 4. März 1905 bei den Konzerten der Société Nationale de Musique in der Salle Pleyel in Paris mit Louis Fleury an der Flöte und Mel Bonis am Klavier. Am selben Abend stehen auch Werke von Chausson, Balakirev, Wailly und Lazzari auf dem Programm.

Die *Sonate pour violoncelle et piano*, die 1905 kurz vor dem ersten Klavierquartett erscheint, ist Maurice Demaison gewidmet.
„Die Cellosonate ist ein konzentriertes, knapp gefasstes Werk. Sie beginnt in einer langsamen Einleitung mit kräftigen melodischen Cello-Linien, arpeggierend begleitet vom Klavier. Der folgende Allegrettoteil ist eine originelle Auseinandersetzung mit der Harmonik Debussys. In traditioneller Form spielt die Komponistin souverän und gekonnt mit harmonischen Verfremdungseffekten. Chromatische Linien, Ganztonleitern und die daraus entstehenden Intervalle, übermäßige Quinten, Tritonusschritte und verminderte Quarten sind die Bausteine, die sich mit der meist arpeggierenden Klavierstimme zu einer eigenartigen Atmosphäre verdichten. Im letzten Satz ist trotz aller Verschachtelung César Francks Einfluss spürbar. Der Satz endet in einem furiosen Schlussteil, der das lyrische Seitenthema der Einleitung des 1. Satzes im Maestoso in Erinnerung bringt."[115]
Sie wird am 14. Februar 1906 in einem Konzert der ‚Société des compositeurs de musique' im sogenannten ‚Quartettsaal' der Salle Pleyel aufgeführt, der alten Salle Pleyel in der Rue Rochechouart in der Nähe der Klaviermanufaktur. An diesem Abend hört man auch Werke von Raoul Laparra, Hélène Fleury, Joseph Ermend-Bonnal und Théodore Pfeiffer. Mel Bonis selbst begleitet den Cellisten Louis Feuillard.

Das *Quatuor en si bémol* (Quartett in B-Dur) könnte für sich allein ein ganzes Kapitel dieses Buches beanspruchen.
Im Jahre 1900 schreibt Mélanie, noch unter dem Schock der Geburt Madeleines, an eine Pianistin, mit der sie eng befreundet ist: „Ich nutze die Stille meines

ländlichen Rückzugsortes, um eine große Arbeit in Angriff zu nehmen, ein Quartett für Klavier und Streicher"[116]. Das Quartett erscheint 1905 nach einer Entstehungszeit von fünf Jahren. Im Laufe dieser fünf Jahre erscheinen außerdem vier Klavierstücke, drei weniger bedeutende Kammermusikwerke, vier Lieder, ein Orchesterstück, zwei Vertonungen von Gedichten und drei weitere große Kammermusikwerke: ein Trio und zwei Sonaten!

In ihrem Musikzimmer widmet sich Mel Bonis einer schöpferischen Arbeit von wahrhaft titanischem Ausmaß.

„Sie arbeitete unermüdlich an ihrer Kammermusik. Fast alle ihre Trios oder Quartette wurden, nachdem sie ins Reine geschrieben waren, noch einmal überarbeitet; dann, nach Korrektur und Druck, aufs Neue berichtigt. Nur ganz wenige Werke tragen den eigenhändigen Vermerk: ‚endgültige Korrektur'."[117] Das B-Dur-Quartett ist das Ergebnis einer machtvollen schöpferischen Inspiration und einer ungeheuer sorgfältigen Arbeit. Man muss sich das vorstellen: Auf großen gefalteten Blättern zieht sie selbst mit einer Gänsefeder und einem Lineal ihre Notenlinien. Sie schreibt mit Bleistift, radiert, schreibt alles mit Tinte ab, kratzt etwas weg, schneidet aus, klebt, heftet das Papier zusammen. Sie flieht vor der Welt und ihrem Lärm, um Tag und Nacht zu arbeiten. Sie denkt nach. Sie entwirft die Themen und fügt sie aneinander, sie entwickelt sie weiter, transponiert sie, sucht die beste Lösung; sie gibt der Originalität und der Fülle ihrer Ideen eine Form – Ideen, die sanft wiegen, Ideen, die rasch dahinfließen, Ideen, die auf Reisen gehen, die versinken. So entsteht ein meisterhaftes Werk.

Das *Quatuor en si bémol* hat eine Dauer von etwa 25 Minuten und verlangt auch versierten Musikern gründliche Arbeit ab. Es entspricht den klassischen Kompositionsregeln des Quartetts und umfasst also vier Sätze: Moderato, Intermezzo, Andante und Final, Allegro ma non troppo.

„Bei diesem Werk weiß man nicht, was man mehr bewundern soll", schreibt der Musikexperte Eberhard Mayer, „die Schönheit der Melodien, die Originalität der harmonischen Einfälle oder die Gediegenheit und Qualität der Verarbeitung des musikalischen Materials. Gleich im 1. Satz wird uns ein kunstvolles, polyphones Gebilde vorgestellt. In quasi-rhapsodischem Geschehen gerät man auf komplizierten modulatorischen Pfaden bis in die entlegensten Tonarten und entdeckt erst auf den zweiten Blick den klassischen Zuschnitt mit allen seinen Merkmalen": Themendualismus – das erste, ausdrucksvoll und sinnlich, benutzt verschlungene Wege und Synkopen, um sich darzustellen. Der Charakter des zweiten ist geradlinig und feierlich: Exposition, Durchführung, Überleitung, Modulation, Reprise.

Der zweite Satz beginnt in einfacher, ländlerartiger Melodik im Dreierrhythmus. Zwei kurze Phrasen, die eine ab-, die andere aufsteigend, entwickeln sich zu einem romantisch-impressionistischen Gebilde von unglaublicher Zartheit. Streicher und Klavier teilen sich die Modulationen der beiden Phrasen und rufen hin und wieder die Themen des ersten Satzes in Erinnerung. Das letzte Drittel des Satzes gibt den Blick frei auf eine seltsame Welt, die bei aller Süße doch ihre rhythmische Struktur nicht aufgibt. Eine kurze Reprise der beiden Hauptthemen kündigt den Schluss an. „Dieser leichte und fließende Satz bietet Passagen von großer Erlesenheit", schreibt der Pianist Laurent Martin im Beiheft der CD, die er 2001 aufnimmt.

Am 7. Juni 1998 erkundete ich auf einem Rundgang das Schloss Morsbroich in Leverkusen und hörte vom Park aus unseren Freunden vom Ensemble Mel Bonis zu, die das Quartett probten. Der dritte Satz, der langsame Satz, raubte mir schier den Atem und ich hörte in Gedanken Mel Bonis' Worte: „Es war wie eine todbringende Sehnsucht nach dem Glück." Mit zwei Themen erreicht die Entwicklung der dramatischen Intensität in drei gewaltigen Bögen den Höhepunkt. Der Satz endet in unendlicher Reinheit.

Das Finale ist ein kraftvoll mitreißendes Allegro, das César Francks Einfluss erkennen lässt. Dieses Glanzstück voller Schwung und Eleganz krönt Mel Bonis' Meisterwerk mit zupackender Vitalität.

Seit 1900 gibt Mel Bonis fast alle ihre Kompositionen bei dem jungen Verleger Eugène Demets heraus. Die Werke bleiben Eigentum der Autorin, und es ist anzunehmen, dass sie die Kosten der Herausgabe trägt.

Das *Quatuor en si bémol* erscheint nach zahllosen Korrekturgängen endgültig 1905. Es ist Jean, dem Sohn von Charles Gounod, gewidmet, einem Maler und Amateurmusiker, der hin und wieder komponiert und mit dem Mel Bonis gut befreundet ist.

Eine erste Aufführung erlebt das Quartett im Privathaus der Madame Domange in der Rue de Monceau in Paris. Mel Bonis sitzt am Klavier, die Geige spielt Louis Duttenhofer, die Bratsche Pierre Monteux und das Cello Louis Feuillard. Das Kleid, das Mel Bonis auf einem etwa zur selben Zeit entstandenen Foto trägt, könnte dasjenige sein, dass sie auch an diesem Abend anhatte: sehr elegant mit langen Streifen und einer Schleppe, Puffärmeln und einem Spitzeneinsatz. Zahlreiche berühmte Persönlichkeiten aus der Musikwelt sind unter den Gästen, darunter Jean Gounod, der Sohn des viel zu früh verstorbenen Charles, und vor allem Camille Saint-Saëns, aber sicher auch viele andere wie der treue Bourgault-Ducaudray, ihre Musikerfreunde, die Schwestern Chaigneau, Louis und Gabrielle Fleury. Mel Bonis' Nachkommen berichten über diesen Abend: „Nach dem Konzert gehen der große Musiker und Jean Gounod gemeinsam die Treppe herunter, und Saint-Saëns dankt ihm, dass er ihn mit Madame Mel Bonis bekannt gemacht hat. Im Ton höchster Überraschung fügt er hinzu: ‚Ich hätte niemals geglaubt, dass eine Frau fähig ist, so etwas zu schreiben. Sie kennt alle Kunstgriffe unseres Handwerks'."[118]

Soweit wir wissen, findet die offizielle Uraufführung des Quartetts am 22. Mai 1906 anlässlich eines Konzerts mit Werken von Mel Bonis und Maurice Ravel in der Salle Berlioz in Paris statt. Im ‚Courrier musical' vom 1. Juni 1906 lesen wir:

Mélanie Bonis spielt Quintett

„Madame Mel Bonis und Monsieur Maurice Ravel gaben am 22. März in der Salle Berlioz ein Konzert mit ihren Werken, das einen außerordentlich großen Erfolg hatte. Das Quartett von Madame Mel Bonis mit seiner ebenso geschmeidigen wie festen Bauform, ihre drei Klavierstücke und ihre Variationen für zwei Klaviere haben uns wieder einmal Gelegenheit gegeben, ihre so zart expressive und betörende Kunst zu bewundern, der wir erst kürzlich voller Freude in der Société Nationale unseren Beifall spenden konnten (Sarabande für Orchester). M. Sautelet sang mit feiner Anmut zwei von Monsieur Ravel vertonte Gedichte von Monsieur Marot, und Monsieur Ricardo Vinès, der für diese Musik auserwählte Interpret, spielte die ‚Noctuelles' wunderbar, die – ich glaube mich da auszukennen – mehr als einen Musiker vor Neid erblassen lassen werden. Für diese Stunde erlesener Musik müssen wir auch Gabrielle Monchablon danken, die die Klavierwerke von Madame Mel Bonis interpretierte, sowie den Herren Duttenhofer, Monteux und Feuillard, Partner der Komponistin in ihrem Quartett."

Ein Jahr später, am 29. April 1907, spielt die Schweizer Pianistin Marcelle Chéridjian, Professorin am Konservatorium in Genf, das Quartett. Am 22. April 1907 schreibt sie Mel Bonis: „Ihr Quartett interessiert uns nicht nur, sondern es gefällt uns sehr, und wir tun unser Möglichstes, um es am 29. angemessen zu spielen."
Danach findet man die Spuren noch mindestens zweier Konzerte, bei denen das Quartett auf dem Programm steht, eines 1912 bei den ‚Concerts du Conservatoire', das andere im Rahmen des ‚Collège de Mongrée' in Villefranche. Nach der Entdeckung dieses Quartetts beginnt Désiré Walter, den wir bereits im Zusammenhang mit dem Orgelwerk erwähnt haben, Kantor des ‚Collège Notre Dame de Mongrée' in Villefranche sur Saône, Komponist, Klavier- und Kammermusiklehrer, einen intensiven Briefwechsel mit Mel Bonis, die in seinen Augen ‚premier compositeur national' für die ganze Region Rhône-Alpes geworden ist. Er bittet um die Partituren aller ihrer Werke, gibt weitere in Auftrag, lässt sie aufführen und spielt sie selber. Mel Bonis schreibt Transkriptionen für ihn… ein schönes Beispiel für eine bereichernde und von Sympathie getragene Brieffreundschaft. In einem seiner ersten Briefe schreibt Désiré Walter über das Quartett: „Ich bin glücklich, Ihnen sagen zu können, wie sehr meine Hörer Ihre so schöne und so originelle Komposition genossen und mit Beifall bedacht haben. Eine Künstlerin, die so schöne Kompositionen schreibt, kann nur sehr gut und sehr liebenswürdig ihren Kollegen gegenüber sein; daher zähle ich auf ihr gutes Herz und hoffe, dass Sie mir alle ihre Kompositionen mit dem Namen der Herausgeber angeben."[119] Wir haben in der Tat alle Partituren von Mel Bonis in

der Sammlung Désiré Walter gefunden, die heute in der Ecole Nationale de Musique d'Epinal aufbewahrt wird.

1919 überlässt Mel Bonis, wahrscheinlich mit Blick auf den nahen Verkauf des Verlags Demets, ihrem Verleger Eugène Demets im Rahmen eines Abtretungsvertrags die Rechte an ihrem Quartett sowie an der Gesamtheit ihrer bei ihm erschienenen Werke. In der Tat wird der Verlag 1921, also zwei Jahre später, vom Editionshaus Max Eschig übernommen. Das Quartett hat wieder einmal den Eigentümer gewechselt.

1924 – ihr zweites Quartett, das *Quatuor en ré majeur* in derselben Besetzung ist bereits erschienen –, beschäftigt sich Mel Bonis wieder mit dem *Quatuor en si b*, an dem sie auch nach seinem Erscheinen 1915 noch weiter gearbeitet hat, und versucht, Eschig dazu zu bringen, eine korrigierte Version herauszugeben. Da es nicht zu einer Einigung mit Eschig kommt, beschließt sie wohl, es selbst zu korrigieren. 1925 lässt sie sich von Eschig zehn Exemplare geben und kurz darauf auch den restlichen Bestand, „um es verschiedenen Quartetten anzubieten", wie sie dem Herausgeber schreibt. Daher stammen vermutlich die Korrekturen, die man noch heute in den von den Nachkommen aufbewahrten Partituren findet. Neben einzelnen kleineren Korrekturen fallen wichtige Striche in den Sätzen zwei, drei und vier ins Auge und wesentliche Unterschiede im ersten Satz, vor allem beim Einsatz des zweiten Themas. 1928 liegen nur noch drei Exemplare des Quartetts beim Herausgeber, die er bald an Abonnenten weitergibt.

Zwischen 1912 und 1934 gibt es keine Spur einer Aufführung des Quartetts. 1934 spielt die Schweizer Pianistin Juliette de Crousaz das Werk, das am 29. April von Radio Lausanne übertragen wird. Sie schreibt an Mel Bonis: „Gegenwärtig nimmt Ihr schönes Quartett in B-Dur Gestalt an. Wir arbeiten mit ungeheurer Freude daran, und ich hoffe, dass wir Ihnen mit unserer Aufführung Ehre machen. Es ist nicht nur von einer schönen Ursprünglichkeit, sondern ich habe den Eindruck, dass die ersten drei Sätze mit Ihrem Herzblut geschrieben sind, unterstützt von einem großen Können in Form und Harmonie."[120]

Das schönste uns erhaltene Kompliment für dieses Werk findet sich in einem Brief von Louis Duttenhoffer, den er in späteren Jahren an sie schrieb: „Ich erinnere mich an unsere gemeinsame Aufregung, als wir Ihr Quartett dem großen Saint-Saëns so gut wie möglich vorspielen wollten. In seinen letzten Lebenstagen begegnete ich ihm in Algier. Wir sprachen von diesem Konzert, an das er sich mit Wohlgefallen erinnerte und … oh, was für ein bewundernswertes Gedächtnis! Er hat mir alle Themen Ihres Quartetts vorgespielt!"[121]

Als Mel Bonis stirbt, gibt es nur noch drei Exemplare des B-Dur-Quartetts im Familienarchiv und zwar in der korrigierten Fassung. Der Vorrat des Herausgebers ist aufgebraucht. Das Exemplar, das die Pariser Nationalbilbliothek aufbewahrt, ist die ursprüngliche Fassung. Für die Neuausgabe des B-Dur-Quartetts, 100 Jahre nach der ersten, haben wir mit dem Verlag Furore beschlossen, gemäß Mel Bonis' Wunsch die korrigierte Fassung zugrunde zu legen.
Abschließend kann man sagen, dass Mel Bonis' *Quatuor en si b* ein Werk ist, das die uneingeschränkte Anerkennung ihrer Zeitgenossen fand. Seine Karriere endet nicht mit dem Tod seiner Schöpferin: Es ist immer gespielt worden. In den 1980er Jahren führte es der Pianist Cyprien Katsaris überall in der Welt auf, und der Erfolg war stets gleich groß. Heute, nach seiner Neuauflage, wird es häufig gespielt und hat mehrere Einspielungen erfahren.

Die *Suite pour harpe chromatique et deux instruments à vent* (Suite für chromatische Harfe und zwei Blasinstrumente), die Mel Bonis eine ‚ehrenhafte Erwähnung' beim Wettbewerb der Société des compositeurs einbrachte, stammt ebenfalls aus dem Jahr 1905. Die Noten sind verloren gegangen, niemand erinnert sich mehr daran. Wir besitzen allerdings ein sehr lobendes Schreiben des Generalsekretärs der Société des compositeurs, der Mel Bonis über zwei Konzertprojekte informiert, bei denen eine Aufführung des Stückes vorgesehen ist.
Am 9. Februar 1907 hört man in der Salle Pleyel, zusammen mit Werken von Paul Dukas und Vincent d'Indy, eine *Suite pour cor, flûte et piano* (Suite für Horn, Flöte und Klavier) von Mel Bonis. Das Klavier ersetzt die Harfe, doch ist anzunehmen, dass es sich um dasselbe Werk handelt. Ausführende sind Louis Fleury, Flöte, Jacques Capdevielle, Horn, und Joseph Morpain, Klavier. Nach dem Konzert schreibt der Kritiker Sérieyx im ‚Courrier Musical': „Wer hat noch keine kleine Ganztonleiter? Das hätten die Straßenhändler am Ausgang rufen können. Diese exotische Formel diente der hübschen kleinen Suite von Madame Mel Bonis als Einleitung, ganz ordentlich gespielt von den Herren…" 20 Jahre später setzt Mel Bonis ihren Namen unter ein Stück für Flöte, Horn und Klavier, dem sie den Titel *Scènes de la forêt* (Waldszenen) gibt. Sicher handelt es sich um dasselbe Werk, das sie umgearbeitet und erweitert hat.
1907 erscheint bei Demets ein Trio-Ensemble mit dem Titel *Soir, Matin* (Abend, Morgen) für Violine, Violoncello und Klavier. Diese beiden knapp gefassten, feinsinnig und auf hohem Niveau komponierten Stücke sind dem Trio Chaigneau gewidmet. In jugendlichem Enthusiasmus gestalten die drei begabten Schwestern dynamisch und kontaktfreudig ihre Karriere und bringen ein Repertoire abseits der ausgetretenen Pfade in die Konzertsäle. Ganz besonders mögen sie *Matin*, das den magischen Zauber des Tagesanbruchs beschreibt.

Während in *Soir* große gesangliche Melodiebögen dominieren und eine Abendstimmung mit beschaulicher und beruhigender Atmosphäre gezeichnet wird, verschmelzen in *Matin* die drei Instrumente zu einem irisierenden Gesamtklang, der den Vogelgesang und das Rauschen im Blätterwerk, das Spiel des Lichts in den Tauperlen und die beginnende Morgenröte heraufbeschwört. Der musikalische Bauplan, der sich überwiegend in den höheren Lagen bewegt und alle Schattierungsmöglichkeiten des Klaviers nutzt, spielt mit schillernden Harmonien und ungewöhnlichen Chromatismen, die einen Hauch von Orient hineinbringen, setzt auf Ganztonleitern und unendlich viele Modulationen, die nicht selten in Grenzbereiche der Tonalität reichen. Das Stück gewinnt zunehmend an Lebendigkeit, und das Staccato des Klaviers spiegelt im Zusammenklang mit den Pizzicati der Streicher das Erwachen der Natur wider. „*Matin* ist der wichtigste Beitrag der Komponistin Mel Bonis zum französischen Impressionismus", sagt Eberhard Mayer 2003 im Vorwort seiner Neuausgabe der beiden Trios im Verlag Furore.

Das folgende Werk, die *Fantaisie en septuor* (Septettfantasie), erscheint, je nach Quelle, unter verschiedenen Titeln: *Concerto, Fantaisie*, *Septuor* oder sogar *Fantaisie pour piano et orchestre.* Es handelt sich aber doch eher um ein Kammermusikwerk mit Konzertcharakter, ein Septett für Klavier, zwei Flöten, zwei Violinen, Viola und Violoncello. Erst 2006 wird es unter dem Titel *Septett* vom Verlag Kossack in Deutschland herausgegeben.

Die Uraufführung findet 1910 im Rahmen der Concerts Colonne in einer Orchesterfassung statt, die nicht mehr aufzufinden ist. Im Programm wird das Werk mit den folgenden Worten vorgestellt:

„Dieses frisch komponierte ‚concertstuck' (so im Text) ist in Form einer Fantasie gefasst, deren drei Sätze einander folgen, ineinander übergehen, sich überlagern mit einer Freiheit in der Wahl der Tempi, die den Untertitel des Stückes erklärt. Überdies erscheinen die ersten Noten der Anfangsphrase mehrere Male, weniger im Übrigen, um eine zyklische Form herzustellen als um das Prinzip einer generellen Einheit zu wahren. Die Instrumentierung, äußerst gepflegt in ihrer offensichtlich gewollten Schlichtheit, hütet sich vor unnötiger Heftigkeit und unangebrachten Ausbrüchen, wie es sich für ein Werk gehört, in dem die Rolle des Solisten ausgespart wird. Ziel ist es, das Gleichgewicht des Ganzen zu wahren; das offensichtliche Bemühen der Autorin geht also dahin, hier eine Art polyphonischer Verschmelzung zu erreichen, in der das Klavier, außer in den Passagen, in denen es frei liegt, wirklich eins wird mit dem Orchester und letzteres nicht in die kümmerliche, wenn auch nützliche Rolle des Begleiters zwingt. Beide durchdringen sich eng und geben so dem Instrumentarium seinen Wert und seinen Glanz."

Der junge Pianist Camille Decreus, erster Interpret der *Fantaisie* (Mitglied der Freundesgruppe von Etretat), bittet Mel Bonis 1906 in einem Brief, in Anbetracht der Schwierigkeit seines Parts genügend Zeit vorzusehen. Und er fügt hinzu: „In dieser Fantasie ist von allem etwas, Zauber, Einfachheit, köstliche Harmonien und alles passt wunderbar zusammen. Es ist Musik, schöne Musik".

Wie wir gesehen haben, wird die *Fantaisie* am 30. Januar 1910 als ‚Erstaufführung' von der ‚Association des Concerts Colonne' im Châtelet-Theater aufgeführt (siehe Abb. S. 144) – ein ganz und gar bemerkenswertes Ereignis in einem Paris, das durch die Jahrhundertflut völlig aus der Bahn geworfen ist. Zwischen dem 18. Januar und dem 18. Februar bewegt sich ein großer Teil der Einwohner in Stiefeln über Notstege und sogar in Booten fort. Der Augenblick ist also nicht gerade ideal für ein kulturelles Ereignis.
Doch nichts hält die Musiker auf. Am Dirigentenpult steht Gabriel Pierné, Madame Henri Deblawe übernimmt den Klavierpart. Über die Voraussetzungen zu diesem anspruchsvollen Engagement ist lediglich bekannt, dass Mel Bonis dieses Werk Gabriel Pierné übergeben hat, den sie seit der Konservatoriumszeit kennt und der bei mehreren Gelegenheiten seine Bewunderung für ihre Arbeit zum Ausdruck gebracht hat. Es ist vorstellbar, dass Mel Bonis' Erfolg bei den Wettbewerben der Société des compositeurs eine Rolle gespielt hat… In ihrem kleinen biographischen Abriss haben ihre Nachkommen die Kritiken gesammelt, die auf das Konzert folgten. „Die Kritik war voll des Lobes", schreiben sie, „obwohl der Saal des Châtelet eigentlich zu groß war, um dieses Werk zur Geltung zu bringen, das eher Kammermusikcharakter hat".[122] Weiter zitieren sie die lobenden Worte der ‚Aurore', des ‚Ménestrel', des ‚Paris Journal', des ‚Petit Journal' und des ‚Figaro'. Jacques-Gabriel Prod'homme spricht für den ‚Figaro' von „der Anmut und der Geschmeidigkeit ihrer Inspiration", ihrer „diskreten Kunst, dem ausdrucksvollen und feinsinnigen Charakter eines Åndante" und „dem verborgenen Pochen eines Scherzandos". J. Jemain, dem Kritiker des ‚Ménestrel', hat vor allem „im Andante eine hübsche Phrase der Streicher" gefallen und „das Finale in Form eines Scherzos mit seinem brillanten und unbeschwerten Charakter".
Aber nicht alles war so positiv. Davon zeugt die Reaktion des Komponisten und Dirigenten Charles Koechlin, Berater von Mel Bonis: „Ja", schreibt er mit Blick auf das Konzert, „was für eine ‚Hinrichtung' (ein Massaker) durch das Orchester war das für Sie bei den Colonne-Konzerten"[123]. Trotz aller wertschätzenden Urteile, was die Qualität des Werkes angeht, denken wir doch, dass Mel Bonis an diesem Abend sehr enttäuscht war. Die Ausführung war nicht ideal; die Akustik eines zu großen Saales und die Zusammensetzung des übrigen Progamms

waren dem Werk nicht zuträglich. Die *Fantaisie* stand zwischen zwei der drei ‚Nocturnes' für Orchester (‚Nuages' und ‚Fêtes') von Debussy, dem Komponisten, der in aller Munde war, und der äußerst brillanten ‚Cataloña' von Albeniz, der sich aller Effekte des sinfonischen Orchesters bedient und der zu dieser Zeit angesagten Mode der spanischen Folklore huldigt.
Wohl infolge dieser Erfahrung wurde die *Fantaisie* nicht mehr aufgeführt und nicht einmal herausgegeben.
Die Beziehungen zwischen Mel Bonis und Demets haben sich – vielleicht aus diesem Anlass – verschlechtert. Zur gleichen Zeit gibt Mel Bonis einige andere Werke bei der Konkurrenz heraus: *Phoebée* bei Leduc, *Omphale* bei Breitkopf, Hettichs *L'Oiseau bleu* und die Transkription von Faurés ‚Clair de lune' bei Hamelle, die Kinderstücke bei Poulalion. Etliche Kompositionen, wie die sehr schönen Lieder auf Texte von Maurice Bouchor, finden überhaupt keinen Herausgeber.

Das Orchesterwerk

Die Menge an Manuskripten von Werken für Orchester ist beträchtlich. Darunter sind etwa die *Suite en forme de valses* und die *Danse sacrée*, die 1898 von Leduc veröffentlicht wurden. Es findet sich keine Spur einer öffentlichen Aufführung dieser Werke. Später gibt Mel Bonis die drei Tänze *Bourrée, Pavane* und *Sarabande* für Orchester heraus. Nur die *Sarabande* scheint einmal aufgeführt worden zu sein. Wir wissen von einem ‚Marathonkonzert' der Société Nationale de Musique am 26. April 1906 in der Salle Erard, wo außer Orchesterwerken von Aubert, Crèvecœur, Ravel, Schmitt, Inghelbrecht, Kunc usw. auch die *Sarabande*, von Mel Bonis selbst dirigiert, auf dem Programm stand. Die Umstände dieses Konzerts scheinen recht eigentümlich gewesen zu sein. Die Kritik des ‚Courrier Musical' vom 26. Mai lässt uns die besondere Atmosphäre dieses Konzerts miterleben:
„Konzert vom 26. April 1906, Société Nationale de Musique, 11 Programmpunkte, die einen in drei oder vier Teile unterteilt, andere umso länger, da sie keine Unterbrechung boten, das Ganze in mindestens zweieinhalb Stunden Musik, auf die die Zuhörer nicht besser vorbereitet sind als die Ausführenden selbst… Vereint dieses reichhaltige Konzertprogramm vom 26. April nicht alle Bedingungen, die die Bildung einer wie immer gearteten Meinung über die Qualität der so dargestellten Orchesterwerke unmöglich macht?
Mit dem besten Willen hinter dem, was ist, das suchen, was dort sein soll, ist eine undankbare und enttäuschende Aufgabe, die die Wahrscheinlichkeit eines

Irrtums kaum verhindern kann. Dennoch kann man es nur so versuchen, da sich aus dieser ermüdenden Anhäufung ‚musikalischer Dinge', die sich verzweifelt dagegen auflehnen, zusammengepackt zu werden, nur die Fluktuationen eines farblosen Abspielens ergeben, voller Bemühungen und guter Absichten, sowohl von Seiten der für diesen einen Abend zufällig zusammengewürfelten Instrumentalisten als auch ihrer einstweiligen Dirigenten. Komponisten, die ihrer Aufgabe mehr oder weniger gewachsen sind, Orchesterleiter, die eingesprungen sind und deren ungleiche Fähigkeiten ohne Aussicht auf Erfolg mit ihren Untergebenen einen Abend lang gegen das gemeinsame Schicksal einer Zusammenarbeit von kurzer Dauer kämpfen.
… Nebenbei gesagt kann man der korrekten und gepflegten Komposition einer ‚Sarabande' von Herrn Mel Bonis ein Lob aussprechen, der man weder den Archaismus vorwerfen kann, der in ihrem Titel enthalten ist, noch den modernen Stil, den andere in diese alte Form hineinlegen wollen, die Bach und Rameau zur Blüte gebracht haben und die, so glauben wir, eine Verjüngung vertragen kann."

Später wird Mel Bonis drei ihrer *Femmes de légende, Salomé, Ophélie* und *Le Songe de Cléopâtre,* orchestrieren. Notizen auf den Partituren und den kalligraphierten Stimmen lassen uns vermuten, dass die Werke zumindest durchgespielt worden sind, aber wir haben keine weiteren Hinweise auf eine Aufführung.

Bei der Durchsicht von Entwürfen und Liedern mit Orchesterbegleitung wird deutlich, dass Mel Bonis sich mit der Frage der Orchestrierung intensiv auseinandersetzte und viel Inspiration, Kompetenz und Energie in diese Arbeit investierte.

* * *

Mel Bonis hat Beträchtliches geleistet, und sie tat dies mit Leidenschaft und gläubigem Vertrauen. Sie ist sich der Qualität ihrer Arbeit bewusst. Die Berufsmusiker achten sie, das weiß sie. Aber da sie nicht auf eine ‚kommerzielle Infrastruktur' zurückgreifen kann, findet sie nicht die Aufmerksamkeit, die sie verdient.

Es erstaunt also kaum zu erfahren (Briefwechsel mit Désiré Walter im Frühjahr 1910), dass Mel Bonis Augenblicke der Entmutigung erlebt. Er schreibt ihr: „Ihr letzter Brief hat mir Kummer gemacht, denn ich finde keine Erkärung für Ihre Mutlosigkeit. Ich müsste Sie fast schelten. Warum sollten Sie denn aufs Komponieren verzichten? Die Zahl der Bewunderer Ihrer Werke ist viel größer, als Sie glauben …"

Programm der „Concerts Colonne“ vom 30.1.1910

38e ANNÉE — ASSOCIATION ARTISTIQUE DES — 38e ANNÉE

CONCERTS COLONNE

Siège de la Société : 13, rue de Tocqueville (17e) Téléphone : 518-01

Dimanche 30 Janvier 1910, à 2 h. 1/2

Quatorzième Concert de l'Abonnement

Concerto en Ré majeur .. .. HÆNDEL
Pour instruments à cordes.
Maestoso. — Presto. — Largo. — Menuet.

Nocturnes .. .. CL. DEBUSSY
a) Nuages. — *b)* Fêtes.

Fantaisie en Ré bémol (1re Audition). MEL-BONIS
Pour Piano et Orchestre.
Mme HENRI DEBLAUWE.

Cataloña.. .. .. ALBENIZ

NEUVIÈME SYMPHONIE

Avec Chœurs

BEETHOVEN

Traduction de l'ode de Schiller, par M. Amédée BOUTAREL
(Deuxième et dernière Audition)

I. *Allegro maestoso.* — II. *Scherzo.* — III. *Adagio.*
IV. *Finale avec soli et chœurs.*

Soprano : Mlle HEILBRONNER (de l'Opéra-Comique).
Contralto : Mme MARY OLIVIER (de l'Opéra).
Ténor : M. SAYETTA.
Basse : M. G. MARY.

400 Exécutants

CHŒURS ET ORCHESTRE COLONNE
ÉCOLE DE CHANT CHORAL
Fondation de M. Jean d'Estournelles de Constant

LE CONCERT SERA DIRIGÉ PAR

M. Gabriel PIERNÉ

PIANO ~~GAVEAU~~ Heinway 108

PRIX DES PLACES

Bureaux et Location: Loges, Baignoires, Balcon, Fauteuils d'orchestre (1re Catégorie) 12 fr. — Chaises d'orchestre, 10 fr. — Fauteuils d'orchestre (2e catégorie) 8 fr. — 1re Galerie (face), 8 fr.; (côtés), 7 fr — Parterre, 6 fr. — 1er Amphithéâtre (face), 6 fr.; (côtés), 5 fr. — 2e Amphithéâtre, 2 fr. — 3e Amphithéâtre, 1 fr. — (Les 2e et 3e Amphithéâtres ne se donnent pas en location).

Le Bureau de Location est ouvert au théâtre du Châtelet, tous les jours, de 1 heure à 6 heures et le dimanche de 10 heures à midi.

Mélanie braucht Ruhe. Neben ihrer Arbeit beanspruchen sie die familiären Ereignisse. Albert hat zehn Enkelkinder, die jungen Familien kommen häufig nach Sarcelles und nach Etretat, wo sie oft ein volles Haus hat. Ihre seelischen Probleme hindern Mélanie immer noch am Schlaf, ihre Migräneanfälle häufen sich. Zwar unterbricht sie nicht, wie sie es sich vorgenommen hatte, ihre Kompositionstätigkeit, aber zwischen 1910 und dem Ende des Ersten Weltkriegs entstehen keine Kammermusikwerke mehr.
Mehrere Projekte beschäftigen sie dennoch: der Erfolg von *Omphale* (aus den *Femmes de légende* für Klavier) beim Wettbewerb einer deutschen Zeitschrift im Jahre 1910, der Auftrag von Bourgault-Ducoudrays Sohn, ‚Le Poème du Chat' fertig zu stellen, und die Freude, für die Enkelkinder zu komponieren. Mélanie, die für ihre Kinder, als sie klein waren, nie etwas geschrieben hat, nimmt, ganz im Bann ihrer ‚hübschen Enkel', ab 1912 diese neue Facette ihres Werks auf. Diese Arbeit bereitet ihr keinerlei Mühe und beschert ihr auch in der Familie Erfolg. Schließlich bekommen bei den Domanges, wie in allen guten Familien des Großbürgertums, die Kinder Musikunterricht, selbst wenn sie nicht sehr begabt sind.
Außer den *Scènes enfantines* und dem *Album pour les tout-petits* für Klavier schreibt Mel Bonis ein Lied, die *Ronde des Marionnettes* (Poulalion, 1913) und *Deux petites pièces* für junge Geigenspieler (Manuskript 1914, Erstausgabe 2008 beim Verlag Armiane). Auch für Orgel komponiert sie auf Anfrage des Abbé Joubert. Dann lässt der Ausbruch des Kriegs alle anderen Sorgen in den Hintergrund treten.

* * *

Um Mel Bonis' Werke der zweiten Periode einordnen zu können, ist es sinnvoll, einen Blick auf die Entwicklung der Musik in Paris und in Europa zu werfen. Die Zeit zwischen 1900 und 1914 leitet den endgültigen Niedergang der Romantik ein. Es mehren sich die Stimmen, die sagen, dass es unmöglich sei, weiter zu gehen als die Musik des 19. Jahrhunderts, um Emotionen und Handlung zum Ausdruck zu bringen, und dass der Missbrauch der Chromatik den Verfall der romantischen Musik nach sich ziehe. Ein Verlangen nach anderen Ausdrucksmöglichkeiten ist bei den Komponisten zu spüren. Verschiedene Versuche, neue Wege zu beschreiten, haben in Paris und Wien ihren Ursprung.
Gustav Mahler entwickelt eine unerhörte Vielgestaltigkeit des vokalen und instrumentalen Materials, indem er für Orchesterformationen nie da gewesener Größe schreibt.

Ferruccio Busoni unternimmt den Versuch einer Rückkehr zum Barock, um den Chromatismus zu bändigen. Er fasst neue Tonleitern ins Auge und denkt bereits an elektronische Instrumentierung.
Mehrere Komponisten interessieren sich für Volksweisen, wie Manuel de Falla, Strawinsky oder Béla Bartók, der über das ungarische Volksgut hinausgeht und das Liedgut aller Länder verwendet, um die Nationen miteinander zu verbinden.
Nach der Weltausstellung nährt das Orientalische die Inspiration der Komponisten, so 1903 bei Debussy in den ‚Pagoden' und Ravel in ‚Shéhérazade'.
Strawinsky wagt sich mit ‚Petruschka' an die Polytonalität, wenn das Orchester gleichzeitig in zwei verschiedenen Tonarten spielt. Mit dem ‚Sacre du Printemps' bricht er 1913 mit allen gewohnten rhythmischen Schemata.
Manche, wie etwa Max Reger, propagieren eine Erneuerung des Kontrapunktes.
Der Mexikaner Julien Carillo nutzt das Mikrointervall, um ein ganz neues Feld harmonischer Möglichkeiten zu erschließen. Schon vor 1900 arbeitet er mit Vierteltonintervallen.
Der zweifellos größte Umbruch ist, dass etliche beginnen, sich von den bisherigen harmonischen Selbstverständlichkeiten loszusagen. In der Meinung, dass die harmonische Innovation zu einer Schwächung des diatonischen Systems geführt hat, kommen sie sogar zu dem Schluss, das gesamte tonale Gebäude müsse untergraben werden. 1908 läutet Schönberg mit seinen Liedern auf Gedichte von Stefan George den Beginn der Atonalität ein, und seine Schüler Webern und Berg folgen ihm bald.

Während die meisten Komponisten sich noch an die hergebrachten Regeln halten, beginnen die ‚Avantgardisten' aufgrund all dieser Versuche zu Beginn des 20. Jahrhunderts eine leidenschaftliche Diskussion, die die Öffentlichkeit in zwei Lager teilt und die Kritiker mit Stoff zum Schreiben versorgt. Der folgende Artikel, am 15. Oktober 1907 von Jean d'Udine für die Zeitschrift ‚Le Courrier Musical' geschrieben, kommentiert die unterschiedlichen Meinungen von Camille Saint-Saëns und Monsieur Gauthier Villars zum Thema der Klarheit oder Dunkelheit der zeitgenössichen Musik: „Claude Achille (Debussy) ist dunkel für Saint-Saëns, klar für Gauthier Villars. Was ist nun aber Klarheit? Eigentlich will der eine nur sagen: ‚Pelléas langweilt mich, ärgert mich, regt mich auf', der andere: ‚Pelléas bezaubert mich, entzückt mich, berauscht mich'. Ganz wie Sie möchten – sie haben beide Recht. Oder können Sie mir eine objektive Definition dessen liefern, was musikalische Klarheit ist? …
Aber wenn man von Klarheit spricht, so gibt es eine Grenze für die Komplexität der Formen. Andernfalls bitte ich Monieur Gauthier Villars, es zu akzeptieren, dass der Tag kommen wird, an dem die Geräusche, die der Putzlappen der

Zugehfrau hervorbringt, wenn sie die Tasten eines Erardflügels abwischt, als ausgewogene, harmonische und klare Musik gelten. Nein? Ohnehin ist das alles gar nicht wichtig. Nur die Werke mit ihren unendlichen Weiterentwicklungen sind wichtig und das unbewusste, aber tiefe Vergnügen, das sie uns bereiten."
Wie lässt sich die Musik von Mel Bonis in diesen Kontext einordnen?
Im Gegensatz zu Debussy bleibt sie im Wesentlichen den Gesetzen der Harmonie treu, ihr Gestaltungswille lehnt sich an klassische Vorbilder an. Dass Debussys Tendenz zur Strukturauflösung nicht ihrer Vorstellung entspricht, können wir bei ihr selbst nachlesen: „Die Harmonie in der Musik entspricht der Farbe in der Malerei, den Baustoffen in der Architektur. Ein Debussy verwendet die kostbarsten Baustoffe, glänzende und matte Edelsteine, aber seine Bauten haben weder Plan noch Größe. Er ist ein entzückender Illustrator kurzer kleiner Dinge…"[124]
Ihre Inspiration bleibt romantisch. Aber nach 1900 spürt man bei der Lektüre ihrer Werke, dass auch sie auf der Suche nach etwas Neuem ist: Sie probiert verschiedene, auch innovative Wege aus. Beim Studium ihrer Klavier- und Kammermusik entdeckt man oft eine impressionistische Färbung. Im Klavierstück *Salomé* schafft die gleichzeitige Verwendung zweier unterschiedlicher Rhythmen ein originelles rhythmisches Gerüst. In diesem Stück ebenso wie in der *Suite orientale,* und in zahlreichen Partien in den Sonaten und anderen Kammermusikwerken lässt sie sich von der Musik anderer Welten inspirieren. Auf die Verwendung der Pentatonik wurde mehrfach hingewiesen (*Phoebée*, *Matin* usw.). All dies lässt den Schluss zu, dass sich Mel Bonis in ihrer Musik zwischen 1900 und 1914, ohne avantgardistisch zu sein, doch den Zeitströmungen anpasst und im Sinne der Zukunft fortschreitet, begierig, sich neue Bereiche zu erschließen und ihre Erfindungskraft in ihnen zu erproben.

II.6
Das Schweigen des Krieges

Juli 1914. Mélanie hat sich mit der Familie in Sarcelles eingerichtet und beobachtet den kleinen Guy Brochot, der am Eingang des großen Gewächshauses unter den wachsamen Blicken seiner Kinderfrau Anna[125] umhertollt.
Am 1. August verbreitet sich schnell die schreckliche Nachricht. In jeder Gemeinde, in jedem Arrondissement hängen die Einberufungslisten der Kinder Frankreichs aus.

Als sie den Namen Edouard Domange liest, traut Mélanie ihren Augen kaum. Ihr geliebtes Kind soll in den Krieg ziehen! Doch es spricht nichts dagegen: ‚Marquis' ist 21 Jahre alt und erfreut sich guter Gesundheit. Er wird in den Krieg ziehen, wie alle es tun werden, voller Überzeugung und entschlossen, seinen Beitrag zur raschen Lösung des Konfliktes zu leisten.

* * *

Ende 1914 hat man begriffen, dass der Krieg sich hinziehen wird. Von der Front kommen schlechte Nachrichten, der Wille zum Widerstand wird schwächer, das Gemetzel auf den Schlachtfeldern erzeugt ein Gefühl der Ohnmacht, die Unmöglichkeit, eine militärische Entscheidung herbeizuführen, ein Gefühl der Sinnlosigkeit. Die Moral der Truppen sinkt, die politischen Spannungen nehmen zu. Das sind die Informationen, die die Zeitungen jeden Morgen verbreiten.
Der Krieg wirkt sich auf die französische Wirtschaft aus. Die Frauen übernehmen die Arbeit der Männer auf den Feldern. Das ganze Jahr 1915 hindurch leiden und sterben in der Champagne und im Artois Zehntausende junger Männer in der düsteren Szenerie der Schützengräben.
Die Familie Domange ist stark betroffen: Mélanies beide Söhne, Pierre und Edouard, werden gleich zu Beginn einberufen, ebenso ihr Schwiegersohn Robert Brochot und die Stiefsöhne René und Alfred. Eugène meldet sich wie viele Offiziere trotz seiner 47 Jahre und seiner großen Familie als Freiwilliger. 1915 beginnt in einer zweiten Welle die Mobilmachung der nächsten Generation mit Jacques Domange, dem ältesten Sohn von Henri.
Bei jeder Abreise gibt Mélanie dem Einberufenen ein Bild des Heiligen Grabtuchs mit, um ihn unter Christi Schutz zu stellen.

Die Nächte sind lang. Mélanie schläft erst im Morgengrauen ein. Albträume quälen sie, in denen René von einem Pferd zermalmt wird und Edouard durch einen Granatenhagel läuft, der ihm beide Beine wegreißt... Man wartet auf den Briefträger. Die Freude über einen Brief hält nie lange an, weil das Schlimmste immer zwischen seiner Aufgabe und seiner Ankunft passiert sein kann.
Paris verändert sich. Durch die Beschlagnahme der Fahrzeuge und den Mangel an Kraftstoff nehmen die Pferdetransporte ihren Dienst wieder auf. Soldaten aus allen verbündeten Ländern spazieren in ihren Uniformen durch die Straßen, und man gewöhnt sich daran, Schotten in ihrem Kilt und belgischen Polizisten mit ihren goldeichel-geschmückten Mützen zu begegnen. Die neuesten Nachrichten und die Texte der politischen Reden liest man auf Plakaten, die

die Regierung an die Mauern kleben lässt. Man organisiert zahlreiche ‚Sammeltage' zugunsten des ‚Secours Français'[126], der ‚kolonialen Truppen' oder der ‚Poilus'[127].
Mélanie beteiligt sich an diesen Aktionen. Sie opfert soviel Zeit, wie es ihr möglich ist, um denen zu helfen, die leiden, und um so ihre eigene Angst in den Griff zu bekommen. Sie kümmert sich um Gefangene und wirkt in wohltätigen Vereinen mit, sie übernimmt die Kosten, die Versorgung, die Entscheidungen für vier Kinder aus dem Waisenhaus. Jeden Tag geht sie in die Kirche, um die Sorgen Frankreichs und ihre eigenen in Gottes Hände zu legen. Für welche Sünde wird man hier bestraft? Was sie selbst betrifft, so weiß sie es. Aber wie hart ist es für die anderen so zu leiden!
Sie fleht den Herrn an, ihre Kinder zu verschonen. In der Rue de Monceau beschließt sie, die Wohnzimmermöbel zu verhängen und die Tischglocke nicht mehr zu läuten, bis Edouard zurückkehrt.

* * *

All diese Sorgen sind die ‚normalen' Sorgen einer Frau und Mutter in Kriegszeiten, doch Mélanie sieht sich einem neuen und unlösbaren Problem gegenüber, das sie niemandem anvertrauen kann: 1914 stirbt Madame Verger, Madeleines Pflegemutter.
Madeleines zahlreiche Briefe[128] erlauben es uns, einen Blick auf diese schwierige Zeit zu werfen.
Das junge Mädchen ist sehr unglücklich. Mélanie wird direkt mit ihrer Verantwortung konfrontiert: Was soll sie mit Madeleine machen, wie sie trösten?
Eine der Verantwortlichen in ihrem Internat Sainte-Geneviève, Madame Loaferrier, schreibt Madeleine am 1. Dezember: „Wenn Sie wüssten, mein liebes Kind, welchen Anteil ich an Ihrem großen Kummer nehme! Ich verstehe ihn so gut. Sie haben allen Anlass, diese wunderbare Frau zu beweinen, die eine Mutter für Sie war und die alle Zärtlichkeit einer solchen hatte! … Aber weinen Sie nicht, mein Herzchen, wie die, die weder Glauben noch Hoffnung haben … Fahren Sie fort", schreibt Madame Loaferrier weiter, „fahren Sie fort, sich rücksichtsvoll und besorgt um den alten Mann zu kümmern, der die Hingabe und die Liebe geteilt hat, mit der Ihre Pflegemutter Sie umgeben hat. Das ist eine Pflicht, die die Dankbarkeit Ihnen auferlegt, und ich weiß, dass sie Ihnen leicht fällt."
Wenig später erhält Madeleine einen rührenden Brief[129] des ‚alten Mannes': „… Ich denke, es geht dir immer noch gut seit dem schönen Tag, den wir zusammen verbracht haben… Gestern war ich am Grab deiner armen Mama. Es war sehr

kalt, dein Wollschal war mir sehr nützlich. Pass du auch auf mit dem Nebel, den es jedes Jahr zu dieser Zeit gibt. Ich erinnere mich, dass du manchmal Auto fährst… Ich denke immer an meine kleine Madeleine, so einzigartig auf der Welt, die ich so sehr liebe. Ich umarme dich von ganzem Herzen. Dein Papa Ponchione."[130]

In diesem Brief erfahren wir auch etwas über Mélanie: „Der kleine Ofen von Madame Domange nützt mir sehr. Sie ist sehr gut zu mir und zu allen, es gibt nicht viele, die so gut und so mild sind wie sie." Und weiter unten: „… Ich denke, dass du am nächsten Tag bei deinem Paten warst. An dem Tag ist Madame Domange mich besuchen gekommen. Sie hat Sachen mitgenommen."

So ‚gut' sie auch ist, Madame Domange weiß nicht aus noch ein. Was soll aus Madeleine werden?

Mélanie muss das Problem mit Hettich besprechen. Aus Madeleines Briefen erfahren wir, wie die leiblichen Eltern, der ‚Pate', Amédée Hettich, der seit zwei Jahren Madeleine offiziell als seine Tochter anerkannt hat, und die ‚Patin', Mélanie Domange, sich gemeinsam bemühen, immer wieder neue Notlösungen für ihre Tochter zu finden.

Der ‚Pate' Hettich

Herbst 1914: Madeleine verlässt Hettich in Paris, um einige Zeit bei Jeanne Brochot zu verbringen, die für sie die Tochter ihrer Patentante ist. Hettich berichtet Madeleine ausführlich über die Ereignisse, die Schrecken des Krieges, die Vaterlandsliebe, das verlassene Paris und die Einnahme von Antwerpen. „Die Reise entsprach meinen Erwartungen und war so, wie der tumultartige, ungeordnete und kopflose Aufbruch es erahnen ließ! Im Augenblick kann man alles befürchten. Du bist ohne Problem, nur ein wenig verspätet, angekommen, das ist die Hauptsache. … Wenn Madame Brochaud[131], wie ich glaube, die Tochter von Madame Domange ist, richte ihr meine ehrerbietigen Grüße aus." Und im folgenden Brief lesen wir: „Glücklicherweise für Dich, meine kleine Madelon, genießt Du fern von diesen Tapferkeits ? (unleserlich) und Massakern dank Deiner liebenswürdigen Gastgeberin ein ruhiges und überaus angenehmes Leben. Ich bin froh darüber und habe keinerlei Eile, Dich nach Neuilly zurückkehren zu sehen, wo im Augenblick gar kein Leben herrscht. Meine ehrerbietige Dankbarkeit für Madame Brochot (dieses Mal richtig geschrieben!)". Der ‚Pate' macht sich Sorgen um Madeleines sittliche Erziehung und besonders um ihre Neigung zur Naschhaftigkeit: „Ich beglückwünsche Dich, dass Du versucht hast, einen alten Pakt mit der Naschhaftigkeit zu brechen". Er unterschreibt mit „Dein Pate

AL Hettich". An anderer Stelle, wo es ebenfalls um die Naschhaftigkeit geht, steht humorvoll „Dein fürchterlicher Pate".
Zur gleichen Zeit schreibt Mélanie an Madeleine: „(Jeanne)bestätigt mir, dass Dein Pate Dich der Naschhaftigkeit beschuldigt. Es ist nicht der Augenblick, naschhaft zu sein (es ist nie der Augenblick) zu einer Zeit, in der unsere armen Soldaten die grausamsten Leiden erdulden … Die Naschhaftigkeit ist ein sehr großer Fehler; wenn sie übertriebene Ausmaße annimmt, führt sie sogar zu schrecklichen Krankheiten". (Herbst 1914)
Etwas später: „Schreib auch an Deinen Paten, ohne Rechtschreibfehler."
Der ‚Pate' spart seinerseits nicht mit weiteren Verhaltensmaßregeln: „Versuche Dich nützlich zu machen. Im Haus gibt es genügend Gelegenheiten, und Aufmerksamkeiten sind immer willkommen."
Madeleine leidet wahrscheinlich unter der Strenge ihres ‚fürchterlichen Paten', wie ein Brief von Madame Legigan von 1916 vermuten lässt: „Es ist klug, jeden nach seiner Verfassung reden zu lassen, ohne sich zu erregen; mir scheint, dass Ihr lieber Pate in Ihrem Urteil und in Ihrem Herzen lebt wie in einer für jede unbedachte Kritik unerreichbaren Festung; und wie Sie selbst sagen, ist nur das Urteil derer, die wir lieben, von einiger Wichtigkeit für uns".
Von 1915 an sieht man Zeppeline wie riesige goldschimmernde Spindeln langsam ihre Schleifen über den Himmel von Paris ziehen. Hettich schreibt: „Die Truppen haben gekämpft (um Paris zu schützen) … Bleiche, aber lächelnde Verwundete und Gefangene ziehen vorüber. 50 der letzteren wurden eine Nacht in meinem Polizeiposten untergebracht, wo die Polizeibeamten, übrigens ohne Häme, zu ihnen sagten: ‚Ihr wolltet doch Paris sehen, jetzt seid ihr da, freut euch' … Alle Straßen sind vermint, von tiefen Gräben durchschnitten, in denen Pfähle und Stacheldraht übereinander liegen: wenig einladend …"

Der Sommer 1915 bringt eine Ruhepause. Das junge Mädchen verbringt einige Zeit mit ihrem ‚Paten' irgendwo in der Bretagne. Ein Foto zeigt sie in Begleitung Hettichs und seines Bruders Paul vor seinem schönen, modernen Automobil. Im Hintergrund sieht man Bauernhäuser und alte Bretoninnen in Tracht.
Es wird Abend. Wir stellen uns vor, dass sie auf einem Felsen am Meer sitzen. Hettich schreibt ein Gedicht für seine Tochter, die, an seiner Seite sitzend, brav das so häufig wiederkehrende Objekt seiner Inspiration betrachtet:

„Da ist sie, mein Kind, die einzige Dichterin
Die mit wechselnden Rhythmen und einer ewigen Geste
Indem sie unseren sterblichen Traum um die Unendlichkeit vergrößert
In uns den Schrecken aufreißt, der die Freude zum Blühen bringt."[132]

Madeleines Gedanken schweifen ab: Ihre Patin hat beschlossen, sie mit in die Ferien zu nehmen.
Mélanie hat ihr einige hübsche Kleider machen lassen. Sie träumt. Sie stellt sich die Welt ihrer ‚Feenpatin' vor: „Es war das erste Mal, dass ich das Schloss der Familie der Boisjolis (Domanges) betreten durfte.
Ich war betroffen, überrascht, voller Bewunderung. Es lag auf einem Felsvorsprung, von dem aus man weit in die Ferne blicken konnte, auf ein Gewirr von kleinen Anhöhen, sehr harmonisch und erholsam für die Augen, da die Farben dieser Hügel mit solcher Sanftheit ineinander verschmolzen... Alles bezauberte mich: die alten Möbel mit ihrer unaufdringlichen Schönheit, die beeindruckenden Wandbehänge, die Orientteppiche, auf denen ich kaum zu gehen wagte. Auf der ersten Etage befand sich das Lieblingszimmer der Hausherrin ... Meine Patin ließ mich eintreten; und mein Blick fiel sogleich auf einen herrlichen Blumenstrauß, der auf einem Flügel stand, und auf die Familienporträts und eine Reihe sehr schöner Porzellanfiguren."[133]

Die ‚Patin' Mélanie

Mélanie hat Madeleine also zunächst ihrer verheirateten Tochter Jeanne anvertraut, die im Haus in Sarcelles wohnt. Wie alle anderen weiß auch Jeanne nichts von ihrer Verwandtschaft mit Madeleine.
Von Anfang an besteht das Problem des Schulbesuchs: „Ich habe an Mademoiselle Richer geschrieben", schreibt Mélanie, „dass ich nichts Genaues über Deine Rückkehr in die Schule sagen kann: Du bleibst bei Jeanne, bis sie nach Paris zurückkehrt; natürlich unter der Bedingung, dass Du Dich zu ihrer vollen Zufriedenheit verhältst." ... Und ein anderes Mal, an einem 12. Oktober: „Du kannst Mademoiselle Richer sagen, dass es Dir Leid tut, dass Du Deine Studien (?) nicht wieder aufgenommen hast und dass Du so lange von Deinen lieben Lehrerinnen getrennt bist."
Madeleine lässt sich offensichtlich gerne von ihrer ‚Feenpatin' verwöhnen und bedankt sich bei ihr. Und Mélanie antwortet ihr (an einem 10. März): „Es steht mir gar nicht zu, eine ‚Feenpatin' zu sein, dazu bin ich viel zu froh, ein kleines Mädchen mehr zu haben. Das große Mädchen ist so gut, so nett, dass sie nicht eifersüchtig ist, ganz im Gegenteil".
Im Sommer 1915, nach den Ferien in der Bretagne mit Hettich, ist Madeleine zum ersten Mal bei ihrer ‚Feenpatin'. Mélanie hat sie nach Etretat eingeladen. Sie wagt es, ihr uneheliches Kind in die Familie Domange einzuführen. Sie will ihre Trauer mildern, indem sie ihr ihre Zuneigung zeigt, sie vor den Gefahren

schützen, die über Paris heraufziehen und ihr wie sich selbst Mut einflößen. Die Unsicherheiten, die der Krieg mit sich bringt, rechtfertigen ihre Anwesenheit in der Familie: Die Zeitumstände rechtfertigen die ungewöhnlichsten Situationen und niemand wundert sich über das verlassene Patenkind, von dem man niemals vorher ein Wort gehört hat. In Etretat begegnet Madeleine den jungen Domanges, den Enkelkindern aus Alberts ersten Ehen, von denen die ältesten genauso alt sind wie sie. Wie alle anderen nennt sie Mélanie ‚Großmutter'. Zum ersten Mal genießt sie echtes Ferienglück unter jungen Leuten.

Madeleine und ihre „Cousins" 1916 in Etretat

Im September nimmt Mélanie sie mit nach Candes zu ihrem Sohn Pierre. Im September 1915 sind alle Männer wieder fort an der Front oder bei ihren Geschäften, auch Albert, der, wie man sagt, immer noch arbeitet. Mélanie stellt Madeleine der kleinen Gesellschaft in Candes vor, wo Pierres Frau Renée in diesen letzten Sommertagen die Familie empfängt, damit alle noch einmal die gute Luft und die gute Verpflegung genießen können. Madeleine lernt Renée mit ihrem kleinen Michel und May mit ihrem kleinen Gilbert kennen. Das junge Mädchen ist fasziniert von der Welt dieser jungen Frauen. Jeanne, die ebenfalls mit dem kleinen Guy da ist, nimmt sie unter ihre Fittiche und gewinnt dank ihres sympathischen Wesens Madeleines Vertrauen. Sie erzählt ihr alles: ihre Erfolge im Tennis, ihre dichterischen Abenteuer, ihre Abende mit Freunden, bei

Madeleine und ihre „Cousins" am Strand von Etretat

denen nicht wenig getrunken wird. Madeleine ihrerseits berichtet von der strengen Erziehung im Collège Sainte Geneviève in Neuilly, von den schweigsamen Ferien mit ihrem geheimnisvollen Paten. Jeanne findet, dass Madeleines Leben ‚kein Leben ist', berichtet, dass sie selbst das Lernen immer verabscheut habe und sie schnellstens dort heraus müsse. Sie spricht vom Dreierbund der Freundinnen aus der Kinderzeit, Renée, May und sie selbst, die dank der Ehen in der Familie auch 15 Jahre nach dem Unterricht bei Madame Pape-Carpantier hier beisammen sind. Madeleine ist erst 15 Jahre alt, aber Jeanne verspricht ihr jetzt schon eine Heirat innerhalb der Familie, damit man sich nie mehr trennen müsse: „Wir sprechen nächstes Jahr in Etretat noch einmal darüber: Da wirst du nur die Qual der Wahl haben." Trotz der zwölf Jahre, die sie trennen, sind sie unzertrennlich, und Madeleine kümmert sich liebevoll um den kleinen Guy.

Das Haus der Domanges in Etretat (Ansichtskarte)

Madeleine und Guy

Eine weit entfernte, fast unwirkliche Welt zeigen die Fotografien aus den Kriegssommern. Die Aufenthalte der Familie Domange in ihren verschiedenen Häusern in Sarcelles, in Candes und in Etretat folgen einander – es ist eine Welt, in der sich nichts geändert hat: Man spielt Krocket oder Tennis, trinkt Kaffee im Schatten der Kastanienbäume, die Dienstmädchen tragen gestickte Schürzen. Im Fotoalbum entdeckt man Alfred Domanges Familie, die ohne ihn aus Tunesien zurückgekehrt ist. Seiner Labilität hat die Ehe nicht standgehalten. Man lernt seine Frau Suzanne kennen. Die jungen Leute, die noch nicht alt genug sind, um an die Front gehen zu müssen, Marcel, Roger, André und die anderen, scheinen entschlossen zu sein sich zu amüsieren und gehen im Meer baden. Jeanne spielt Schiedsrichterin bei einem Tennisturnier, Madeleine führt den kleinen Guy unter dem Felsen von Etretat spazieren, die jungen Mütter, Jeanne, Renée, Suzanne und May, geben ein Bild lächelnder Eleganz ab. Die großen Stars des Albums aber sind die ganz Kleinen: Michel, der zukünftige Literat,

Gilbert, Renés Sohn, und Guy, der künftige ‚Centralien'[134]. Noch keine drei Jahre alt, sind sie einander offensichtlich schon in Freundschaft verbunden. Mélanie scheint in ihrer Rolle als Großmutter zu ruhen: In ihrem Liegestuhl strickt sie für ihre Waisenkinder, hält einen der Kleinen in ihren Armen, spielt Krocket… Auf ihrem Gesicht liegt stets ein Audruck von Traurigkeit. Albert, ein sympathischer alter Herr, leistet ihr Gesellschaft oder schwatzt mit seinen Söhnen. Er scheint Probleme mit dem Gehen zu haben. An den Krieg erinnert nur das Erscheinen der Urlauber in Uniform: Eugène, beeindruckend durch die Schärfe seines Blicks und die Pracht seines Schnurrbarts; René, Pfeife rauchend und in eine Matrosenjacke gekleidet. Es ist der Sommer 1915 und sie diskutieren unter Männern. Der kleine Guy setzt sich stolz die Schirmmütze seines Onkels Eugène auf den Kopf. Was Jacques angeht, den zuletzt Eingezogenen, so tut er sich lieber mit seinen Cousins zusammen und geht mit ihnen im Meer schwimmen, um die Schrecken zu vergessen, die ihn erwarten. In Kürze wird sein Cousin Roger, Eugènes zweiter Sohn, 18 und dann seinerseits eingezogen werden; in seinem großen Bademantel und mit nassen Haaren lächelt er noch voller Zuversicht in die Kamera.

Bei Schuljahrsbeginn 1915/1916 ist Madeleine wieder Pensionatsschülerin in Neuilly. Das ganze Jahr lang wird sie auf die schönen Sommertage bei den Domanges warten.

Endlich hat man für sie eine organisatorische Lösung gefunden. Die Schulzeit verbringt sie im Internat, die Wochenenden und die kleinen Ferien in einer Gastfamilie. Wahrscheinlich ist es Hettich, der die richtigen Personen gefunden hat: zwei Damen mit dem Namen Gervais. An einem 29. April schreibt Mélanie an ihre Tochter: „Ich habe am 10. März über Deinen Paten Nachrichten über Dich erhalten: Ich bin unendlich glücklich, dass Du diesen so liebenswürdigen Menschen Sympathie und Vertrauen entgegenbringst. Richte Deinen liebenswürdigen Hüterinnen meine besten Grüße aus."

Nach den Briefen sieht es so aus, dass der Aufenthalt bei den Damen Gervais bis zum Ende des Krieges gedauert hat. In jedem ihrer Briefe bringt Mélanie ihre Dankbarkeit ihnen gegenüber zum Ausdruck. Außer einigen Anspielungen auf ein Leben auf dem Land deutet nichts an, wo sie wohnen.

Aber wahrscheinlich ist es viel weniger einfach: In einem Brief vom 16. September, wohl aus dem Jahr 1918, da auf den Sieg angespielt wird, ist die Rede von einer Madame Hertz: „Ich glaube, sie ist sehr böse, weil ich Dich Jeanne anvertraut habe… Schreib ihnen oft; sie lieben Dich sehr und sind sehr gut". Hat man Madeleine noch einer weiteren Familie anvertraut?

Mélanie Domange und Guy Brochot im Sommer 1914 in Sarcelles (links)

Monsieur und Madame Domange 1914 in Sarcelles (rechts)

Mel Bonis im Alter von 66 Jahren in Sarcelles

Neben diesen Organisationsfragen sind die Themen in Mélanies Briefen vor allem der Krieg, die Erziehung und die Religion, praktische Ratschläge und schließlich die Familie. Der Ton ist mütterlich. „Ich bin sehr gerührt, mein Liebes, über die liebevollen Worte in Deinem Brief. Warum solltest Du nicht mein kleines Mädchen sein, da ich ja die Familie ersetze, die Dir fehlt? Auch ich umarme Dich zärtlich". Sie unterschreibt mit Mélanie Domange – oder MD.

- Herbst 1914: „Ich hätte gewünscht, meine kleine Madeleine, dass Du an Deinem 15. Geburtstag weniger düstere Schauspiele geboten bekommst. Das Jahr 1914 hat uns mehr Schmerz, mehr Trauer und Angst gebracht, als wir jemals vorher in der Geschichte gesehen haben! Dieser Kampf nimmt solche Ausmaße an, dass er nur enden kann, wenn die Deutschen alle vernichtet sind… es sei denn, es geschieht ein Wunder, worauf ich hoffe." – „Unsere armen Soldaten erleiden die grausamsten Schmerzen, Hunger, Kälte, Schlaflosigkeit, und schlimmer noch, die Qualen durch die Verwundungen, den Todeskampf auf dem Schlachtfeld. Ich will nicht weiter darauf eingehen, zu schrecklich ist das, was man jeden Tag erfährt!" – „Vorgestern war ich in Notre-Dame, wo man eine Bittwallfahrt zu Jeanne d'Arc organisiert hatte… Als die Orgel mit den ersten Akkorden des Credos einsetzte, haben alle Anwesenden, ungefähr 10.000 Menschen, im Chor das Glaubensbekenntnis angestimmt; alle haben mitgesungen, Gott weiß mit welcher Inbrunst! Und als Pater Janvier – ein Dominikaner – predigte, wurde er mehrere Male von frenetischem Beifall unterbrochen. So etwas habe ich noch nie in einer Kirche erlebt. Ich habe mir gesagt, dass die Einmütigkeit bei einer solchen Kundgebung Früchte tragen muss. Und ich höre, dass in diesem Augenblick Gerüchte über einen großen Sieg kursieren. … Lass uns hoffen und beten, viel beten, so wie Jeanne d'Arc es wollte, als sie sich vornahm, Frankreich zu retten".
- 18. April 1916: „Unglücklicherweise entspricht das Wetter nicht dem, was nötig wäre. Sturm und Unwetter an der ganzen Front, der Donner antwortet auf das allgemeine Geschützfeuer."
- 16. Mai 1916: „Ich denke oft an diese jungen Frauen, die ihrer Männer beraubt sind; was für ein Elend!"
- 16. September 1918: „Ich bin dabei, eine Werkstatt für die Fabrikation von Töpfen einzurichten."
- 12. Oktober (?): „Die umlaufenden Gerüchte über einen Sieg waren verfrüht: Ich hatte gehört, dass man Illuminationen anordnete. Paris hell zu erleuchten wäre meiner Ansicht nach selbst im Falle eines großen Sieges wirklich nicht angebracht in Anbetracht des Preises, den uns der Erfolg kosten wird… Die Leute kehren zurück – nach Paris – Das ist auch zu wünschen, damit die Ge-

schäfte wieder ein bisschen in Gang kommen und nicht mehr so viele Menschen arbeitslos sind… Ich denke an das Präludium zum Ende der Zeiten, das von unserem Herrn angekündigt wird: Stimmt es nicht, dass seit einigen Jahren Katastrophen maßlose Dimensionen annehmen?“

Als Erzieherin vermittelt Mélanie ihre Prinzipien:

- Eitelkeit und Verschwendungssucht: „Wenn Du Dein kariertes Kleid anziehst, denk an die Schürze.“ – „Die kleine weiße Bluse halte ich nicht für richtig! … Aus vielerlei Gründen, von denen einer so wichtig ist wie der andere: Sie ist im Augenblick unnötig. Man muss die Neigung zur Verschwendung in einer Zeit unterdrücken, in der das Leben so schrecklich hart ist für so viele Menschen, die nicht wissen, wie sie das tägliche Brot beschaffen sollen! Ah! Wie gerne würde ich meine kleine Madeleine vernünftig sehen! … Ich empfehle Dir, sorgsam auf Dein braunes Kleid zu achten; die Reinigung ist unglaublich teuer; Du solltest es nicht bei jeder Gelegenheit anziehen. Dieses Jahr wird das Kleid nicht mehr gereinigt: Es muss bis zum Ende der Saison halten.“
- Ehe: „Die Ehe ist eine heilige Einrichtung, auf der der Fortbestand jeder Gesellschaft ruht. Sie spricht für sich selbst, ohne dass man lange darüber reden muss. Es ist also jedem jungen Mädchen erlaubt, daran zu denken, sie herbeizusehnen und sogar seine ideale Vorstellung von Glück darin zu sehen. Das eheliche Glück ist gewiss das Wünschenswerteste von allen: Es ist wirklich das Paradies auf Erden. Aber es wird uns durch die Gunst der Vorsehung zugeteilt und ist eine seltene Gunst, wie alles, was besonders schön und gut ist. Welche Frau wünscht sich nicht glühend, glücklich zu sein? Wie viele unter uns können sich schmeicheln, es zu sein? Wir wollen also hoffen. Bitten wir den lieben Gott darum, uns die große Freude dieser Welt zu geben, und finden wir uns damit ab, wenn wir sie nicht erhalten haben. Ich stelle mir manchmal vor, dass jeder von uns Anrecht auf eine bestimmte Menge an Glück hat, verteilt nach geheimnisvollen Gesetzen. Diese Summe ist niemals sehr groß, wobei es wohl Ausnahmen gibt“.
- Moralische Ratschläge, Herbst 1914: „Jeder von uns muss versuchen sich zu bessern, um die göttliche Gerechtigkeit zu besänftigen….“; 27. August 1917: „Es ist nichts Überraschendes dabei, dass Du Dich von gewissen verlockenden Äußerlichkeiten verführen lässt. Wer hat das nicht erlebt? Mit 18 Jahren verzichtet man nicht freiwillig auf den trügerischen Schein eleganter – oder als solche angesehener – Formen. Der künstlerische Sinn bringt einen dazu, Schönheit verwirklichen zu wollen. Da ist es notwendig, die Unabhängigkeit des Geistes zu erlangen; zum Beispiel, sich nicht zum Sklaven der Mode zu machen, sich entschlossen frei zu machen von ihren Forderungen… Eines ist gewiss: Jeder Reichtum ist Knechtschaft…“

- Hygiene und Gesundheit: „Diese Schwäche des Verdauungssystems muss absolut geheilt werden: gründlich kauen ist sehr wichtig, sogar Purees. Wenn man schon mit 15 Jahren Verdauungsprobleme hat, wie soll das erst mit 30 Jahren werden?" – „Dieser Tage hat mir eine Schwester von einem Abführtee erzählt, der Wunder wirken soll (es folgt das Rezept) … Der Entzündungszustand ist sicherlich auf die Verzögerung zurückzuführen, Du weißt schon (Es ist mehrfach in dieser Korrespondenz die Rede von ‚etwas, das wir wissen'.) Das wird schon bald wieder in Ordnung kommen, da der Appetit gut ist und das Aussehen zufriedenstellend".
- Musik: „Ich bin sehr zufrieden gewesen mit der Art, wie Du Klavier übst; wenn Du erst einmal feststellst, wieviel Nutzen Du davon hast, wird Dich das ermutigen, im Rahmen des Möglichen so weiter zu machen; im Pensionat ist die Möglichkeit zu üben gezwungenermaßen beschränkt. Ich glaube nicht, dass ich Madame Lauth bitten werde, sich um Dich zu kümmern; mit einem kranken kleinen Mädchen kann sie das wirklich nicht gut machen…".
- Philosophische Gedanken, etwa angesichts eines Weißdornstraußes: „Wie ärmlich sehen die Kreationen der Menschen neben einer solchen Pracht aus; es gibt kein Kunstwerk, das es mit den Meisterwerken des Schöpfers aufnehmen könnte. Alles, was wir an Gutem haben, kommt von ihm; alles Schlechte kommt von uns selbst". Und an anderer Stelle: „Ja, ich liebe die Stille; ich genieße sie wie eine Glückseligkeit. Der Gesang der Vögel, das Rauschen der Blätter, das Plätschern des Wassers und selbst der kleine seidige Ton des Regens, wenn er sanft fällt, nichts stört diese Glückseligkeit, im Gegenteil. Diese Laute stehen uns nicht feindselig gegenüber, sie werden nicht von der sinnlosen Geschäftigkeit der Menschen hervorgebracht. Der Gesang der Vögel zum Beispiel ist gleichsam ein leuchtendes Brausen; er ist voll lebendiger Freude. Ah! Wieviel besser als wir können die Geschöpfe Gottes ihren Schöpfer ehren! Sie entziehen sich nicht ihrem Gesetz, sie verfälschen es nicht. Ihre Fügsamkeit sollte uns ein Vorbild sein. Ist eine Blume, die duftet und strahlt, nicht ein wunderbares Gotteslob?"

* * *

Die erschreckenden Nachrichten von der Front, die Angst um ihre Söhne – der eine in Gefangenschaft, der andere zwischen zwei Verlegungen seiner Kompanie – belasten Mélanie ebenso wie die nicht endenden Schwierigkeiten der von Geheimnissen belasteten Unterbringung Madeleines und der Umgang mit deren seelischer Verfassung. Mélanie flüchtet sich in das Gebet. 1915 findet sie im Gebet zu einer Musik, die ihren ganzen Schmerz und ihre beispiellose Sensibilität zum Ausdruck bringt: Sie schreibt eines ihrer schönsten Stücke für Klavier,

La Cathédrale blessée (Die verwundete Kathedrale). Wenn man nach dem Sinn dieser tragischen und großartigen Akkorde sucht, dieser angstvollen Klage, die sie auf so schmerzliche Weise erfüllt, kommt man nicht umhin, an die Kathedrale von Reims zu denken, die von den Deutschen bombardiert und in Brand gesteckt wurde. Albert Londres schreibt im ‚Matin' vom 29. September 1914: „Die Kathedrale von Reims ist eine einzige Wunde."

* * *

Robert Brochot wird bald ausgemustert oder vielmehr anderweitig dienstverpflichtet. Er kehrt zu Jeanne und Guy zurück und übernimmt wieder das Unternehmen Brochot, wo er auf Anordnung des Kriegsministeriums eine mechanische Werkstatt einrichtet, in der Granaten auf Drehbänken bearbeitet werden. Von jetzt an muss er alleine die Verantwortung übernehmen, sein Bruder und Mitinhaber ist 1916 im Bombenhagel von Verdun gefallen.

Zur gleichen Zeit macht sich Mélanie Sorgen um ihren ältesten Sohn: „Große Enttäuschung: Meine Schwiegertochter Renée, die meinem armen Großen am Sonntag einen heimlichen Besuch abstatten sollte, hat am Vorabend ihrer Abreise eine Nachricht von ihm bekommen, die besagte: ‚Fahren überstürzt mit unbekanntem Ziel in Richtung Osten!' Riesenkummer auf beiden Seiten" (16. Mai 1916). Pierre Domange ist in der Tat als Unteroffizier der Infanterie nach Verdun aufgebrochen. Er gerät in Gefangenschaft. Aber einige Monate später sorgt sein Schwiegervater Eugène Fasquelle, der Gott und die Welt kennt, dafür, dass er, begünstigt durch ein Abkommen mit dem Roten Kreuz, in der Schweiz interniert wird. Nach der Hölle von Verdun ist diese ‚Internierung' im Waadtland in einem hübschen Haus am Genfer See, wohin er Frau und Kinder kommen lassen kann, zu schön, um wahr zu sein. Er arbeitet dort für ein Sägewerk.

Mélanie besucht das junge Paar und schreibt ihrer Freundin Louise Grévin, einer Nichte Alberts: „Pierre ist ganz abgemagert hier angekommen: Er nimmt langsam wieder zu; seine Gesundheit war übrigens wie die von Edouard immer zufriedenstellend. Sie haben unsere Päckchen immer gut erhalten. Wir wohnen in einem absolut ruhigen entzückenden kleinen Chalet. Es könnte Glück bedeuten, wenn es nicht so viele schwere Sorgen gäbe. Edouard vergeht vor Ungeduld in seinem Feldlager …". Fotos dieses Aufenthalts zeigen Mélanie in einem hübschen Chalet, wie sie an einem schönen Sonnentag in Gesellschaft der jungen Familie Brochot mit dem Hund spielt. Es ist zweifellos dieses Glück und die friedliche Schönheit des Ortes, die in ihrem musikalischen Schweigen einen flüchtigen Raum öffnet und sie zu ihrem *Air vaudois* für Flöte und Klavier anregt, einer fröhlichen, von der Volksmusik inspirierten Hirtenmusik[135]. Wie lan-

ge währt diese Atempause? Am 22. August 1917 ist Pierre wieder zu Hause, als Mélanie aus Candes schreibt: „Da im Augenblick die Fs[136] da sind und oft essen kommen, hat das arme Mädchen (die Hausangestellte) alle Hände voll zu tun … Die Einkäufe macht Pierre".
René Domange ist trotz seiner nervlichen Anfälligkeit und seiner Absonderlichkeiten einberufen worden: „Die Armee auf dem Feldzug stellte eine solche Veränderung in seinem Lebensumfeld dar", schreibt Michel Domange, „dass Onkel Renart (Spitzname, den seine Neffen René gegeben hatten) zwar seine Pflicht vollständig erfüllte, aber das Gefühl hatte, seine Identität zu verlieren, in einer offenen Klammer in seinem Leben gefangen zu sein. ‚Ich bin nicht mehr ‚Ich', vertraute er uns an. So hörte er einfach auf, sich mit diesem Selbst zu beschäftigen, das er nicht mehr war."[137]

Edouard gerät schon während der ersten Kampfhandlungen mit 21 Jahren in Gefangenschaft. Man wartet voller Unruhe auf die seltenen Nachrichten. In ihren Briefen an Madeleine spricht Mélanie häufig von ihrem ‚Kleinen': „Ich mache mir Sorgen um meinen lieben Kleinen. Ich hatte Angst, dass er wieder das Lager wechseln müsste, und das war sicher auch so, da mir einer seiner Kameraden geschrieben hat: ‚Ich kann Ihren Sohn jetzt nicht mehr als Vermittler nutzen.' Ohne Kommentar. Ich möchte gerne glauben, dass dieser ein wenig undurchsichtige Satz nicht etwas Schlimmeres als eine Verlegung bedeutet …" (29. April 1915?). „Ich habe von meinem kleinen Verbannten zwei Bücherpäckchen bekommen, die er mir zurückschickt. Ich warte ungeduldig auf einen Brief, in dem er mir den Grund nennt: einfacher Befehl oder Verlegung in ein anderes Lager? Pierre berichtet mir, dass er mit unbekanntem Ziel aufbricht. Diese Meldungen erfüllen uns immer mit Sorge, wenn auch die Gefahren überall dieselben sind. - Wir wollen die Hoffnung nicht aufgeben" (18.April 1916). „Immer noch keine Nachrichten vom Kleinen" (16. Mai 1916). Dann, an einem 12. Oktober: „Dieser Herr hat vorgestern Edouard getroffen. Er stand an einer Kreuzung und forderte die Autofahrer auf, ihre Papiere zu zeigen. Da er beschlossen hatte, nach Paris zu fahren (der Herr), hat er Edouard angeboten, Nachrichten für seine Familie mitzunehmen. Er hat Edouard als schönen Unteroffizier bezeichnet und ihn in ausgezeichneter Gesundheit vorgefunden …" Mélanie findet sich in ihrem jüngsten Sohn selbst wieder. Im August 1917 schreibt sie an Madeleine: „Pierre erzählt mir, dass man Edouard den Spitznamen ‚Ritter des Geheimnisses' gegeben hat. Er gilt als kühl, ein wenig reserviert; dennoch lobt man seine Liebenswürdigkeit und seine Bereitwilligkeit, jemandem einen Dienst zu erweisen. Unter uns gesagt, die Bezeichnung ‚kühl' ärgert mich ein bisschen, vielleicht weil es man es von mir auch gesagt hat … Alle zurückhaltenden, schüchternen Menschen ordnet man unter diesem Begriff ein, während man Leidenschaft und Lebenskraft denen zuschreibt, die, überschäumend und oberflächlich, für die Glut das sind, was das Feuerwerk für die Flamme ist. Ich bin ganz sicher, dass mein Edouard alles andere ist als kühl".

Man kann sich vorstellen, wie ungeduldig Madeleine ist, den ‚Kleinen' kennen zu lernen, den sie noch nie gesehen hat.

* * *

Die *Cathédrale blessée* war auch ein Werk der Vorahnungen.
Zwischen dem 23. März und dem 29. August 1918 werden drei Kanonen mit sehr großer Reichweite zum Angriff auf Paris eingesetzt und entfalten ihre zerstörerische Wirkung. Mehr als 400 Granaten werden abgeschossen, 350 erreichen die Hauptstadt. Am 29. März 1918 um 16.27 Uhr schlägt eine Granate während der Karfreitagsmesse in der Kirche Saint Gervais im vierten Arrondissement ein. Sie durchschlägt das Dachgebälk und trifft einen der Pfeiler, die das Gewölbe tragen, so dass dieses einstürzt und einen Teil der Gläubigen unter sich begräbt. Unter den Trümmern liegen 88 Tote und 68 Verletzte.
Die Pensionatsschülerinnen des Collège Sainte Geneviève aus Neuilly nehmen an der Messe teil. Madeleine betet still. Die Gruppe geht hinter den Schwestern her. Zwischen den Kreuzwegstationen wird gesungen: „Rette, rette Frankreich im Namen des Heiligen Herzens!" Madeleine hört ein Gewittergrollen und mit ungeheurem Getöse lösen sich die Steine des Gewölbes. Überall hört man Schreie. Geschosse, Staub, die Wucht der herabfallenden Geröllmassen, die Erschütterung, die keinen Stein auf dem anderen lässt…sie hat nicht einmal geschrien. Als lange Zeit danach der Lärm der Stille weicht, die gewaltige Bewegung der Regungslosigkeit, erfüllt eine Staubwolke den Raum.
Madeleine begreift nichts. Sie sieht ihre Freundinnen und die, die sich seit ihrer Kindheit um sie kümmerten, blutüberströmt.
Es heißt, dass Madeleine Hettich, genannt Madeleine Verger, die einzige Überlebende ihrer Gruppe bei der Bombardierung der Kirche Saint Gervais durch die ‚Dicke Berta' war. Seitdem schrie sie jede Nacht. In jener Zeit gab es kein Hilfsmittel, um unsichtbare Wunden zu heilen.
Man muss sich um sie kümmern. Hettich nimmt sie zu sich nach Paris. Aber die Vaterrolle ist nicht seine Stärke, und die Verantwortung für Madeleine lastet schwer auf ihm.

* * *

Zwei Tage später – Frankreich schickt seine Kinder weiter in den sicheren Tod –, versetzt ein nicht durch den Krieg verursachter Todesfall die Familie Domange in Trauer. Es ist ein friedlicher Tod, der der natürlichen Weltordnung entspricht. Am 31. März verlässt Mélanies Mann, Albert Domange, im Alter von 82 Jahren diese Welt.

Wie immer, wenn er etwas Wichtiges vorhat, sieht Albert dieser Reise mit Zuversicht und einem Lächeln entgegen. Um nicht zu lange zu leiden, geht er schnell. Doch wartet er lange genug, bis all seine Kinder, mit Ausnahme von Edouard, der noch immer in Gefangenschaft ist, um ihn versammelt sind.

Mélanie lässt den Abbé Boulard rufen, den Pfarrer von Saint François de Sales. Um seine ‚Reise' leichter zu machen, mehr aber noch, um seiner Frau einen Gefallen zu tun, bekennt Albert seine Sünden. Da die Beichte kein Ende nehmen will, klopfen seine Kinder an die Türe, um sich zu vergewissern, dass nichts Ernstes passiert ist. Albert, der am Ende seines Lebens nicht mehr viel wiegt, steigt leicht wie eine Feder in den Himmel auf. Vielleicht waren seine letzten Worte: „Ich hatte ein schönes Leben!"

Albert ist kaum beerdigt, da bittet Hettich Mélanie, Madeleine zu sich zu nehmen. Das ist schon immer Mélanies Wunsch gewesen: Jeanne zerstreut ihre letzten Bedenken. So beschließt Madame Domange, noch in Trauer um ihren rechtmäßigen Ehemann, nun endgültig die Frucht ihres Fehltritts in ihr Haus aufzunehmen.

* * *

Im September 1918 schreibt Mélanie an Madeleine: „Pierre bittet mich um ein Te Deum anlässlich des Sieges; der Augenblick ist vielleicht dafür geeignet. Es ist eine sehr große Aufgabe." (In den Archiven von Mel Bonis haben wir keine Spur eines Te Deums gefunden.)

In einem anderen Brief schreibt sie: „Ich habe meine Ruhepause genutzt: Ich habe drei Chorsätze für Edouard geschrieben, darunter ein ‚Tantum ergo'[138] für gleiche Stimmen, d.h. dass es von Männer- oder Frauenstimmen gesungen werden kann. Die Noten, die ich hier geschrieben habe, sind die ersten seit mehr als einem Jahr!"

* * *

Sieben Monate vergehen. Der Waffenstillstand wird unterzeichnet. Edouard kündigt seine Rückkehr an!

Guy Brochot kuriert seine Kinderlähmung bei seiner Großmutter in der Rue Monceau aus. Er erinnert sich, wie Mélanie im Salon die Tücher wegnehmen lässt, mit denen die Möbel seit Kriegsbeginn verhüllt waren. Nach vier Jahren des Schweigens erklingt bei den Mahlzeiten zum ersten Mal wieder die Glocke und Edouard und Madeleine sehen sich zum ersten Mal.

Madeleine schreibt: „Ich bemerkte zwei große dunkle Augen, die mich intensiv betrachteten und in denen ich gleichzeitig Sympathie und Erstaunen las. Dieser Blick durchdrang mich wie ein Lichtstrahl, der mich in tiefe Verwirrung stürzte … Ich lauschte seiner wohlklingenden Stimme, die wie eine Liebkosung für mich war …“[139]

II.7
Das Schweigen der Nachkriegszeit

Bis 1922 veröffentlicht Mel Bonis praktisch nichts. Bezieht man die Kriegszeit mit ein, umfasst diese zweite Periode des Schweigens acht Jahre.

Nach 1918 bestimmen tiefgreifende Veränderungen die Gesellschaft und die Welt der Künste. Am Rande der ‚années folles'[140] lebend, hat Mélanie das Gefühl, Zeugin einer Schiffskatastrophe zu sein. Die überschäumende Lebensfreude der Jugend als Reaktion auf die Leiden der Kriegszeit, die neue Selbstsicherheit der Frauen, die gelernt haben, Entscheidungen alleine zu treffen, das Verlangen nach Freiheit, nach ungezügelten Vergnügungen, all dies zieht in der Gesellschaft einen Bruch mit den Fesseln der Moral nach sich, in der Kunst eine Absage an die Regeln und eine Suche nach Originalität, die der Bewegung, die sich bereits vor dem Krieg ankündigte, nun eine konkrete Form geben.
„Sie können ruhig“, schreibt Mel Bonis, „dieses unbändige Verlangen nach Neuem, das in unserer Zeit wütet, für die kindischste Sache der Welt halten, Sie werden niemanden überzeugen… Hüten wir uns davor, jemals das zu preisen, was uns klar scheint; das Wort und die Sache sind veraltet. Es geht darum, dem Schöpfer die eigene Überlegenheit zu beweisen. Der aber beharrt darauf, uns dieselben Blumen zu schenken, die ihren Duft verströmen…“[141]

Die Komponisten, die sie bewundert, César Franck und Charles Gounod, werden öffentlich angeprangert. Mel Bonis will diese Mode des musikalischen ‚irgendwas', die sie für degeneriert hält, nicht mitmachen. „Das ‚dumme' 19. Jahr-

hundert hat Franck und Fauré hervorgebracht“, schreibt sie ironisch, „im 20. täten eine Menge ‚talentierter' Leute und noch mehr Musikhandwerker besser daran, Holz zu sägen, das dient wenigstens der Gesundheit.“[142]
Die neuen Glaubenssätze der Musiker tun ihr weh: „Ist der dröhnende Motor eines Autos nicht schöner als der Sieg bei Samothrake?“ schreibt Marinetti. Und bei Debussy lesen wir: „Haben wir nicht die Pflicht, die sinfonische Formel zu finden, die unser Jahrhundert fordert, diejenige, nach der der Fortschritt, die Kühnheiten und die Siege der Moderne verlangen? Das Jahrhundert der Flugmaschinen hat ein Recht auf seine Musik.“

Wie als Antwort darauf sagt Mel Bonis: „In unserer laizistischen, positivistischen, mitleidlos egoistischen Welt ist die Zärtlichkeit aus der Musik verbannt, stattdessen müssen wir nachgeahmte Lokomotiven, Fußtritte und unseriöse ‚Boleros' schlucken … Ein Musikkritiker mit Neigung zur Vereinfachung verkündet, dass das Wort ‚Regel' nicht mehr ausgesprochen werden dürfe, da es nur noch um das ‚Vergnügen' des Zuhörers gehe. Das heißt mit anderen Worten, dass es keine objektive Wahrheit gibt. Führt nur diesen Nihilismus in allen Bereichen ein, vor allem in der Moral … das wird etwas Schönes geben!“[143]
Man begreift, dass ihre Empfindungswelt sich in einer solchen Entwicklung nicht zurechtfindet. Der Schritt in eine neue Welt würde eine allzu tiefgreifende Veränderung ihrer Denkgewohnheiten bedeuten. Bei Mel Bonis hat diese Ablehnung zudem eine aufschlussreiche Dimension: Mehr als ihre ästhetische Empfindsamkeit leidet ihr moralisches Empfinden unter dieser Absage an die Regeln, und die Erschütterung erfasst ihre ganze Person. Die christliche Strenge, Fundament ihres inneren Gleichgewichts, scheint bedroht. Indem sie die Kunst zur Explosion bringen, tragen ihre Zeitgenossen dazu bei, dass ihr Schutz gegen die Angst und die Mauern ihres Glaubens wegbrechen.

* * *

Die Nachfolge Albert Domanges ist bei Kriegsende geregelt. Außer Roger Domange, dem zuletzt Eingezogenen, der mit einem Granatsplitter im Bein zurückkam, sind alle Nachkommen Alberts wohlbehalten heimgekehrt.
Der Patriarch hat für einen harmonischen Ablauf seiner Nachfolge gesorgt. Die Aufteilung seines Vermögens in der Kanzlei des Maître Morel Darleu scheint, wenn nicht ganz problemlos, so doch zumindest unter Beachtung seines Willens vor sich gegangen zu sein. Henri und Eugène erben das Unternehmen Domange, in dem sie schon immer gearbeitet haben und das noch mehrere Jahrzehnte florieren sollte. Eugène bekommt die Villa in Etretat. Für Alfreds

Frau und seine fünf Kinder wird eine Rente festgesetzt. Pierre wird offiziell Eigentümer seines Hauses in Candes. Jeanne bekommt das Haus in Sarcelles mit dem Tennisplatz. Edouard zieht in das Appartement in der Rue de Courcelles ein. Mélanie behält das Haus in der Rue de Monceau und erbt ein kleines ländliches Anwesen in Sarcelles, ein Mietshaus in der Rue Claude Chahus in Paris und eine Summe, die in Schatzwechseln angelegt ist. Der Rest, Immobilien, Effekten und andere Kapitalanlagen wird unter Berücksichtigung vorangegangener Schenkungen aufgeteilt. Die Tatsache, dass die beiden Ältesten, Henri und Eugène, durch den Wert des Unternehmens Domange im Vorteil sind, kommt zwar zur Sprache, aber jeder erkennt ihre Verdienste an und niemand denkt daran, den Willen des Vaters in Frage zu stellen.

1918 scheint Alberts Nachkommenschaft gut für die Zukunft gewappnet und dennoch sollte sich in wenigen Jahren mehr als einer trotz einer so sicheren Ausgangsposition ohne Vermögen wiederfinden…

* * *

Als Witwe ist Mélanie nun Herrin ihrer Entscheidungen und fragt niemanden um Rat.

Ihr Haus in Sarcelles, ihren ‚Beginenhof', richtet sie mit Geschick als schönen Wohnsitz ein, wo sie ihre Enkelkinder empfangen kann. Sie kauft und verkauft Immobilien und investiert vor allem in ein Renditeobjekt in der Rue Saint Blaise. Da sie Vertrauen zu Monsieur Delatre hat, dem Verwalter ihres Mannes, der sich um das Mietshaus in der Rue Claude Chahus kümmert, übergibt sie ihm die Verwaltung ihrer neuen Güter. Sie erledigt ihre persönlichen Schreibarbeiten und kümmert sich um praktische Probleme wie Umzug, Heizungsreparaturen, Telefonanlage usw.

Mit Freude sieht sie, dass mein Großvater sich gut erholt. Edouard denkt über seine Zukunft nach und sucht seinen Weg. Die Begegnung mit den Brüdern Krieger entscheidet schließlich über seinen beruflichen Weg. Das Unternehmen fertigt Kopien alter Möbel an, Qualitätsprodukte, die noch heute begehrt sind. Dieses aufstrebende Unternehmen sucht einen Geschäftspartner, um seine Investitionen für die Zukunft zu sichern. Im Familienrat diskutiert man über den voraussichtlichen Finanzrahmen und die damit verbundenen Kosten. Die Sache wird beschlossen, und Mélanie, nicht wenig stolz auf ihre Rolle als Familienoberhaupt, tätigt die Investition so für Edouard, wie es Albert getan hätte.

* * *

Pierre und Jeanne kommt der neue Lebensstil sehr entgegen und die Jungverheirateten genießen die Goldenen Zwanziger Jahre in vollen Zügen.
Auch bei Pierre und Renée sitzt das Geld locker. Man empfängt Freunde, macht Theaterbesuche, geht jeden Abend aus. Die Familie wächst, man wechselt die Wohnung.
Jeanne und Robert Brochot leben ebenfalls auf recht großem Fuß. Sie wohnen in dem großen Haus in Sarcelles. Der Sport bestimmt ihr Leben, und alle Unterhaltungen drehen sich um das Tennisspielen. Jeannes Lebenselixier ist immer noch das Lachen: Sie hat den Krieg lachend durchlebt, sie treibt lachend Sport und sie erwartet ihr zweites Kind, die kleine Jeanine. Da Tennis ihr nicht mehr genügt, fährt sie Motorrad. Sie organisiert ihre berühmten Empfänge, die den Namen ‚véhicules bizarres'[144] tragen: Die Gäste setzen sich auf die außergewöhnlichsten Fahrzeuge, mit Propellern versehene Schubkarren, Fahrräder mit drei Rädern usw. Selbst in den Goldenen Zwanzigern löst sie damit Erstaunen aus.

Eins der „véhicules bizarres"

In dieser Zeit entsteht eine besondere Beziehung zwischen ihrem Sohn Guy und Mélanie. Das Kind, das einmal in der Woche in die Privatschule Hattemer geht, langweilt sich im Kreis der Erwachsenen. Es wartet voller Ungeduld darauf, bei seiner Großmutter in Sarcelles sein zu dürfen. So verbringt Guy die meiste Zeit in ihrer Gesellschaft. Sie reden miteinander und spielen das Lexikonspiel.
Jeanne und Madeleine kommen sich immer näher. Jeanne kommt auf ihre Idee zurück, Madeleine mit einem Domange zu verheiraten. Für die zurückhaltende Madeleine ist diese Freundschaft erfrischend.
Die Familie im weiteren Sinn bleibt, dank Mélanie, fest verbunden. Sie setzt die Tradition der Samstagstreffen, ‚Petits Samedis' genannt, fort und auch Eugène und Adèle tragen ihr Teil dazu bei: Sie nehmen die Familie weiterhin in Etretat auf. Bald mieten auch die Brochots ihre eigene Villa am Meer. Das Baden im Meer wird zu einer verbreiteten Gepflogenheit. Die immer gewagteren Formen und Farben der eleganten Bademode kommen der Eitelkeit der jungen Frauen entgegen. Die 20-jährigen Cousins und Freunde, die in der Rue Monceau, in Sarcelles und in Etretat aus- und eingehen, sind ständig im Kreis der Familie zu finden.
Das sanfte Patenkind weckt das Interesse der jungen Leute. Roger Domange soll sehr verliebt gewesen sein, und Jeanne ganz enttäuscht, dass Madeleine sein Gefühl nicht erwiderte. Bald ahnt Jeanne mit ihrem Gespür für solche Dinge, dass ‚etwas im Busche ist' und ist hocherfreut.

Edouard zeigt seine Gefühle so wenig wie Madeleine. In Liebesdingen ist er ebenso diskret wie in geschäftlichen. Madeleine geht es viel besser. Mélanie bewundert sie dafür, dass sie sich von ihrer Beinahe-Verschüttung in der Kirche zu erholen scheint. Madeleine spielt viel Klavier und Mélanie hört ihr mit besonderer Anteilnahme zu, wenn sie ihre Werke übt. Sie diskutieren über die Interpretation. Madeleine nimmt Anregungen bereitwillig auf und ist voller Bewunderung. Die Musiker der jungen Generation machen miteinander Musik. Sie spielen vierhändig, Jeanne singt, Françoise Duroyaume spielt Harfe und hat am Konservatorium in der Klasse von Marcel Tournier einen Preis errungen. Sie ist zu einem reizenden jungen Mädchen herangewachsen, blond, fast rothaarig, mit großen blauen Augen, einer kleinen Nase und runden Wangen. Ihr Gesicht verrät eine starke Persönlichkeit. Mélanie mag sie sehr. Die Familie ist wohlhabend. Vor dem Krieg haben Albert und die Eltern Duroyaume eine Hochzeit zwischen ihr und Edouard ins Auge gefasst. Als Kinder hatten Françoise und Edouard zwei Verliebte gespielt. Jetzt scheinen sie sich immer noch gut zu verstehen. Mélanie möchte gerne mit Edouard darüber sprechen, aber irgendetwas

hält sie zurück. Die Zeiten haben sich gändert. Für Eltern ist es schwierig geworden, mit ihren Kindern über intime Dinge zu reden. Die Entscheidungen der Eltern haben kein Gewicht mehr. Also wartet Mélanie. Von Zeit zu Zeit fragt sie ihren Sohn: „Was gibt's Neues?", in der Hoffnung, dass Françoise nicht jemand anderen findet.
Auch Edouard und Madeleine scheinen sich gut zu verstehen: Sie vertrauen einander vielerlei an. Es herrscht völlige Eintracht unter den vier Brüdern und Schwestern, die immer noch nicht wissen, dass sie Geschwister sind.

* * *

Als Edouard ihr seine Absicht mitteilt, Madeleine zu heiraten, glaubt Mélanie an einen Scherz. Mein Großvater konnte die schlimmsten Witze erzählen, ohne eine Miene zu verziehen. Sie lacht … etwas gezwungen.
Edouard ist erstaunt. Er wiederholt seine Aussage, spricht ernsthaft und ausführlich über seinen Plan, über sein Glück. Mélanie ist am Boden zerstört.
Sie sagt Edouard, dass diese Ehe unmöglich ist, dass Madeleine zu jung ist. Er lässt sich nicht überzeugen und gesteht, dass Madeleine seine Liebe teilt. Mélanie fühlt sich einer Ohnmacht nahe. Edouard, der ihren Schwächeanfall bemerkt, fasst sie am Arm.
„Lass uns noch ein bisschen warten!" bittet sie inständig.
Aber Edouard hat nicht vor zu warten. Seine Geschäfte gehen gut. Er wird in der Rue de Courcelles wohnen. Und er hat nicht vor, alleine dort zu leben. Madeleine liebt ihn. Es ist Zeit, dass sie ihre Patin verlässt, um mit dem Mann ihres Lebens zusammenzuziehen. Mélanie sagt, dass das unmöglich sei, dass er Françoise Duroyaume heiraten müsse. Edouard gibt zu, dass er das liebend gern gemacht hätte, wenn er Madeleine nicht getroffen hätte. Er sagt, dass er die Verantwortung für eine Familie ganz allein übernehmen kann, dass es überhaupt nicht in Frage kommt, dass er aus Geldgründen eher die eine Frau als die andere heiratet.
Mélanie sieht keinen Ausweg mehr. Sie spricht von einer anderen Art von Hindernis, von einem Geheimnis, das ihre Heirat unmöglich mache. Mein Großvater zuckt mit den Schultern und schließt die Unterredung mit den Worten:
„Ich hoffe, dass sie keine schwere Krankheit hat!"

* * *

Mélanie hat keine Wahl mehr: Sie muss mit Madeleine sprechen. Sie kann niemanden um Rat bitten und zerbricht sich den Kopf. Sie war etwa im selben Alter, als ihre Eltern Hettich abwiesen. Sie kennt die verheerenden Auswirkungen, die die Liebe bei empfindsamen Naturen haben kann. Sie hat beruhigende Worte vorbereitet.

Als der Augenblick da ist, vergisst Mélanie alles, was sie vorbereitet hat. Sie spricht, ohne weiter zu zögern. Auf ihrem Liegestuhl ausgestreckt, deckt sie ihr Geheimnis auf:
„Ich bin deine Mutter."
„Madame, das ist nicht möglich!"
Madeleine hört zu.
„Ich habe deinen Vater geliebt, ich habe ihn mein ganzes Leben lang geliebt. Ich hatte nicht das Recht dazu, ich hatte nicht einmal das Recht, an ihn zu denken. Aber er ist nie aus meinen Gedanken verschwunden. Als ich eine junge Frau war, sagte man von mir, ich sei eine gute Mutter und eine gute Hausfrau. Ich kannte meine Pflicht, ich sehnte mich danach, eine gute Christin zu sein. Aber ich hatte das Gefühl, nicht mein Leben zu leben.
- … Ich wollte eine reine Liebe für deinen Vater und für mich, ‚in frommer Besänftigung der Sinne', wie er es ausdrückte. Wir arbeiteten an seiner ‚Anthologie des airs classiques'. Du kennst dieses Werk, diese Bände, die kaum Platz finden in seinem Bücherschrank: Ich bin es, die all das geschrieben hat, bis zum letzten Band.… Heute würden die Leute sagen, ich sei sein ‚nègre'[145] gewesen. Aber ich habe auch weder Geld noch Ruhm erwartet. Ich habe diese Arbeit mit ihm zusammen getan, aus Liebe zu ihm.
- … Alles, was ich schrieb, schrieb ich für ihn. Ich wollte ihm gefallen. Ich trage soviel Verantwortung für das, was geschehen ist! Er machte mir sieben Jahre lang den Hof. Wir waren glücklich, zusammen arbeiten zu können. Er wusste soviel! Ich glaube, dass ich alles, was ich weiß, von ihm gelernt habe. Er kümmerte sich um meine Musik. Dass meine Werke herausgegeben wurden, verdanke ich ihm.
- … Ich existierte nur durch ihn. Nur unser Beisammensein zählte. Ich wollte, dass wir rein blieben. Wenn er sich mir näherte, wehrte ich mich. Und doch hatte ich Angst, ihm zu missfallen, wenn ich kein Zeichen seiner Liebe mehr bemerkte.
- … Ich habe deinen Vater mein ganzes Leben lang geliebt. Ich habe ihn im Konservatorium kennen gelernt, da war ich 18 Jahre alt. Ich durfte ihn nicht heiraten. Eine Zeit lang schrieb er mir. Und dann hörte ich nichts mehr von ihm. Er hat geheiratet. Mit Gottes Hilfe habe ich mich gefasst.

- … Viele Jahre lang war er in meinem Herzen gegenwärtig. Und dann haben wir zusammen gearbeitet ...“

Ohne ein Wort verlässt Madeleine den Raum.

* * *

Edouard musste es natürlich erfahren. In ihrer Märchensprache erzählt Madeleine von ihrem Gespräch mit Edouard: „Das tut mir so Leid für dich, sagt der junge Mann, ich wünschte so sehr, dass du endlich ein Familienleben, ein Heim und Kinder hättest.“ Und ein wenig später: „Er nahm mich in seine Arme und drückte mich an seine Brust, und er küsste mich lange wie ein Liebender. Tränen flossen über sein schönes Gesicht.“
Da der Hinderungsgrund nicht aus der Welt zu schaffen ist, beschließt Edouard, sich mit den Dingen abzufinden, und versucht, mit dem Kummer über diese unglückliche Liebesgeschichte fertig zu werden. Françoise Duroyaume wartet auf ihn; er hatte vergessen, wie hübsch sie war. Sie heiraten am 26. November 1919 und ziehen in die Rue de Courcelles. Claude kommt sechs Monate später zur Welt.

* * *

Madeleine geht es nicht gut. Sie leidet unter plötzlichen Stimmungswechseln. Sie gibt das Klavierspiel auf. Zwei Dinge quälen sie: dass Edouard nicht in ihrer Nähe ist und dass die Familie sie nicht anerkennt. Sie wirft ihrer Mutter vor, dass sie die Situation nicht klärt, zumindest ihren drei Halbgeschwistern gegenüber.

Wie sehr sie Madeleine auch liebt, Mélanie kann den Schleier nicht lüften. Ihr Bedürfnis, das Gesicht zu wahren, ist für uns wenig nachvollziehbar, nahm es doch ihrer Tochter ihre Identität und ihre soziale Stellung. Aber Madame Domange hatte ihr Leben auf der Basis einer Moral, eines Glaubens aufgebaut, die für sie sowohl Antriebskraft als auch Rettungsanker waren. Aus religiöser Überzeugung war die sinnenfrohe und romantische Mélanie eine strenge Vertreterin des Puritanismus geworden. Ihre ‚Schwäche' einzugestehen, hätte für die bedeutet, ihre Würde zu verlieren.
Doch Madeleine konnte das nicht verstehen. Zwei Vorfälle sind in Erinnerung geblieben:
Der erste ereignete sich bei einem der ‚Samstagstreffen', zu dem Mélanie die Fasquelles, Renés Eltern, eingeladen hatte. Als Madeleine vom Tisch aufsteht, ist Madame Fasquelle verblüfft über die Ähnlichkeit. „Wahrhaftig“, sagt sie zu

Mélanie, „dieses junge Mädchen gleicht Ihnen wie ein Wassertropfen dem anderen. Es ist nicht möglich: Sie muss Ihre Tochter sein!“ Mélanie soll geantwortet haben: „Wo denken Sie hin, liebe Freundin, ich bin über jeden Verdacht erhaben.“ Madeleine soll aus dem Raum gegangen sein und die Türe hinter sich zugeschlagen haben.
Der zweite Vorfall spielt sich zur Teestunde ab. Mélanie empfängt in ihrem Arbeitszimmer eine Besucherin, die Madeleine noch nicht kennt. Sie stellt sie mit einem Lächeln vor: „Meine kleine Tischgenossin“. Tief getroffen zieht sich das junge Mädchen in ihr Zimmer zurück und kommt zwei Tage lang nicht wieder heraus.
Jeanne, die als erste in Edouards und Madeleines Liebesgeschichte eingeweiht war, erfährt die Wahrheit. Aber sie bürgt für die mütterliche Tugend und weigert sich, die Situation anzuerkennen und in Madeleine ihre Schwester zu sehen. Ihre Freundschaft kühlt merklich ab.

Die Eingeweihten lassen die Geschichte durchsickern. Das 20 Jahre lang von seinen Protagonisten, Mélanie, Hettich, dem Kammermädchen, Jeanne Monchablon und den Vergers gehütete Geheimnis verbreitet sich unter der Hand, und so erfahren es die kommenden Generationen.

* * *

Vier Jahre nach dem Krieg verkauft Mélanie das Anwesen in der Rue de Monceau und findet ihr ideales Haus in Paris. Sie kauft ein Wohnhaus von vernünftigerer Größe in der Rue Berthier, ein Haus mit einem besonderen Charakter, das schon eine lange Geschichte hat. Eine einzige Hausangestellte genügt ihr. Die Küche liegt im Untergeschoss. Die Mahlzeiten werden im Erdgeschoss eingenommen, wo sich das Speisezimmer und der Salon befinden. Madeleine und Choute schlafen in den beiden Zimmern der ersten Etage. Die Abgeschiedenheit der zweiten Etage ist Mélanies Reich; hier liegen ihr Zimmer und ihr Arbeitsraum.
Die Beziehung zwischen Mélanie und ihrem Enkel Guy wird noch enger. Mit zehn Jahren kommt er in Paris auf das Gymnasium. Die Fahrten zwischen Paris und Sarcelles greifen aber bald seine Gesundheit an. Er wird krank und muss seine Schulausbildung unterbrechen. Einen ganzen Winter verbringt Mélanie mit ihm in Arcachon, um seine Genesung zu überwachen. Für das nächste Schuljahr wird er im Lycée Carnot angemeldet und wohnt jetzt mit seiner Großmutter und Madeleine auf dem Boulevard Berthier.

Anhänglich, intelligent und voller Neugier, stellt Guy tausend Fragen und bringt Leben in die Unterhaltung. Er stellt Fragen zu philosophischen und moraltheologischen Themen und lauscht aufmerksam Mélanies Ausführungen. Eines Tages verbrennt sie vor seinen Augen die Gesamtausgabe der Werke Ernest Renans[146] – ein aussagekräftiges Argument!
Sie verbringen sieben Jahre miteinander. Seine Großmutter liebt ihn sehr, zeigt es allerdings kaum. Sie spielen lehrreiche Spiele, sie hilft ihm bei den Hausaufgaben und nimmt seine Erziehung in die Hand. Schließlich wird dieser hervorragende Schüler an der Ecole Centrale[147] in Paris aufgenommen.
Dem Zusammensein mit diesem Kind, das keine Musik mag, hat Mélanie es zu verdanken, dass sie ihre innere Ruhe wiederfindet, die Grundlage ihrer wiedererwachten Schöpfungskraft. Der bedauernswerte Guy, der nur am Lernen interessiert ist, muss den Lärm eines neuen Kammermusikensembles ertragen, das sich jede Woche in Mélanies Arbeitszimmer trifft.
Madeleine ist dabei, spielt auch mit, einmal heiter und vergnügt, dann wieder ernst und verschlossen. Alle geben sich große Mühe, einen Ehemann für sie zu finden. Es mangelt nicht an Bewerbern, aber sie zeigt kaum Interesse und, wenn zufällig doch jemand ihr Herz berührt, wird ihre Zuneigung nicht erwidert. Auch Françoise Duroyaume, die Frau Edouards, sucht einen Mann für Madeleine. Eine ihrer Freundinnen, eine ehemalige Mitschülerin beim Harfenunterricht, stellt ihr ihren Bruder vor. Pierre Quinet hat die 30 überschritten, trägt eine Brille und arbeitet mit seinem Vater in der Parfumbranche. Alle, die sich an ihn erinnern, sagen, er sei charmant gewesen, und die Fotos bestätigen es. Dieses Mal sagt Madeleine nicht nein. Am 17. Oktober 1923 heiratet sie mit knapp 24 Jahren – spät für ihre Zeit und von ihrem Vater mit einer guten Mitgift versehen. Der Empfang findet im Atelier von Madame Philippard-Quinet statt, der Mutter des Bräutigams, die eine angesehene Malerin ist. Auf einem der Fotos sieht man das junge Paar umringt von etwa 20 Personen aus ihren beiden Familien. Dieses Foto ist, soviel wir wissen, das einzige, auf dem man Mel Bonis und Hettich zusammen sieht, sie an einem Ende des Raumes, er am anderen.

II.8
Die Kammermusik der dritten Periode

Seit sie 65 Jahre alt ist, sieht man Mélanie nur noch ausgestreckt auf ihrer Chaiselongue im Arbeitszimmer auf der zweiten Etage oder im Esszimmer im Erdgeschoss. Stets hat sie einen Korb mit den von ihr benötigten Utensilien bei sich: Bleistifte, Scheckhefte, ihre Brille. Die Mahlzeiten nimmt sie auf ihrer Lie-

ge am Tisch ein. Sie werden ihr auf einem Tablett serviert. Auf ihrer Liege erteilt sie Anordnungen, empfängt zum Tee. Hier strickt sie, unterhält sich, ruht sich aus und betrachtet den Himmel.
Dabei kann sie sitzen, sie kann auch gehen. Sie fürchtet die Treppen nicht; immerhin hat sie ein vierstöckiges Haus als Wohnung gewählt. Sie geht ohne Hilfe hinauf und hinab, macht Ausfahrten mit dem Auto, geht jeden Morgen in Saint François de Sales zur Messe; sie sitzt Stunden am Klavier, um Francks Quintett zu üben, nimmt an musikalischen Abendveranstaltungen teil und spielt dort auch hin und wieder selbst.
Aber ihre Enkelkinder haben sie nie anders als auf ihrer Liege gesehen. Wie man von jemandem sagt: „Er ist dunkelhaarig" oder „er ist kräftig gebaut", sagte man von Großmutter: „Sie liegt immer". Man sucht nach Ursachen: ‚Magensenkung', Lähmung, Hüftarthrose? Als das Geheimnis sich herumgesprochen hat, flüstert man: „So will sie ihre Schuld sühnen" – eine Erklärung, die die Familie fasziniert. Doch ein Brief Madeleines belehrt uns eines Besseren: „Großmutter liegt nicht, um Buße zu tun, aber sie hat ihr ganzes Leben auf den Nachtisch verzichtet." Die Wahrheit ist vielleicht schlicht das, was Mélanie 1916 in einem Brief an ihre ‚Kusine' Louise schreibt: „Ich würde mich sogar sehr wohl fühlen, wenn mich nicht ein dummer Fall etwas beschädigt hätte; ich komme kaum noch aus meinem Sessel heraus – und das, glaube ich, ohne Aussicht auf Besserung". Alle Hypothesen bleiben offen. Das Liegen macht ihre Schmerzen erträglich – und in dieser Stellung ist ihr Blick zum Himmel, auf Gott gerichtet.

* * *

Pierre, Madeleines Mann, arbeitet mit seinem Vater im Familienunternehmen in Paris. Mélanie findet für das junge Paar ein kleines Haus in Sarcelles, ganz in der Nähe ihres eigenen Hauses. Drei Wohnhäuser vereinen nun die Familie dort: Mélanies ‚Beginenhof', wo sie am Wochenende häufig Edouard, Françoise und ihre Kinder empfängt, das große Haus, in dem Jeanne mit ihrer Familie wohnt, und das kleine Haus der Quinets.
Trotz dieser Umgebung verlässt Madeleine das Gefühl des Alleinseins nicht. Ihre Märchenmemoiren geben Zeugnis davon, wenn sie erzählen, wie ihr Held, nachdem ihn seine Liebste verlassen hat, freiwillig die Einsamkeit sucht und schließlich stirbt, weil sich niemand mehr um ihn kümmert.
Madeleine besucht ihre Mutter jeden Tag. In ihren musikalischen Aktivitäten ist sie ihr ganz nah: Sie spielt die Orgel in der Kirche[148], und sie spielt Brahms, Schubert und Mel Bonis mit einer Gruppe von Musikern, zu der sich eine Zeitlang auch Pierre Quinet als Amateurcellist gesellt.

Auch wenn Pierre Quinet nicht der Auserwählte ihres Herzens ist, so ist er für Madeleine doch ein zuverlässiger Ehemann. Die meisten Zeitzeugen erinnern sich an ein heiter und gelassen wirkendes Ehepaar.
Mélanie weiß, dass Madeleine leidet, denn sie sind enger miteinander verbunden als eine Mutter und ihre Tochter. Eine unentwirrbare Mischung aus Liebe, Schuld und Bitterkeit bestimmt ihre Beziehung. Madeleines Verletzbarkeit, ihre Neigung zur Traurigkeit machen Mélanie Kummer. Sie kümmert sich um sie, verwöhnt sie, doch auf Vergebung darf sie nicht hoffen. Was Madeleine angeht, so lebt sie inmitten einer Familie, zu der sie offiziell nicht gehört, und sie wird diese Situation nie akzeptieren. Sie wünscht sich, dass ‚Großmutter' eines Tages ihre vier Kinder zusammenruft, Pierre, Jeanne, Edouard und sie selbst. Sie möchte sie sagen hören: „Ihr seid meine vier Kinder". Aber sie weiß, dass dies unmöglich ist, dass sie nicht einmal darüber sprechen kann. Sie muss sich damit begnügen, das geliebte Patenkind einer ‚für ihre Güte angesehenen' Dame zu sein, die man ‚Großmutter' nennt, und sie leidet unter dieser Situation.
Drei Jahre nach der Hochzeit kommt das erste Kind zur Welt, Marie-Anne, ein pummeliges kleines Mädchen mit großen Augen, das herzhaft lachen kann.

Die Beziehung zwischen Mélanie und Jeanne birgt andere Schwierigkeiten: Es ist ein offener Konklikt. Alles, was im Leben der Mutter mit einem Verbot belegt ist, bricht sich bei der Tochter Bahn. Jeanne hat die Vorzüge und die Schwächen ihres Vaters geerbt. Sie kämpft mit vielen materiellen Problemen. Unter dem Gewicht ihrer Sorgen kommt ihr ihr Lächeln abhanden. 1927 lässt sie sich scheiden und heiratet 1936 wieder. Der neue Gatte, Useldinger, braucht ihre Rücklagen auf und verlässt die Familie kaum ein Jahr später. Die Moralpredigt ihrer Mutter macht Jeanne wütend und sie lehnt Mélanies Hilfe ab, die ihr das wiederum sehr übel nimmt. Sie leben nahe beieinander und lieben sich im Grunde sehr, doch geraten sie immer wieder aneinander. Für Mélanie bleibt dies eine quälende Situation. In Gedanken daran schreibt sie 1928: „Es ist schwer, von Sorge, Kummer, Empörung bedrängt zu werden … von einer Zwangsvorstellung besessen zu sein, die einem die Ruhe raubt, das Herz bricht, jeden inneren Widerstand schwächt … mit einem Wort einem das Leben tropfenweise wegnimmt. Jede geistige Arbeit wird unmöglich."[149]

Mit ihren Söhnen versteht sich Mélanie gut. Edouard, ihr Sonnenschein, bringt immer noch Licht in ihr Leben. Als zärtlicher Vater, gewissenhafter Geschäftsmann, liebender Gatte vereint mein Großvater alle Vorzüge in sich. Seine Schönheit beeindruckt die Frauen, ohne dass er dies ausnutzt.

* * *

Mélanie hat 14 Enkelkinder. Pierre und Renée haben drei Jungen und ein Mädchen; der zweite ist Michel, Spielgefährte von Guy Brochot und später Verfasser der Familienchronik ‚Ah! Mes aïeux!'[150]

Jeanne und Robert Brochot, deren turbulente Ehe die Besonderheit aufweist, dass sie zweimal geschlossen wurde, sind Eltern eines Jungen und zweier Mädchen. Ihr Ältester ist Guy, der bis zu seinem Tod im Jahre 1999 ein unersetzlicher Zeuge für die Erinnerung an Mel Bonis war.
Edouard und Françoise haben vier Kinder, Claude, Huguette, Daniel und Yvette. Yvette trägt die Erinnerung an ihre Großmutter weiter als Bewahrerin ihres Werks und Patenkind Madeleines. Huguette ist meine Mutter.
Madeleine und Pierre Quinet bleiben einander fest verbunden trotz Madeleines Empfindlichkeit, die ihre Ehe hin und wieder in Gefahr bringt. Sie haben zwei Mädchen und einen Jungen.
Marie-Anne hat uns Zugang zum Archiv, zur Korrespondenz und zu den Gedichten ihres Großvaters Hettich gewährt, Michel hat uns die Briefe seiner Mutter anvertraut.
Jedes Jahr finden sich die 14 Enkelkinder, darunter die Kinder von Madeleine, bei ihrer Großmutter ein, um Neujahr in Sarcelles zu feiern. Niemand weiß von dem verwandtschaflichen Band zwischen den Familien Quinet und Domange.
Eines Tages fragt die siebenjährige Huguette: „Warum kommen die kleinen Quinets Weihnachten immer zu uns?"
Sie bekommt zur Antwort: „Weil deine Großmutter gut ist."

* * *

Immer noch gibt es die ‚Samstagstreffen'. Einige Familien sind dem Haus verbundener als andere, so etwa die von Pierre Domange und René Domange. Die beiden Halbbrüder führen das Unternehmen Muller bis in die dreißiger Jahre hinein gemeinsam. Danach verkauft Pierre seinen Anteil an René und erwirbt La Martinière, ein Unternehmen, das landwirtschaftliche Produkte vertreibt und in das er sein ganzes Vermögen steckt. Nach dem Krieg hatten die Geschäfte floriert, jetzt gehen sie weniger gut. Die Beziehung zu Eugène und Adèle bleibt eng. Die Familie ihres zweiten Sohnes Roger, der jetzt mit Marie Thérèse Faul, ‚Tante Mimy' genannt, verheiratet ist, ist eng befreundet mit Edouard und Françoise und kommt häufig nach Sarcelles.
Mélanie sieht es als ihre Aufgabe an, ihre Wertvorstellungen weiterzugeben.

Auch wenn jeder lebt, wie er möchte, verfehlen ihr Charisma und ihr Humor doch ihre Wirkung auf andere nicht. Die Jüngsten lieben ihre Großmutter zärtlich, und sie zeigt ihnen ihre Zuneigung, indem sie Klavierstücke für sie schreibt. Ein Bild der Sittsamkeit, geliebt und geachtet, so herrscht Mélanie über ihre Welt.
Aus ihrer Abneigung gegen die neuen Moderichtungen, den Materialismus, die Entwicklung von Kunst und Literatur macht sie keinen Hehl. In ihren Aufzeichnungen finden wir die Ratschläge, die sie erteilt, und die Prinzipien, die sie vertritt.
„Misstraut den Verlockungen und dem Luxus" … „Die Drückeberger im Leben: diejenigen, die Genuss um jeden Preis suchen und sich weigern, ihr Teil zum Funktionieren des Sozialwesens dazu zu tun. Sie finden es gut, dass die anderen sich im täglichen Kampf aufreiben, um ihre Pflicht als Bürger, als Familienvater zu tun. Sie wollen ihren Frieden, ihre Ruhe haben, soweit ihre finanzielle Situation es erlaubt." … „Man darf traurig sein, aber man sollte es weder allzu offen zeigen, noch ein vom Kummer gezeichnetes Wesen haben. Verbannen wir den Pessimismus, die Mutlosigkeit, die Schwarzseherei. Die Schwarzseherei! Das sagt alles: Das ist der Rückzugsort der Feiglinge! Das heißt, es ist die Kapitulation vor dem Kampf, die Flucht vor dem Feind. Es ist natürlich sich zu ängstigen. Aber man stiehlt sich darum nicht davon".[150]1
Mélanie spricht von der Sinnenlust, die für sie, neben Hochmut und Geiz, zu den drei Kardinalfehlern der Menschheit gehört. Sie spricht auch von der Liebe in der Ehe, in ihren Augen ein schwacher Abglanz der Liebe Gottes.
Wenn sie mit allen und jedem gesprochen hat, begibt sie sich wieder in die Abgeschiedenheit ihres Reichs, wo sie Seite um Seite mit ihren Gedanken füllt, die alle zum Wesentlichen führen, dem Bekenntnis ihres Glaubens.
Sie betet:
„Möge eine große Ruhe in mir einkehren! Eine Ruhe, die keine irdische Stimme stören kann, damit ich nur Göttliches höre! Diese Ruhe kann sich nur im Innersten der Seele einstellen, in diesem unzugänglichen Zufluchtsort, an dem man ‚mit sich allein' ist."[152]

* * *

Einen Großteil ihrer Zeit verbringt Mélanie in der Ruhe ihres Arbeitszimmers. Sie schreibt Briefe, empfängt Besuch und telefoniert. Sie verwaltet ihr Vermögen und kümmert sich um ihre persönlichen Angelegenheiten, und bald beginnt sie auch wieder zu komponieren.
Ab 1922 verspürt sie wieder das Bedürfnis, schöpferisch tätig zu sein. Da sie im

Liegen schreibt und ihre Kraft nachlässt, ist diese Arbeit für sie mit erheblicher Anstrengung verbunden, und ihr Arbeitsrhythmus ist weniger gleichbleibend als in der Zeit zwischen 1900 und 1914. Wir verdanken dieser Periode aber einen beachtlichen Zuwachs an Werken.
Ohne sich um modische Tendenzen zu kümmern, schreibt Mélanie die Musik, die sie liebt, für ihre Brüder im Geiste, für ihren Gott.
„Die Musik ist so etwas wie das Wesen der Seele: Man versteht sich nur unter Geistesverwandten", schreibt sie.[153]
Dominierendes Merkmal dieser dritten Kompositionsperiode ist die Hinwendung zur geistlichen Musik. Je älter die Komponistin wird, desto umfassender ist in ihrem Schaffen der Anteil an Werken für Orgel und für Chor. Sie schreibt keine weltlichen Lieder mehr und verzichtet auf Orchestrierungen, aber es entstehen noch schöne Werke für Klavier, darunter ein Band mit fünf Stücken, der umfangreichere Teil der Kinderstücke, einschließlich der vierhändigen, und einige neue Kammermusikwerke.
Mélanie nimmt wieder Kontakt zu Herausgebern auf. Außer Verlegern für geistliche Musik sind ihre wichtigsten Partner Max Eschig und Maurice Senart.
Zu Beginn der Zwanziger Jahre hat der Verlag Eschig das Editionshaus Demets gekauft und ist so im Besitz des größten Teils der Werke aus Mel Bonis' zweiter Schaffensperiode.

Die pädagogischen Werke sind im Handel sehr gefragt. Das *Album pour les tout-petits* ist von dem Verleger Philippo übernommen worden und Mel Bonis muss auf alle Einnahmeanteile verzichten: „Das *Album pour les tout-petits* verkauft sich gut", schreibt sie an Madeleine, „zu anderen Zeiten hätte man gesagt, dass meine Geschäfte gut gehen!" Die *Scènes enfantines*, 1912 von Demets herausgegeben, sind jetzt Eigentum von Eschig, der Mel Bonis um weitere pädagogische Bände bittet. Vier wird sie noch erstellen.
Auf Mel Bonis' Voschlag bringt Eschig einige Klavierstücke wie die *Cathédrale blessée* heraus, zehn Jahre nach ihrem Entstehen im Krieg, und die *Sévillana*, die sie ihrem Freund, dem Spanier Santiago Riera widmet, einem hervorragenden Pianisten, Lehrer am Pariser Konservatorium und Verlagsleiter bei Durand. Aber anders als sein Vorgänger Demets ist Eschig nicht bereit, in die Kammermusik zu investieren.
Mel Bonis nimmt wieder Verbindung zu Maurice Senart auf. Er bringt einige ihrer Klavierstücke heraus, wie *Près du moulin* und die letzten *Cinq pièces,* darunter *Berceuse triste* und *Boston Valse,* die sich gut verkaufen lassen. 1922 veröffentlicht er ihre *Sonate pour piano et violon,* die noch ausführlich besprochen werden wird.

Was die geistliche Musik angeht, so erscheinen einige Arbeiten, wie das *Chant nuptial*, ein Kammermusikwerk, und ein paar Chorstücke bei Hamelle, andere werden von der Schola Cantorum in Paris und Orgelwerke bei der Musique Sacrée in Toulouse herausgegeben.
Die Verhandlungen mit den Verlegern sind zweifellos schwierig, und ein großer Teil der Kammermusik findet keine Abnehmer. Dafür gibt es mehrere Erklärungen: Der Stil der Komponistin entspricht nicht mehr der Zeit und ihr fehlt die Energie, ihre Umwelt vom Wert ihrer Arbeit zu überzeugen. Zudem zögern die Verleger, ein Risiko einzugehen, um nicht wie so viele andere in Konkurs zu geraten. Daher gibt Mel Bonis einige Werke auf eigene Kosten heraus, so das *Quatuor en ré* bei Hamelle und Chöre und Kammermusik bei Schneider.

Nach ihrem Tod finden sich bei ihren Verlegern etliche unveröffentlichte Manuskripte: Klavierstücke bei Eschig und Orgelstücke bei der Schola Cantorum.

* * *

Auch wenn man Mel Bonis' Musik durchaus als originell bezeichnen kann und die Suche nach neuen Wegen viele ihrer Werke kennzeichnet, gehören sie und die Musiker, die wie sie in der Nachfolge der Romantiker stehen, inzwischen doch zu Randfiguren der Musikwelt. Das Publikum belächelt sie, tut sie als ‚verstaubt' ab. In Paris hört man Debussy, Ravel und Paul Dukas. Nur die ‚Groupe des Six' zählt noch, die das Gedankengut der Surrealisten, Cocteaus und der Dichter von Saint-Gemain-des-Prés aufgreift. Man schwärmt für die ‚musique concrète', für Varèse und die elektronische Musik und die Ondes Martenot'[154]. Nur die neu erfundene ‚singende Säge' soll Mel Bonis entzückt haben – weil Edouard Domange sie spielte!
In der sich daran anschließenden Periode der atonalen Musik entsteht das Bedürfnis, neue Regeln zu schaffen. Nacheinander, zuweilen auch gleichzeitig, begeistert man sich für die Polytonalität, die Zwölftonmusik und die serielle Musik.
Die neuen Möglichkeiten der Aufzeichnung von Musik und das Radio gewähren dem Publikum Zugang zur Musik der ganzen Welt. Jazz und Ragtime haben einen Riesenerfolg in Paris. Ihren Einfluss spüren wir in Mel Bonis' *Boston Valse* und im Scherzo des *Quatuor en ré*. Die ‚Unterhaltungsmusik' nimmt als Gattung Abstand von der ‚klassischen' zeitgenössischen Musik, die den Hörgewohnheiten der Mehrheit nicht mehr entspricht.
Während die Elite sich für ‚Lulu' von Alban Berg und Paul Dukas' ‚Blaubart' begeistert, verhilft das Volk, unterstützt von Radio und Zeitungen, die ihre Macht zu zeigen beginnen, mit Maurice Chevalier und Josephine Baker den ers-

ten medienwirksamen Stars zum Aufstieg: Wie später die Fußballstars liefert Frankreich diese beiden neuen Idole dem Verlangen seiner Bürger nach glühender Verehrung aus.

* * *

Die ‚Gleichgesinnten' bleiben untereinander. Mel Bonis pflegt Kontakt mit einer ganzen Runde von Musikern. Man arbeitet zusammen, schreibt sich, telefoniert, lädt sich ein und organisiert musikalische Soireen und Konzerte. In ihrer Korrespondenz finden sich vor allem die Spuren eines sehr persönlichen Gedankenaustauschs mit Ermend Bonnal, dem Direktor einer Musikschule in Bayonne, der wie sie in seiner Musik von César Franck geprägt ist. Mélanie trifft andere Komponisten wie Maurice Helliz, sie interessiert sich für ihre Werke und lässt sie aufführen. Zu ihren Bekannten gehören etliche Lehrer am Konservatorium, die Pianisten Phillip, Riera und Falkenberg, der Geiger Touche, Marcel Samuel-Rousseau und seine Frau, der Organist Eugène Gigout, der Harfenist Marcel Tournier, der Cellist Paul Bazelaire; Musiker unterschiedlichster Fähigkeiten, der Flötist René Grisard, der getreue Marquis de Gantès, die Kusinen Filon (die Geigerin Simone und die Pianistin Madeleine), die beide in der Stadt unterrichten. Sänger wie der unbedeutende Tremblay und der berühmte Panzera, Schüler von Hettich, treten in Mel Bonis' Haus auf. Musikliebhaber wie Monsieur Malherbe und der Rechtsanwalt Pierre Dessaigne laden Komponisten und Ausführende zu sich ein. Jeanne organisiert ihrerseits musikalische Soireen, Madeleine nimmt daran teil…

Gesundheitliche Probleme machen Mélanie mehr und mehr zu schaffen. Ihr körperlicher Zustand macht das Komponieren anstrengend. Heftige Schmerzanfälle, eine häufig wiederkehrende Halsentzündung, Ischias und Migräne führen dazu, dass sie wichtige Ereignisse verpasst. Wir besitzen zum Beispiel einen Brief der ‚Concerts Lamoureux', in dem man es bedauert, dass ihr Gesundheitszustand es ihr nicht erlaube, eines ihrer Werke am vorgesehenen Datum zu Gehör zu bringen. Sie geht immer weniger aus.

* * *

Die Kammermusik der letzten Periode

In einem Artikel des ‚Courrier Musical' von 1922 lesen wir: „Es ist Madame Bonis hoch anzurechnen in dieser Zeit: Sie schreibt gesunde Musik. Sie besitzt eine außergewöhnliche Leichtigkeit und hat einen natürlichen Sinn für Gegensätze. Ganz ungezwungen geben ihre Werke den inneren Strom ihrer Empfindungen wieder."

Zwischen 1922 und 1930 schreibt Mel Bonis fünf letzte bedeutende Kammermusikwerke, darunter die beiden Hauptwerke dieser Periode, die *Sonate pour violon et piano* und das *Quatuor en ré* für Klavier, Violine, Viola und Violoncello.
Die *Sonate pour violon et piano* erscheint 1922 bei Maurice Senart. Zusammen mit den beiden anderen Sonaten der zweiten Periode für Cello und Klavier und für Flöte und Klavier bildet sie ein wunderbares Ensemble. „Auch bei der Violinsonate von 1911 ist nicht zu verstehen, warum sie im gegenwärtigen Musikleben nicht einen würdigen Platz in der Reihe der großen französischen Violinsonaten (C. Franck, Saint-Saëns, Fauré, Debussy) einnimmt. Sie ist 4-sätzig und beginnt mit einem Moderatosatz, der sich durch rhythmische Verschleierung, chromatische Linien und eine Fülle von Seufzer- und Sehnsuchtsmotiven zu einem eindrucksvollen Seelengemälde voller Wehmut entwickelt. Ein spritziges Scherzo voller Charme und Witz schließt sich an – der Kontrast könnte nicht größer sein", schreibt Eberhard Mayer 1998 in seiner Darstellung der Komponistin. 75 Jahre früher schreibt ein Musikkritiker des ‚Courrier du Musicien', der ebenfalls empfänglich ist für die Gegensätze in dieser Sonate: „Ich erinnere mich, im Salon des Musiciens eine Sonate aus der Feder von Mel Bonis gehört zu haben, die mir unendliche Freude gemacht hat. … In dieser Sonate für Klavier und Violine gab es ein Andante, das auf einer ganz schlichten griechischen Melodie aufbaute. Das Thema entwickelte sich auf treffliche Art und Weise, dann erstrahlte ein mächtiges und farbenprächtiges Finale. Nichts war angenehmer als diese künstlerisch so gelungene Gegenüberstellung von Licht und Schatten." (Anonym, 1923)[155]

Das *Quatuor en ré majeur* von 1927 ist eines der Meisterwerke von Mel Bonis. Es ist ihrem Mitschüler Gabriel Pierné gewidmet und hat vier Sätze: Moderato, Scherzo, Lento und Allegro. Bemerkenswert im Aufbau und reich instrumentiert, ist es homogen und abwechslungsreich zugleich. In seinem leuchtenden D-Dur strahlt es Vitalität und Lebensfreude aus. Das Scherzo in seinem synkopischen Dreiertakt, in Tempo und Stil an die ‚Boston-Mode' angelehnt, entspricht ganz dem Zeitgeschmack.

Der Komponist Joseph-Ermend Bonnal zieht dieses Quartett dem ersten vor. Er schreibt an Mel Bonis: „Ich habe Ihr zweites Quartett gelesen und gehört, und seine Eleganz ebenso wie der intime Charakter seines Stils gefallen mir ausgesprochen gut. Es ist eine sehr gefällige, hübsch gebaute und durchdachte Musik. Es gehört heutzutage wahrhaftig Mut dazu, eine solche Musik zu schreiben. Aber da ich weiß, dass Sie eine wirkliche Künstlerin sind, liebe Madame, werde ich nicht die Ungehörigkeit begehen, Sie zu Ihrer musikalischen Aufrichtigkeit zu beglückwünschen. Aber dennoch: Welch seltene Tugend in unserer Zeit!"

Beim Hören dieses zweiten Quartetts begegnen wir der wahren Mélanie; wir spüren die Lebenskraft einer erschöpften alten Dame, ihre Ungeduld in diesem geschwächten Körper, die unerschöpfliche Vorstellungskraft ihrer von Prinzipien gefesselten Psyche, das innere Feuer dieser Persönlichkeit, der das Leben so enge Grenzen gesetzt hat. Die Kraft, die Jugendlichkeit, die Lebendigkeit ihrer Musik zeugen von der Stärke eines Empfindungsvermögens, das durch Konventionen und Schicksalswendungen eingeengt wurde und doch noch einen Weg fand sich auszudrücken.

Trotz der bewundernden Kommentare eines sachkundigen Publikums, trotz einiger erfolgreicher, wenn auch im eher kleinen Kreis erfolgter Aufführungen findet das zweite Quartett keinen Verleger. Mel Bonis lässt es auf eigene Kosten drucken und Hamelle übernimmt den Verkauf.

In einem undatierten Brief an Madeleine, der aber aufgrund von Hinweisen auf die Geburt von Madeleines erstem Kind und das Erscheinen der *Scènes enfantines* wohl aus dem Jahr 1926 stammt, schreibt Mélanie: „Mein Quartett ist fast fertig: Ich betrachte es als eine Art musikalisches Testament, auch wenn ich mich noch ein bisschen auf dieser Welt aufhalte."

Zur gleichen Zeit versucht sie, eine korrigierte Fassung des ersten Quartetts bei Eschig unterzubringen, um auf ein Ensemble von zwei Quartetten stolz sein zu können. Sie begreift aber jetzt, dass sie keine wesentliche Investition von Seiten ihrer Verleger mehr erwarten darf, ganz gleich, welche Meisterwerke sie noch anbieten würde, wie genial ihre Einfälle, wie hoch die eingesetzte Energie auch wären.

Ebenfalls im Jahre 1927 und auch auf ihre eigenen Kosten erscheinen die *Scènes de la forêt* (Waldszenen). Diese Suite für Flöte, Horn und Klavier umfasst vier Sätze: ‚Nocturne' (Nachtstück), ‚A l'aube' (In der Morgendämmerung), ‚Invocation' (Anrufung) und ‚Pour Artémis' (Für Artemis). Es sind spätromantisch-impressionistische Klangbilder beschreibenden Charakters, kontrastreich, farbig und von erstaunlicher harmonischer Fantasie und Kühnheit. Die harfenty-

pische Struktur des Klaviersatzes lässt vermuten, dass dieses Werk auch für Harfe geschrieben ist, allerdings mit einer Fülle von Chromatismen, die sich nur mit der chromatischen Harfe, einem heute nicht mehr gebräuchlichen Instrument, zufriedenstellend realisieren lassen. Es ist davon auszugehen, dass dieses Werk eine Adaptation der *Suite pour harpe chromatique et deux instruments à vent* (Suite für chromatische Harfe und zwei Blasinstrumente) ist, mit der Mel Bonis 1905 einen Preis der Société des Compositeurs gewonnen hatte.
Die *Suite dans le style ancien* mit den Sätzen ‚Prélude', ‚Fuguette', ‚Choral' und ‚Badinage' (Tändelei; in der Quartettversion als ‚Divertissement' bezeichnet) ist 1928 entstanden, aber nicht herausgegeben worden. Sie existiert in unterschiedlichen Fassungen: in einer Fassung für Klavier, Flöte, Violine und Viola (oder Klarinette in B) und in einer undatierten Fassung für Bläserseptett (2 Flöten, Oboe, Klarinette in B, Horn in F und 2 Fagotte). Hinzu kommt eine teilweise Transkription für Klavier zu vier Händen. Der Titel deutet bereits an, dass Mel Bonis hier bewusst zu den barocken und klassischen Quellen zurückkehrt, ohne allerdings auf ihren ganz eigenen Stil, ihre originelle Harmonik zu verzichten. Sie widmet das Werk ihrem Freund Ermend Bonnal. Die Idee zu dieser Suite ist, zumindest für die beiden ersten Stücke, deutlich älter, finden sich doch genau die beiden Titel, ‚Prélude' und ‚Fuguette'[156], auf Orgelmanuskripten der *Quatre pièces pour orgue à pédale* der Jahre 1913/14. Auch für den ‚Choral' existiert eine Transkription für Orgel, die 1933 in der Zeitschrift ‚La Musique Sacrée' in Toulouse veröffentlicht wurde.

Das mit *Chant nuptial* oder *Epithalame*[157] (Hochzeitslied) bezeichnete Stück für Violine, Harfe und Orgel lädt zur inneren Sammlung ein. Mel Bonis widmet es dem mit ihr befreundeten Abbé Durand, einem großen Liebhaber liturgischer Musik. Es erscheint 1928 bei Hamelle und wird bei zahlreichen Hochzeiten in der Familie gespielt. So erklingt es auch bei der Hochzeit von Guy Brochot 1936, doch Mel Bonis ist schon zu geschwächt, um daran teilnehmen zu können. Auf dieses Werk bezieht sie sich, als sie an Madeleine schreibt: „Mein großer Kummer: meine Musik nie zu hören."
Andante et Allegro für Flöte und Klavier entsteht 1930. Es ist dem Flötisten René Grisard gewidmet. Auch lange nach dem Tod des Flötisten Louis Fleury, der sie als erster dazu angeregt hatte, für Flöte zu komponieren, schreibt sie weiterhin für dieses Instrument. Das letzte Stück, *Une flûte soupire* (Eine Flöte seufzt) erscheint 1936 bei Senart und ist die Transkription eines 1926 ebenfalls bei Senart erschienenen Klavierstücks. Diese beiden letzten Werke bestätigen Mel Bonis' Liebe zur Flöte und ihre Kunst, das Instrument auf wunderbare Weise zum Klingen zu bringen.

Von Anfang und Ende
wissen wir nur wenig.
A.L. Hettich

II.9

Himmelwärts – am Ende eines langen Lebens
Die geistliche Musik für Gesang

Mélanies Beweglichkeit lässt nach. Das Hin und Her zwischen Paris und Sarcelles wird ihr zu beschwerlich. Sie vermietet die Wohnung am Boulevard Berthier und richtet sich 1931 endgültig in Sarcelles ein.
Sie ist immer mehr auf Hilfe angewiesen. Choute, ihre Kammerfrau, muss ihre Liege nach draußen rollen, wenn sie vom Esszimmer in den Garten möchte.

Eines Tages kommt Huguette, acht Jahre alt, mit ihrem Notenheft zu ihr und zeigt ihr eine Melodie, die sie erfunden hat. Das kleine Mädchen setzt sich ans Klavier, um das Lied vorzuspielen, die Großmutter nimmt zu ihrer Linken Platz und improvisiert die Begleitung dazu. In der Erinnerung der Familie ist es das letzte Mal, dass Mélanie aufrecht sitzt.
Trotz ihrer Schwäche ist die Musik in ihr immer noch lebendig und sie hat immer noch genügend Energie, um sich um die Herausgabe ihrer Werke zu kümmern. Sehen wir uns einen Augenblick ihre Korrespondenz mit ihrem letzten Herausgeber, dem ihrer Orgelwerke, an. Es ist der Italiener Vittorio Carrara, der sich auf geistliche Musik spezialisiert hat.[158] Es ist eine späte Begegnung in Mel Bonis' Leben, wenn man überhaupt von einer Begegnung sprechen kann, denn vieles lässt vermuten, dass sie sich nie gesehen haben. Die Entstehung des Orgelwerks erstreckt sich über mehrere Perioden zwischen 1912 und 1936. Einige Stücke erscheinen bei ‚La Musique Sacrée' in Toulouse, andere bei der ‚Schola Cantorum' in Paris. Der Rest wartet auf Veröffentlichung, als 1930 die ersten Spuren einer Zusammenarbeit zwischen Mel Bonis und Carrara, ‚Editori di Musica Educativa e Sacra, direttore de la capella musicale di S. Alessandro in Colonna, Cavaliere dell'O. D. di S. Gregorio Megno' auftauchen.

Mel Bonis schickt ihm Manuskripte, ungefähr eines pro Jahr, mit Blick auf ihre Veröffentlichung in seiner Zeitschrift ‚Maestri del organo'. Seine ersten Antwortschreiben richtet er an „Signor Maestro", „Esimio Maestro" oder „Illustre Maestro Mel Bonis". 1934/35 lesen wir „Gent. Ma Signore" und 1937, im Todesjahr von Mel Bonis, heißt es „Gent. Ma Amica"! In den ersten Jahren bittet der Herausgeber Mel Bonis um neue Kompositionen, und sie schickt sie ihm regelmäßig zu. 1933 tauschen sie ihre Fotos aus. Sie schickt ihm ein Bild von 1900, das sehr viel später das Orgelalbum[159] schmücken wird. 1934 bittet Carrara sie, ihn bei der Suche nach weiteren französischen Orgelkomponisten zu unterstützen. Dann tauchen erste Probleme auf. Da Carrara seit einiger Zeit nichts mehr von ihr veröffentlicht hat, bittet ihn Mel Bonis 1935, ihr ein nicht veröffentlichtes Manuskript zurückzuschicken – vergeblich. Es ist offensichtlich verloren gegangen. Er beauftragt sie, ein leichteres Stück zu schreiben, sie ärgert sich darüber. Auf einen bösen Brief von Mel Bonis, in dem sie den Abbruch ihrer Beziehungen und die Rückgabe aller Manuskripte fordert, antwortet Vittorio am 28. März 1935: „Ich bin tief betrübt, dass Sie sich vom Verlag Carrara trennen wollen und vor allem vom Unterzeichner dieses Briefes, der auf einem Foto, das er sorgfältig aufbewahrt, der ‚liebenswürdigste aller Verleger' genannt wurde … Ich bat Sie um irgendein leichtes und spritziges Stückchen, um diejenigen unserer Abonnenten zufriedenzustellen (das ist die Mehrheit), die etwas eher Fröhliches haben möchten; damit wollte ich keineswegs meine Bewunderung für alle Ihre Kompositionen zurücknehmen … Auch wenn unsere Zeitschrift für die Mehrzahl der Abonnenten einfach, volksnah und leicht sein möchte, so muss sie dennoch auch auf die Mitarbeit einiger Elitemusiker rechnen können, damit auch die Ausführenden mit einem guten Geschmack auf ihre Kosten kommen. In dieser Hoffnung bitte ich Sie usw. usw.". Am 10. Juni 1936 schreibt er noch einmal: „… Während Sie es wagen, mir zu schreiben, dass ich mich nicht mehr für Sie interessiere und Ihre Musik unsere Zeitschrift nicht mehr interessiere, BIN ICH GERADE DABEI, EINES IHRER STÜCKE ZU VERÖFFENTLICHEN (weiter unten die Kopie des ersten Taktes), das in der Ausgabe dieses Monats herauskommen wird."

Die gesamte Korrespondenz ist ausgesprochen kompliziert, da die beiden Protagonisten, die die Sprache des anderen nicht sprechen, für jeden Brief einen Dolmetscher zu Hilfe nehmen müssen. Zudem ist die Post nicht die schnellste zwischen den beiden Ländern …

1935 teilt Mel Bonis Carrara ihren Wunsch mit, alle ihre Orgelstücke in einem Band zusammenzustellen. Mit der größten Liebenswürdigkeit antwortet der Herausgeber, er schätze die Idee, bedauere aber, sie nicht unentgeltlich umsetzen zu können. Er macht einen Finanzierungsvorschlag, den Mel Bonis gekränkt ablehnt. Nach ihrem Tod zwei Jahre später ist von diesem Sammelband nicht mehr die Rede, bis Jeanne Brochot 1967 beim Nachfolger von Vittorio Carrara einen Band mit dem Titel *21 pièces d'orgue* von Mel Bonis auf eigene Kosten herausgeben lässt.

Mel Bonis auf ihrer Chaiselongue

* * *

1932. Ihr Lieblingssohn Edouard Domange ist in Schwierigkeiten. Sein Geschäftspartner, Monsieur Colin, soll folgenschwere Unterschlagungen begangen haben, und die Maison Krieger ist dem Konkurs nahe. Edouard muss sofort nach Kairo aufbrechen, um Außenstände einzutreiben. Es geht ihm nicht gut, er hat Schmerzen, aber trotz der Bitten seiner Frau Françoise lehnt er es ab, die Reise zu verschieben.

Die beiden Eheleute wechseln liebevolle Briefe. Die Verhandlungen erweisen sich als schwierig, und Edouard geht es sehr schlecht. Er möchte so schnell wie möglich nach Hause zu seiner Frau und seinen vier Kindern. Françoise fleht ihn an, unverzüglich zurückzukommen, doch es steht zu schlecht um die geschäftlichen Angelegenheiten. In seinem letzten Brief schreibt Edouard, dass er wegen einer Blinddarmentzündung in Kairo ins Krankenhaus gehe. Aber die Entzündung ist schon zu weit fortgeschritten. Der Eingriff hat zu spät stattgefunden. Edouard kehrt nicht zurück.

Sein Tod ist für alle unbegreiflich, und es folgen weitere Katastrophen. Das Unternehmen Krieger zerbricht endgültig. Die Familie Domange hat alles verloren. Françoise bleibt allein mit vier Kindern zwischen zehn und einem Jahr zurück, nur unterstützt von einer Pension, die ihr Bruder ihr zukommen lässt. Ihr Lebensinhalt ist die Erziehung der Kinder. Intensiv kümmert sie sich um die musikalische Ausbildung ihrer beiden Töchter, Huguette und Yvette, die die Tradition fortsetzen werden. Die Wochenenden verbringt sie weiterhin mit den Kindern bei der Großmutter in Sarcelles.
Als sechs Jahre später der zweite Weltkrieg ausbricht, ist Françoise bereits krank. Sie leidet drei Jahre lang und stirbt mit 42 Jahren an Krebs. Huguette ist 18 Jahre alt, als sie ihrer Mutter in ihren letzten Stunden beisteht.
Claude, der älteste Sohn, der sich an der Seite de Gaulles engagiert hat, stirbt 1942 mit 22 Jahren in derselben Woche wie seine Mutter an den Folgen seiner Verwundungen in der Schlacht von El Alamein. Françoise erfährt es nicht mehr.

Paris ist besetzt. Die drei überlebenden Kinder, Huguette, Daniel und Yvette, sind jetzt allein. Aus Anhänglichkeit an die Familie zieht Françoises englische Kinderfrau, Miss Netta, mit ihnen in die Rue de Courcelles und führt den Haushalt. Die Duroyaumes haben die Zahlung von Françoises Pension bei ihrem Tod eingestellt, und die Situation der Kinder ist prekär. Die Familie Domange reagiert wie immer solidarisch, man legt zusammen, um die Kinder zu unterstützen. Mimy Roger Domange wird eine zweite Mutter für Huguette, so wie Jeanne Brochot es für Yvette sein wird. Huguette gibt Harfenunterricht im Konservatorium in Orléans, spielt in einem Orchester in Paris die ‚Lustige Witwe' mit und unterrichtet Yvette. In den Kriegswintern ist es so kalt, dass sie beide im einzigen geheizten Raum der Wohnung üben, die eine Harfe, die andere Klavier.
Daniel brennt darauf, seinen Bruder zu rächen. Es gelingt ihm, sich in eine Liste der Widerstandskämpfer[160] eintragen zu lassen, da er jedoch zu jung ist, überträgt man ihm keine wirklich verantwortungsvollen Aufgaben. Mit seinem Cousin Daniel Gieules organisiert er seinen privaten Widerstand: Die beiden Jungen suchen sich einen ‚Boche'[161] aus, der sich zum Beispiel auf einer Bank im Park ausruht, am liebsten einen, der ‚in Begleitung' ist. Sie nähern sich ihm von hinten, entreißen ihm Pistole und Helm und rennen so schnell sie können weg. Ihre Trophäen verstecken sie in der Rue de Courcelles. Bald quellen die Schubladen über von Pistolen, Maschinengewehren, Koppeln und Helmen. Eines Abends steht die Gestapo vor der Tür: Sie holen Daniel ab, man hat seine Widerstandsgruppe denunziert. Panisches Erschrecken, Miss Netta, Huguette, Daniel, alle vermeiden es, in Richtung der Kommode zu blicken. Nach einer raschen Über-

prüfung der Wohnung nehmen die Soldaten Daniel mit. Für den Moment ist es fast eine Erleichterung. Aber dann…
Der 17-Jährige wird nach Buchenwald deportiert. Auch Miss Netta wird verhaftet, weil sie englische Flieger versteckt hat. Huguette und Yvette können nicht alleine bleiben. Eugène und Adèle Domange nehmen Huguette auf. Yvette geht zu Jeanne Brochot.

* * *

Mélanie bringt ihren Schmerz über den Tod ihres Lieblingssohns in einem Klavierstück mit dem Titel *In memoriam* zum Ausdruck, das sie Françoise Edouard Domange widmet. Zwei Jahre später schreibt sie – „in Erinnerung an meinen lieben Edouard“ – eines ihrer Meisterwerke, das *Cantique de Jean Racine.*
Bei Eschig bringt sie noch ihre letzten Kinderstücke heraus, *Neuf pièces faciles*, die die Widmungen „à Huguette“ und „à Yvette“ tragen. Sie liebt die kleine Letztgeborene sehr, die ihrem Vater Edouard gleicht, erzählt ihr viel von ihm und hält so das Bild ihres Vaters in ihr lebendig.
Mélanie unterstützt Françoise in ihren Bemühungen um die musikalische Erziehung ihrer Töchter, wobei sie versucht, sie von ihren allzu hohen Anforderungen an den Fleiß der Kinder abzubringen. Yvette hört es gerne, dass ihre Großmutter findet, man verlange ihr zuviel ab. Vier Stunden Klavier pro Tag mit neun Jahren! Lieber hört sie den Vögeln zu und spricht mit Großmutter über ihren Vater.

Die Quinets leben jetzt in Grasse und Mélanie und Madeleine schreiben sich regelmäßig. Später wird Madeleine ihrem Patenkind Yvette anvertrauen, wie sehr sie unter der Trennung von Edouard gelitten hat, über die sie nie ganz hinweg gekommen ist. Mit seinem Tod erlöschen alle Hoffnungen und eine Art Frieden stellt sich ein.

Jeanne lässt sich zum zweiten Mal scheiden, und die Beziehung zwischen Mutter und Tochter bessert sich nicht. Madeleine ist weit weg. Außer den Besuchen der Familie und den Wochenenden mit Françoise und den Kindern führt Mélanie ein einsames Leben. Oft macht sie den Eindruck, anderswo zu sein, so als warte sie auf die Begegnung mit ihrem Gott, auf das Wiedersehen mit Edouard und mit all denen, die sie geliebt hat. Sie schreibt: „Mein Gott, sei für alles gesegnet … Du hast zwischen den Seelen ein Band geschaffen, das sie miteinander verbindet wie die Glieder derselben Kette. Welche Wohltat entsteht daraus unter den Erwählten, wo das wunderbare Dogma der Gemeinschaft der Heiligen sichtbar wird! Mögen alle, die du mir gegeben hast und die ich liebe, eines Tages – wenn du uns dessen für würdig erachtest – in dieser glücklichen Gemeinschaft um mich sein."[162]

Die schöpferische Inspiration der letzten Jahre hat ihre Wurzeln in ihrer tiefen Gläubigkeit. Sie schreibt nur noch geistliche Musik für Orgel und für Chor.

* * *

„Geistliche Musik muss heiter sein."[163]

Die Weihnachtsmusiken

Die Stücke für die Weihnachtszeit bilden eine Gruppe für sich. Sie stammen aus der Hettich-Zeit und der Zeit, als sie ihre Kinder aufzog. Einige sind ihrem Charakter nach religiös, andere nicht. Das Thema inspiriert sie und gefällt ihren Verlegern: Die ersten Stücke erscheinen bei Leduc, die folgenden bei Demets.

Das *Noël pastoral* ist das erste Stück, an dem sie nach ihrer Wiederbegegnung mit Hettich zusammen arbeiten. Es ist halb weltlich, halb religiös, für Stimme und Klavier geschrieben und erscheint 1892 bei Leduc. Diese liebliche Weihnachtsmusik preist die Bretagne und die Liebe der bäuerlichen Jugend im Zauber der schönsten aller Nächte.

Das folgende Weihnachtsstück ist eine Motette für vier gemischte Stimmen. Die *Prière de Noël* (Weihnachtsgebet) von Hettich und Mel Bonis (Leduc, 1899) steht am Ende der ersten Schaffensperiode der Komponistin und bringt in seiner Schwermut ihren Schmerz und ihre Schuldgefühle zum Ausdruck. Das Stück ist dem Komponisten Louis Bourgault-Ducoudray gewidmet, der vielleicht in ihre Geschichte eingeweiht war.

Das *Noël de la vierge Marie* oder *Noël de la vierge endormie* auf einen Text von Madeleine Pape-Carpantier erscheint kurz nach 1900 bei Demets. Es ist für eine Stimme und Klavier oder Orgel geschrieben. Mit einer originellen Melodie und subtilen Harmonien preist die Musik die Idee der reinen Liebe der Jungfrau Maria und lässt den altmodischen Text fast vergessen.

La Veille de Noël (Heiligabend) ist ein kleiner Dialog für Kinder ohne religiösen Bezug. Auch dieser Text stammt aus der Feder von Madeleine Pape-Carpantier. Zwei Kinder (Edouard und Jeanne) warten auf den Engel, der die Geschenke bringt, und singen dabei ein Wiegenlied. Es erscheint 1900 bei Grus.

1903 gibt Mel Bonis auf eigene Kosten ihre *Berceuse de Noël* heraus, deren Einband eine Zeichnung von H. Viollet schmückt. Auch dies ist ein Lied für Kin-

der. Der Text, mit dem Pseudonym ‚Poul Ar Fentoun' unterzeichnet, erzählt vom Weihnachtsengel, den Geschenken und den Träumen der Kleinen in der Weihnachtsnacht. 1904 erscheint das Stück bei Hachette mit demselben Text, der dieses Mal als Urheberin aber Madeleine Pape-Carpantier nennt.
Das *Noël ancien* für eine oder zwei Stimmen mit Klavier- oder Orgelbegleitung ist spät entstanden. Mel Bonis spricht in ihrem Text von der Schönheit des Jesuskindes und seiner Botschaft der Liebe. Dieses Weihnachtslied wird zusammen mit den beiden *Cantiques de communion* von Hamelle herausgebracht.

Das geistliche Lied für ein oder zwei Stimmen

Mel Bonis hat fünf geistliche Lieder für eine Stimme veröffentlicht: *O Salutaris* 1901 bei Leduc, *Ave Maria* 1905 bei Demets, *Allons prier* (Lasst uns beten) 1906 bei Hamelle auf einen Text des Abbé Rimbault und zwei Lieder zur Ersten Heiligen Kommunion, *O mystère d'amour* (Geheimnis der Liebe) (Hamelle, 1934) und *Troupe innocent*e (Unschuldige Schar) (Hamelle, 1936).
Das *Ave Maria* verdient ebenso wie das *Noël de la vierge Marie* aus der gleichen Zeit besondere Aufmerksamkeit. Für Mezzo-Sopran geschrieben, aber dennoch mit schönen hohen Tönen, gewinnt es, wenn man es mit der Orgel statt mit dem Klavier begleitet. In heiterer Gelassenheit steigt die Melodie empor, während die Harmonien den spirituellen Raum schaffen.
Für zwei Stimmen bringt Mel Bonis 1899 bei Leduc ihr *Regina coeli* heraus, *Panis angelicus*, undatiert, bei Delépine und 1930 auf eigene Kosten *Sub tuum* bei Schneider. Die ersten beiden sollte man solistisch aufführen. Für eine Aufführung des *Sub tuum* bietet sich ein zweistimmiger Frauenchor an.
Auf dem Höhepunkt ihres Konfliktes zwischen körperlicher und göttlicher Liebe schreibt Mel Bonis das *Regina coeli*. Sie widmet es Lucie Lange, einer Mitstudentin aus der Kompositionsklasse von Ernest Guiraud, die ins Kloster gegangen war. Die in die Höhe aufsteigende Melodieführung und die Harfenbegleitung unterstreichen die romantische Innerlichkeit der Musik und die von ihr ausströmende Reinheit der Empfindung.

Das geistliche Werk für Chor

Verborgen in der Tiefe der Schubladen fand sich ein Schatz an geistlicher Chormusik, der in seiner Schönheit ihr Leben – ihre Musik und ihr Denken – umreißt.

Mit Ausnahme der mit Hettich verfassten *Prière de Noël* und des auf eigene Kosten erschienenen *O Salutaris* wurde nichts veröffentlicht. Wohl hatte sich nach dem Tod von Mel Bonis ihre Tochter Jeanne für diesen Teil des Werks interessiert. Sie gab vieles einem Kantor zur Durchsicht und ließ etliche Stücke abschreiben und vervielfältigen. Aber außer für das *Cantique de Jean Racine* gibt es keinen Hinweis auf eine Aufführung. Alles geriet für mehr als 60 Jahre in Vergessenheit.
Da sind zunächst drei Motetten für ein Vokalquartett ohne Instrumentalbegleitung, *Adoro te*, *Inviolata* und die *Prière de Noël*. Der Verlag Armiane hat 1998 *Adoro te* und *Inviolata* herausgegeben. Diese beiden Stücke kann man gut zusammen aufführen. Beim ersten bestimmt die Harmonie den Charakter, beim zweiten der Kontrapunkt.

Da Mel Bonis geschrieben hatte, geistliche Musik müsse heiter sein[164], haben wir für ihre *Messe a cappella* den apokryphen Titel *Messe à la Sérénité* gewählt. Auch dieses Werk wurde 60 Jahre nach seiner Entstehung von Armiane herausgegeben. Die Messe ist für vierstimmigen gemischten Chor geschrieben. Die vom Herausgeber hinzugefügte Orgelstimme hat hauptsächlich die Funktion, den Chor zu stützen. Die Entwicklung der Harmonien und gelegentliche Einwürfe machen zuweilen die Verdopplung der Stimmen notwendig. Die Messe umfasst ein ‚Kyrie', ein ‚Gloria', ein ‚Sanctus' und ein ‚Agnus Dei'.
Im ‚Kyrie' tritt die Tenorstimme besonders hervor, da sie das Thema vorstellt. Die mehrmals erscheinende himmlische ‚Antwort' des Eleison wird von einem zweiten Frauenchor gesungen.
Auch im ‚Gloria' spielen die Tenöre neben drei solistischen Frauenstimmen eine wichtige Rolle. Das relativ lange Stück ist abwechslungsreich und wirkungsvoll gegliedert.
Im ‚Sanctus' erfordert die Vielfalt der Akkorde häufig eine Verdopplung der Stimmen. Das in das Sanctus eingeschlossene Benedictus wird von einem Solistenquartett ausgeführt.
Das im Dreierrhythmus komponierte ‚Agnus Dei' ruht ganz auf kontrapunktischer Arbeit. Auch hier kommt den Tenören wieder eine wichtige Aufgabe zu. Eingeschlossen ist ein kurzes Tenorsolo.

Zur selben Zeit schreibt Mel Bonis weitere mit der Liturgie verknüpfte Chöre: *Ave verum*, *O Salutaris*, *Salve Regina* und zwei Vertonungen des *Tantum ergo*, die eine für vier gemischte Stimmen, die andere für drei Männerstimmen. Wir finden auch das Manuskript eines zweiten *Kyrie*, das die Komponistin zwar beiseite gelegt hat, das aber ebenfalls nicht uninteressant ist. Alle diese Stücke bilden zusammen mit denen, die neu herausgegeben worden sind, in ihrer musikalischen und spirituellen Qualität ein homogenes Ganzes.

Das *Cantique de Jean Racine* scheint das einzige Werk dieser Gruppe zu sein, das vor unserem Versuch einer Rehabilitierung öffentlich aufgeführt worden ist.
Mel Bonis komponiert es in der Trauer um ihren Sohn. Sie beendet es 1934 mit der Widmung „A la mémoire de mon cher Edouard". Bei ihrer Lektüre stößt sie auf Jean Racines Übersetzung von vier biblischen Texten, die ‚Cantiques spirituels'. Ganz besonders spricht das vierte sie an, das auf Jesaias und Jeremias zurückgeht: „Sur les vaines occupations des gens du siècle" (Über die fruchtlosen Beschäftigungen der Menschen dieser Zeit). Die Verachtung der Nichtigkeiten dieser Welt und die Anziehungskraft der Verheißungen einer anderen Welt entsprechen so ganz ihrer Philosophie und die Verse, die sie aus diesem Hymnus auswählt, finden in der Prachtentfaltung ihrer Musik ebenso wie in deren Strenge ein getreues Abbild.
Das *Cantique de Jean Racine* hat eine originelle Besetzung: Orgel und Harfe begleiten einen vierstimmigen gemischten Chor und einen Solo-Tenor. Nach einer langen Orgeleinleitung singt der Chor eine erste Strophe in einer Atmosphäre trister Eintönigkeit, die den dann folgenden Einsatz des Solisten und der Harfe umso leuchtender aufscheinen lässt. Zwei lange solistische Passagen über dasselbe musikalische Thema werden nur durch einige Einwürfe des Chors unterbrochen. Der letzte Teil vereint dann den Chor mit dem Solisten, bevor die Orgel den Schlussteil übernimmt.
In ihrem *Cantique de Jean Racine* drückt Mel Bonis im Gedenken an ihren Sohn musikalisch aus, dass „die Liebe das Atemholen der Seele ist"[165]. Ebenso wie das erste Klavierquartett, ihr *Quatuor en si b,* ist dieses Werk immer lebendig geblieben. In den fünfziger Jahren wurde es mit Pierre Cochereau an der Orgel als 78er Langspielplatte aufgenommen. 1970 wird die Partitur erstmals bei Eschig verlegt und die Chöre des Père Martin der Kirche Saint-Eustache in Paris bekunden ihr Interesse. Aufgeführt wird es anlässlich des 80. Geburtstages von Jeanne Brochot und bei verschiedenen, von der Familie organisierten Festlichkeiten und Konzerten. Die Neuausgabe erscheint zur gleichen Zeit wie die Messe und die Motetten 1998 bei Armiane.
Mélanie Bonis, Madame Albert Domange, stirbt am 18. März 1937 im Alter von 79 Jahren nach kurzem Todeskampf in ihrem Haus in Sarcelles. Ihre Tochter Jeanne ist in ihren letzten Stunden bei ihr. In einem Brief an Madeleine berichtet sie von ihrer letzten Ölung: „(Maman) hat die Beichte abgelegt, die Kommunion empfangen, und während sie die Sterbesakramente erhielt, sah sie glücklich aus, die Seligkeit einer Heiligen. Zabeth, Monsieur Damourette, Denise und ich

knieten an ihrer Seite." Und etwas später: „Arme kleine Madeleine, Dein Bouquet ist zu spät angekommen, aber Guy hat es heute Nachmittag zum Friedhof gebracht … Du weißt, dass Du im Leben immer auf mich zählen kannst."[166]
Jeanne verfasst die Todesanzeige: Sie enthält die Namen von etwa 70 Familienmitgliedern, darunter auch die der ehemaligen Hausangestellten. Madeleines Name fehlt.

Musik aus dem Jenseits

Der Dirigent hob die Hände. Ein Blick genügte, und die Aufmerksamkeit aller Chorsänger war auf ihn gerichtet. Es herrschte Schweigen, alle warteten auf den Einsatz. Ein einziges Zeichen mit der Hand, und die tausend Stimmen der ‚Gemeinschaft der Heiligen' stimmten das ‚Gloria' aus Mel Bonis' *Messe à la Sérénité* in seiner ganzen Dynamik an.
Man sang das kraftvolle ‚Gloria in excelsis Deo' ein erstes Mal einstimmig, bevor die Sopranstimmen es erst vier-, dann fünfstimmig übernahmen. Darauf folgte in ergreifendem Gegensatz das ‚Et in terra pax hominibus', langsam und leise in Fugenform. Ein tiefes Einatmen, und, vom Tenor angetrieben, kehrte der Chor zur Dynamik des Anfangs zurück und sang das ‚Laudamus te' und das ‚Benedicimus te'. Wieder traten die Tenöre hervor, die diesmal zart den Auftakt gaben für das ‚Adoramus te' und das ‚Benedicimus te', die in der Ruhe der Fermate ihren Abschluss fanden. Im ‚Gratias agimus tibi propter magnam gloriam tuam' ging jede Stimme, rhythmisch geführt, ihren eigenen Weg hin zu ihrem Einsatz des ‚Gratias'. Mit demselben Thema luden die Tenöre das ‚Domine Deus' ein sich zu entfalten, als Vorspiel zum lebendigen, kraftvollen Crescendo des ‚Rex coelestis' und des ‚Deus pater'. In zwei aufeinanderfolgenden Passagen verdichtete sich der zunächst einstimmige Chor, bis im Tutti das ‚Omnipotens' aufblühte.
Andachtsvoll, in ruhigem Tempo und pianissimo sangen die Innenstimmen nun das ‚Domine Fili unigenite Jesu Christe, Domine Deus agnus Dei filius patris'. Ein unerwarteter Rhythmus hob das ‚Filius patris' hervor, das in einer überraschenden Modulation wiederholt und durch ein Crescendo noch unterstrichen wurde. Alles atmete wieder tief ein und es erklangen die wenigen Solotakte der Sopranistin, più lento, a piacere. Diese Stimme, die ihre hohen Töne so sanft dahinfließen ließ, sang ‚Qui tollis peccata mundi'. Der Chor antwortete ihr leise und flehentlich ‚Miserere nobis'. Die Sopranistin wiederholte das ‚Qui tollis', begleitet von zwei weiteren Frauenstimmen, die die Phrase mit sanften Terzen füllten. In der gleichen mystischen Stimmumg antwortete der Chor ‚Suscipe

deprecationem nostram'. Vom Chor begleitet sangen nun die Solistinnen das ‚Miserere nobis', bis jede Stimme das melodische und zugleich dramatische ‚Qui sedes ad dexteram patris' anstimmte. Wie in einem Klagelied führte eine lange Schlussphase in einer harmonisch komplexen Entwicklung hinab zu einem leisen, tiefen Schluss.

Dann kehrten die Stimmen zur Strahlkraft des Anfangs zurück, um kräftig das ‚Quoniam tu solus sanctus, tu solus altissimus Jesu Christe' anzustimmen, ein Vorspiel zur Fuge, die den Schluss dieses Stücks Ewigkeit bildet.

Die Fuge erklang jenseits von Raum und Zeit. Zu Beginn wurde das ‚Cum sancto spiritu in gloria Dei patris' vom Alt angestimmt, dann vom Sopran übernommen. In den Frauenstimmen wechselte die Bestimmtheit der Textaussage mit Legato-Vokalisen, bis die Bässe und dann die Tenöre ihre Aufgaben übernahmen. In der vollkommenen Einheit ihrer Höhen und Tiefen, ihrer Modulationen, ihrer Dissonanzen, ihrer Synkopen nahm die Fuge ihren strahlenden Weg. Jenseits von Anfang und Ende vereinigte sie die tausend Stimmen des Himmels in der Komplexität ihres Ablaufs und in ihrer Lebenskraft. Sie erzählte die Geschichte der Welt.

Nachwort

Nach einem langen, von Konflikten geprägten Leben mit ihrer Mutter widmet sich Jeanne deren Werk und nennt sie von jetzt an eine ‚bewundernswerte Mutter'.
Sie und ihr Bruder Pierre erfassen und ordnen die Manuskripte und Notenausgaben. Gleich nach Ende des Zweiten Weltkriegs überprüfen sie die Situation bei den Verlagen. Außer den Klavierstücken für Kinder ist nichts mehr im Handel erhältlich. Pierre Domange nimmt Kontakt zu den Herausgebern auf und begreift schnell die Lage der Dinge. Schon lange wird nichts mehr verkauft. Um das Werk wieder zum Klingen zu bringen, kann er nicht auf die Verleger zählen, die Geschwister müssen also versuchen, die Eigentumsrechte zurückzubekommen. Die Verlage sind zwar nicht bereit, sich für das Werk von Mel Bonis einzusetzen, wollen aber auf keinen Fall endgültig auf die Rechte verzichten. Es braucht Pierres ganze Hartnäckigkeit, um die Rückgabe der Werke an die Nachkommen zu erwirken. Mehr als 60 Kopien von Briefen an Leduc, Eschig, Senart und alle anderen legen Zeugnis davon ab. Nur Durand verweigert definitiv die Rückgabe. Pierre muss schließlich die Lagervorräte aufkaufen, damit sie nicht eingestampft werden.
Jeanne lässt einige Chorstücke vervielfältigen, um sie mit dem Chor, dem sie angehört, aufzuführen. Was das Orgelwerk angeht, so haben wir schon gehört, dass sie Kontakt mit dem Sohn des Herausgebers Carrara aufnimmt, und nach äußerst langwierigen Verhandlungen erscheint ein Ensemble von 21 Orgelstükken unter dem Titel *Composizioni per organo.*
Pierre und Jeanne lassen die noch nicht herausgegebenen Werke ihrer Mutter bei der SACEM [167] registrieren. Zum zehnten Todestag geben sie als Familie eine Broschüre heraus: ‚Mel Bonis, compositeur de musique – Biographie, œuvres, par ses enfants et petits-enfants'. Sie organisieren einige Aufführungen und kümmern sich intensiv um Kontakte zur Musikwelt.

Es genügt, den Brief zu lesen, den Bernard Gavoty im Februar 1967 an Jeanne geschrieben hat, um zu begreifen, dass die Zeit für eine Wiederbelebung der Musik von Mel Bonis noch nicht gekommen war: „Liebe gnädige Frau, … Ich habe mir viel Zeit genommen, um mir die Musik, die Sie mir geschickt haben, sorfältig anzusehen. Ich finde sie, da will ich ehrlich sein, hervorragend. Aber da Sie mich bitten, ganz aufrichtig zu sein, fühle ich mich verpflichtet, Ihnen zu sagen, dass ich angesichts des katastrophalen ‚Fortschritts' in der Kunst im Allgemeinen und der Musik im Besonderen sehr bezweifle, dass Sie Möglichkeiten finden, diese äußerst angenehme, oft ergreifende Musik wieder zum Leben zu erwecken. Unsere jungen Barbaren werden sie ganz sicher ‚altmodisch' finden! Hochachtungsvoll … Bernard Gavoty".

Unglücklicherweise war es zu Lebzeiten ihrer Kinder noch zu früh, Mel Bonis' Werk der Musikwelt wieder zugänglich zu machen, aber vergeblich war deren Arbeit nicht: Diejenigen, die heute in ihrer Nachfolge stehen, haben ihnen den Zugang zu diesem Werk und damit ein gutes Fundament für seine Wiederbelebung zu verdanken. Ermutigt werden sie dabei von zahlreichen Interpreten und einer endlich aufnahmebereiten Zuhörerschaft.

Christine Géliot

Monsieur et Madame Pierre DOMANGE ;
Madame Jeanne DOMANGE ;
Madame Edouard DOMANGE ;
Monsieur et Madame Eugène DOMANGE ;
Monsieur et Madame René DOMANGE ;
Monsieur et Madame Alfred DOMANGE ;
Messieurs Michel, Bernard, Etienne et Mademoiselle Martine DOMANGE ;
Monsieur et Madame Guy, Mesdemoiselles Jeanine et Denise BROCHOT ;
Messieurs Claude, Daniel et Mesdemoiselles Huguette et Yvette DOMANGE ;
Monsieur et Madame Jacques DOMANGE et leurs enfants ;
Monsieur et Madame Robert GIEULES et leurs enfants ;
Monsieur André DOMANGE et ses enfants ;
Monsieur et Madame Marcel DOMANGE et leurs enfants ;
Monsieur et Madame Roger DOMANGE et leurs enfants ;
Monsieur et Madame Raymond DOMANGE et leur fille ;
Monsieur et Madame Max DOMANGE et leur fille ;
Monsieur et Madame Paul DOMANGE et leur fille ;
Monsieur et Madame Gilbert DOMANGE et leur fille ;
Monsieur et Madame Arnold DOMANGE et leurs enfants ;
Mademoiselle Lucy DOMANGE ;
Monsieur et Madame Hubert DOMANGE et leur fils ;
Monsieur Christian DOMANGE ;
Monsieur et Madame Jean BUTZBACH et leur fille ;
Monsieur et Madame Fernand DUBOSC ;
Madame MANUS et ses enfants, Monsieur Yves DUBOSC ;
Les Familles DOMANGE, CHOMETTE, PRIEUR, FILON, CHARNELET, DÉTOLLE, SAGOT, GREVIN, DENIS, GUTTON ;
Ses Amis et fidèles serviteurs,

Ont la douleur de vous faire part de la perte cruelle qu'ils viennent d'éprouver en la personne de

Madame Albert DOMANGE

Née MEL BONIS

leur mère, belle-mère, grand'mère, arrière-grand'mère, tante, grand'tante et cousine, décédée en son domicile à Sarcelles, le 18 Mars 1937, dans sa 80e année, munie des Sacrements de l'Eglise.

Suivant la volonté de la défunte, les obsèques ont été célébrées dans la plus stricte intimité.

De Profundis!

7, Rue Victor-Hugo, Sarcelles (Seine-et-Oise)

IMP. E. COCONNIER. – SABLÉ

Anmerkungen

1 *L'Imitation des tout petits,* übers. etwa: „Die Nachfolge Christi für die ganz Kleinen"
2 *L'Imitation des tout petits*
3 ‚Religiöse Wochen'
4 Zeitungen für das katholisch-konservative Bürgertum
5 *L'éducation de la jeune fille*
6 Mel Bonis, *Souvenirs et réflexions,* recueil des écrits de Mel Bonis par ses enfants, Ed. du Nant d'Enfer, 1974
7 *L'éducation de la jeune fille*
8 Mel Bonis, *Souvenirs et réflexions,* éd. Du Nant d'Enfer, 1974
9 im Französischen als ‚solfège' bezeichnet
10 Archives du CNSM et collections Dunant aux Archives Nationales
11 Archives du CNSM, op. cit.
12 *Mel Bonis, Biographie – Œuvres*, 1947 hrsg. von ihren Kindern
13 Joël-Marie Fauquet, *César Franck*, éd. Fayard
14 zitiert nach Joël-Marie Fauquet, *César Franck,* op. cit.
15 Archives du CNMS, op. cit.
16 Da es keine Spur dieses Stückes gibt, nimmt man an, dass es sich um das auf 1881 datierte Impromptu handelt, auf dessen Manuskript sich die Bemerkung findet: „Mein erstes Stück"
17 Archives du CNMS et collections Dunant, zitiert in : Florence Launay, *Les compositrices en France*, éd. Fayard 2006
18 Erst 1913 wird zum ersten Mal der Rompreis an eine Frau vergeben: an Lili Boulanger
19 dt. etwa: ‚musikalische Grundausbildung für Sänger' (Anm. d. Übers.)
20 Archives du CNMS, op. cit.
21 Archives du CNMS, op. cit.
22 Lily Laskine wird 1904 an der Oper die erste Musikerin eines großen Berufsorchesters in Frankreich sein.
23 Dieses Stück, das vielleicht die *Romance sans paroles* des Examens im Januar ist, erscheint erst 2001 bei Armiane.
24 Diese Lieder werden sehr viel später herausgegeben, 1884 bei Grus, dann 2004 und 2005 bei Armiane und 2006 von Valérie Gabail und Brigitte Balleys aufgenommen.
25 Mel Bonis, *Souvenirs et réflexions,* op. cit.
26 Archives du CNSM, op. cit.
27 wahrscheinlichste Interpretation verschiedener Aussagen innerhalb der Fami-lie
28 *Histoire d'un berger pas comme les autres* ou les mémoires féeriques de Madeleine Quinet, manuscrit, archives familiales
29 Archives du CNSM, op. cit.
30 vgl. Erklärung S. 8, Z. 5
31 *Ah! Mes aïeux!* (Histoire des familles Domange et Fasquelle depuis 1820), par Michel Domange, éd. Du Nant d' Enfer

32 Aussage von Marie-Anne Quinet, der Tocher von Mel Bonis' unehelicher Tochter Madeleine
33 in der Familie weitererzählte Anekdote
34 Michel Domange, *Ah! Mes aïeux!* , op. cit.
35 Der Brief ist adressiert an Pierre Domange, den Sohn von Mel Bonis, als er 1945 an einer Zusammenstellung der Werke seiner Mutter arbeitete (Familienarchiv).
36 bekannte Musikzeitschriften
37 ,L'Art Musical', um 1890
38 Sein Name steht als einziger, allerdings undeutlich geschrieben, auf dem Deckblatt des Manuskripts, aber der Stil des Gedichts unterscheidet sich sehr von dem seiner sonstigen Werke.
39 2007 berichtet von ihrer Großnichte Béatrice Fischer-Dieskau
40 Michel Domange, *Ah! Mes aïeux!,* op. cit.
41 Mel Bonis, *Souvenirs et réflexions,* op. cit.
42 *Vers à chanter,* Gedichte von Hettich, Leduc 1899
43 Brief von Julien Hamelle, 13.10.1891, Familienarchiv
44 Brief von Pierre de Choudens, Familienarchiv
45 „L'Art Musical" um 1890
46 Hettich, *Vers à chanter,* op. cit.
47 Hettich, *Vers à chanter*, op. cit.
48 Hettich, *Vers à chanter,* op. cit.
49 Mel Bonis, *Souvenirs et réflexions,* op. cit.
50 Enzyklika vom 16.02.1892 über Kirche und Staat in Frankreich (Anm. d. Übers.)
51 Hettich, *Vers à chanter*, op. cit.
52 berichtet von Marie-Anne Quinet
53 Hettich, *Vers à chanter*, op. cit.
54 *Imitation du jeune homme*
55 1840–1910, Komponist, Lehrer für Musikgeschichte am Conservatoire
56 Neuausgabe bei Armiane, 1998
57 Hettich, *Vers à chanter*, op. cit.
58 Hettich, *Vers à chanter*, op. cit.
59 Die zahlreichen Gesangsnoten im Archiv der Familie Géliot, die Adèle Greder gehörten, zeugen davon, dass die junge Frau sang.
60 „Ohne Liebe, ohne Hoffnung weine ich über mich"; Hettich, Airs classiques, Bd.II, Ed. Rouart et Lerolle
61 Hettich, *Vers à chanter,* op. cit.
62 Hettich, *Vers à chanter,* op. cit.
63 Mel Bonis, *Souvenirs et réflexions,* op. cit.
64 Hettich, *Vers à chanter,* op. cit.
65 Mel Bonis' Enkelin Marie-Anne Quinet, die sich auf die Aussagen ihrer Mutter Madeleine stützt, hat mir erzählt, dass Hettich Mélanie sieben Jahre lang den Hof gemacht hat, bevor er sein Ziel erreichte.
66 Hettich, *Vers à chanter,* op. cit.
67 undatierter Brief von Gabriel Pierné an Mel Bonis, zitiert in der Broschüre *Mel Bonis,* die ihre Kinder und Enkel 1947 herausgegeben haben

68 *retenu* = verhalten; *moins vite* = weniger schnell
69 Widmungsträgerinnen der *Sérénade* und von *Matin* (aus dem Trio *Soir. Matin)*
70 hrsg. bei Armiane 2008
71 mein Großvater
72 Hettich, *Vers à chanter*, op. cit.
73 Der Widmungsträger dieses Werks, der Komponist Bourgault-Ducoudray, Professor für Musikgeschichte am Conservatoire, schreibt dazu: „Ich schätze Ausdruck und Stil Ihres Chorwerkes a capella unendlich... Ihr ‚Gebet' ist eine Perle" – Brief zitiert in der von ihren Kindern und Enkeln 1947 herausgegebenen Broschüre „Mel Bonis"
74 Hettich, *Vers à chanter,* op. cit.
75 Hettich, *Vers à chanter,* op. cit.
76 *L'Imitation de Jésus-Christ*
77 bestätigt durch die Nachfolger der Editions Leduc
78 Mel Bonis' Name erscheint nicht neben dem des Autors. Françoise Domange, ihre zukünftige Schwiegertochter, kommentierte diese Tatsache wie folgt: „Sie war seine Handlangerin!"
79 Mel Bonis, *Souvenirs et réflexions*, op. cit.
80 Hettich, *Carnet noir,* handschriftliche Gedichte
81 Mel Bonis, *Souvenirs et réflexions,* op. cit.
82 Mel Bonis, *Souvenirs et réflexions*, op. cit.
83 Mel Bonis, *Souvenirs et réflexions,* op. cit.
84 Mel Bonis, *Souvenirs et réflexions,* op. cit.
85 Hettich, *Carnet noir*, handgeschriebene Gedichte, op. cit.
86 Mel Bonis, *Souvenirs et réflexions,* op. cit.
87 Philippe Malhaire, Kritik der CD „L'Ange Gardien" im Bulletin des Vereins „Les Amis de la musique française", 2008
88 Mel Bonis, *Souvenirs et réflexions,* op. cit.
89 Michel Domange, *Ah! Mes aïeux!*, op. cit.
90 Mel Bonis, *Souvenirs et réflexions*, op. cit.
91 Kette religiöser Buchhandlungen
92 vgl. das Bulletin Nr. 10 der Association Mel Bonis, März 2003, in dem über die brieflichen Auseinandersetzungen zwischen Jeanne Brochot und den Carrara-Erben berichtet wird
93 entspricht der GEMA in Deutschland
94 François Sabatier in 'L'Orgue', Bulletin des amis de l'orgue, Nr. 255, 3. Trimester 2001, S. 27
95 François Sabatier, op. cit. S. 27
96 François Sabatier, op. cit. S. 36
97 Briefe des Abbé Joubert an Mel Bonis, Familienarchiv
98 *Histoire d'un berger pas comme les autres,* op. cit.
99 *Histoire d'un berger pas comme les autres*, op. cit.
100 Hettichs Korrespondenz, Familienarchiv
101 *Histoire d'un berger pas comme les autres*, op. cit.
102 *Histoire d'un berger pas comme les autres*, op. cit.
103 Aussage von Madeleines Kindern

104 *Histoire d'un berger pas comme les autres*, op. cit.
105 1872–1953, Autorin und Spezialistin für okkulte Wissenschaften
106 Briefe du Costals an Mel Bonis, Familienarchiv
107 *Mel Bonis, Biographie – Œuvres,* op. cit.
108 *Mel Bonis, Biographie – Œuvres,* op. cit.
109 zahlreiche Briefe des Marquis de Gantès an Mel Bonis von 1903 bis 1927, Familienarchiv
110 Mel Bonis, *Souvenirs et réflexions,* op. cit.
111 *Mel Bonis, Biographie – Œuvres*, op. cit.
112 Zeitschrift ‚L'Orgue', 1983/1, in einem Huguette und Martine Géliot gewidmeten Artikel
113 *Mel Bonis, Biographie – Œuvres,* op. cit.
114 Eberhard Mayer, *Mel Bonis, Musikerin und Komponistin aus Frankreich,* Leverkusen 1998
115 Eberhard Mayer, *Mel Bonis, op. cit.*
116 *Mel Bonis, Biographie – Œuvres,* op. cit.; ohne Namen des Empfängers
117 *Mel Bonis, Biographie – Œuvres,* op. cit.
118 *Mel Bonis, Biographie – Œuvres,* op. cit.
119 Brief von Désiré Walter an Mel Bonis vom 10. Oktober 1906, Familienarchiv
120 Brief von Juliette de Crousaz an Mel Bonis, 11. März 1934, Familienarchiv
121 Brief von Louis Duttenhoffer an Mel Bonis, 18. Februar 1931, Familienarchiv
122 *Mel Bonis, Biographie – Œuvres,* op. cit.
123 Brief von Charles Koechlin an Mel Bonis vom 2. Juli 1910, Familienarchiv; cf. *Mel Bonis, Correspondances choisies,* Sammlung 'Correspondances' unter der Leitung von Ludovic Florin. Hrsg. 'Les Amis de la musique française'
124 Mel Bonis, *Souvenirs et réflexions,* op. cit. 35
125 Nichte von Mathilde, der ersten elsässischen Kinderfrau
126 französische Hilfsorganisation
127 Bezeichnung für die Frontsoldaten im Ersten Weltkrieg
128 Sie wurden uns 2006 von ihrem Sohn Michel Quinet anvertraut.
129 Anmerkung d. Übers.: Die Orthografie- und Grammatikfehler des folgenden Briefes finden in der Übersetzung keine Entsprechung.
130 Wir haben keine Erklärung für den Namen Ponchione.
131 natürlich ‚Brochot' – ganz offensichtlich war Hettich nicht sehr vertraut mit der Familie Domange.
132 Hettich, *Carnet noir,* op. cit.
133 *Histoire d'un berger pas comme les autres*, op. cit.
134 ehemaliger Schüler der ' centrale des arts et manufactures'
135 Die *Air vaudois* wird erst 2000 von der Edition Kossack in Deutschland herausgegeben, d. h. 84 Jahre nach ihrer Entstehung!
136 die Fasquelles, Pierres Schwiegereltern
137 Michel Domange, *Ah! Mes Aïeux!*, op. cit.
138 zum ersten Mal 1999 bei Armiane veröffentlicht
139 *Histoire d'un berger pas comme les autres,* op. cit.
140 im Deutschen die"Goldenen Zwanziger" genannt
141 Mel Bonis, *Souvenirs et réflexions,* op. cit.

142 Mel Bonis, *Souvenirs et réflexions,* op. cit.
143 Mel Bonis, *Souvenirs et réflexions,* op. cit.; Mel Bonis spielt hier offensichtlich auf Honeggers ‚Pacific 231' und Ravels ‚Bolero' an (Anm. der Übers.)
144 dt. etwa ‚merkwürdige Fahrzeuge'
145 umgangssprachlich svw. ‚Ghostwriter'
146 Renan äußerte in seinen Werken Zweifel an der historischen Wahrheit der Heiligen Schrift.
147 angesehenste Ingenieurshochschule in Frankreich
148 Auf dem Manuskript des *Offertoire funèbre* für Orgel von Mel Bonis finden wir die Widmung: "Für Madeleine Quinet, Organistin in Sarcelles"
149 Mel Bonis, *Souvenirs et réflexions,* op. cit.
150 Michel Domange, *Ah! Mes aïeux!,* op. cit.
151 Mel Bonis, *Souvenirs et réflexions,* op. cit.
152 Mel Bonis, *Souvenirs et réflexions,* op. cit.
153 Mel Bonis, *Souvenirs et réflexions,* op. cit.
154 monophones elektronisches Musikinstrument, benannt nach seinem Erfinder Maurice Martenot
155 vgl. auch die Darstellung der Violinsonate in: Annäherung XII – an sieben Komponistinnen, Florence Launay, ‚Mel Bonis', Ed. Furore 803, S. 69; Uraufführung in der Salle Gaveau in Paris im Rahmen der Konzerte der Société Musicale Indépendante (André Arnault, Klavier, Henry Merckel, Violine)
156 *Prélude et Fuguette*, op. 98
157 Wir finden diesen Titel auf einem der Manuskripte des *Chant nuptial*
158 Korrespondenz von Mel Bonis mit ihren Herausgebern, Familienarchiv
159 1970, posthume Ausgabe von *21 pièces d'orgue* von Mel Bonis im Verlag Carrara, heute noch im Musikalienhandel erhältlich
160 Es handelt sich um das ‚réseau Vengeance'
161 als herablassende, meist auch diffamierende Bezeichnung für die Deutschen gebraucht
162 Mel Bonis, *Souvenirs et réflexions,* op. cit.
163 Mel Bonis, *Souvenirs et réflexions,* op. cit.
164 Mel Bonis, *Souvenirs et réflexions,* op. cit.
165 Mel Bonis, *Souvenirs et réflexions,* op. cit.
166 Brief von Jeanne Domange an Madeleine Quinet vom 20. März 1937
167 entspricht der GEMA in Deutschland

ANHANG I

Originalfassung der in den Text eingefügten Gedichte

S. 12
„A . . . .
Comme un foyer reste chaud de la flamme
Qui fut sa joie et sa clarté
Comme un clavier dans un doux lointain d'âme
Vibre encore ce qu'il a chanté
Je garde en moi, prisonnière du songe
Où mon désir attristé la prolonge
L'heure vécue à tes côtés"

S. 24
„Voici venir la saison douce
Ou les oiseaux s'en vont par deux
Ignorant de ce qui les pousse
Mais plus tendres et plus joyeux
Laissez votre âme ouvrir son aile
Et comme eux avec le printemps…
…Aimez, aimez, vous êtes belle
Et l'on ne sait aimer qu'un temps
… Le ciel resplendissait d'étoiles,
L'onde à nos pieds mourait sans bruit…
\- -
Veux-tu, lui disais-je, mignonne,
Veux-tu jusqu'à mourir aimer ici ? …"

S. 42
„Je n'ai point désappris le charme et la douceur
De me guider à toi dans la nuit des années …"

S. 51
„De la douceur éclose aux tiédeurs des haleines
S'abîmer dans la volupté comme on se noie"

„Il était dans nos cœurs amollis dans l'attente
Qu'un unique penser, qu'un regard en ses
yeux"
…

S. 51
„Comme l'aigle blessé s'élance dans l'espace
Sans souci de la flèche attachée à son flanc
Et bravant les regards qui recherchent sa trace
Verse à travers l'éther la pourpre de son
sang

Elève-toi, mon âme, et laisse ta blessure
Ouverte à la douleur qui la vient aviver
Plus profonde est la plaie et plus nous semble pure
L'indicible douleur de l'éternel rêver

Va, franchis les sommets où l'aigle altier succombe
Et de ton mal gardant l'impassible orgueil
Comme l'aigle, ô mon âme, choisis une tombe
Grande ainsi que ton deuil"

S. 54
SI L'ON SAVAIT
„Les heures s'enfuyaient, les jours puis les années
L'aimais-je ! M'aimait-elle! Il était nuit en nous
O, regards de ses yeux ! Que vous me sembliez doux
Pourtant.. .Combien vous m'étiez chères, fleurs
fanées
Sur son jeune sein... Pâleurs vagues de son front
Sereines impudeurs de sa chair insensible…"

S. 57
„Les dieux sont las parfois, hélas, de la piété
Et c'est pourquoi je pleure."

S. 59
„O fleur du lys aimé dont la pâleur m'attire
Enfant né du baiser que ma lèvre eût voulu
O confident de l'heure où je ne fus élu !
La nature à te vivre a complu mon martyre"

S. 60
„Va. Contre le destin, je ne veux de revanche
Même... Puisqu'à son âme éclôt ton âme blanche
Puisqu'à sa bouche, enfant, s'embaume ton baiser
Je t'aime au renouveau de ce lent baptiser."

S. 64
„J'aime la rigueur de ta bouche
Où ment ton corps inapaisé
Si clémente à peine j'y touche
D'un seul baiser"

S. 65
„Ma peine est immense et sans horizon
Sans fond, la source de mes larmes
Sans essor, ma pensée, et mon espoir, sans armes,
Sans fleurs, ma tardive saison"

S. 67
ETRENNES
„Mignonne, te sachant coquette,
Je veux t'apporter en cachette
Un cadeau très mystérieux
Miroir où le temps rien ne change
Où démon tu restes un ange
Et qui te souris dans mes yeux

Hors des jardins de moisson vaine
Ou, d'une indifférente haleine
L'heure éclôt ou déclôt la fleur
La voulant de grâce éternelle
Parmi le lierre et l'immortelle
Je te l'ai cueillie en mon cœur

Puis j'offre encore à tes caprices
Les champs d'affres et de délices
Dont nul passé n'a fait le tour
Océan débordant ses grèves
Ciel dont l'azur est fait de rêves
C'est mon amour ..."

S. 70
" Sur l'onde calme et noir où dorment les étouiles,
La blanche Ophélie flotte comme un grand lys
Flotte très lentement, couchée en ses longs voiles ... "

S. 75
„Si vous saviez, doucement attentive
Ouïr un peu
En ma chanson inquiète et plaintive
Tout mon aveu ...
Si vous vouliez, vos airs d'impératrice
Abandonner
Et dans mes bras, plus souple à mon caprice
Mieux vous donner"

S. 75
..."Christ ! qui fus homme comme nous
Souviens-toi des douleurs des hommes
Pitoyables, méchants ou fous
Qu'à jamais ton cœur nous soit doux
Et nous aime pour ce que nous sommes
Qu'il nous soit beaucoup pardonné
Selon tes paroles divines
Christ ! ô toi qui nous as donné
Ta pitié fleurie aux épines !"...

S. 75
„Te voir est toute mon envie
Te perdre est toute ma douleur"

S. 79
„L'amour qu'on rêve est plus doux
Madeleine, ô ! Madeleine
L'amour qu'on rêve est plus doux
Serions-nous aussi bien chez nous
Pour filer à deux la laine"

S. 82
„La musique peut dépouiller l'amour de son enveloppe terrestre ou donner un corps à l'ange"

S. 86
„En ma vieillesse inoublieuse
Oh ! combien il m'eût été doux
Par le sentier bordé d'yeuse
De descendre jusqu'à chez nous...
De ce qui fût, rien ne demeure
Rien ne renaîtra plus jamais
C'est pourquoi tristement je pleure
Ce que j'aimais"

S. 111
„Depuis quèqu'temps, c'est du délire !
En Europe, il s'fait un boucan !
Ce n'est pas très drôle et j'peux dire
Que nous dansons sur un volcan,
Pour libérer la Macédoine
Bulgar's, serbes, monténégrins,
Parlent de crever l'péritoine
Aux pauvr's turcs déjà dans le pétrin…

Soudain la Grèce se met à frire,
La Bulgarie est sens dessus dessous
L'Herzégovine est en délire
La Bosnie médite un sale coup
Alors, la Roumanie s'alarme
Tout' la Moldavie est debout
Les Valaqu's eux-mêmes prennent les armes
Aux cris de Valachie partout

Je n'sais si j'me fais bien comprendre
C'est bien simple mais cependant,
J'vous préviens qu'vous pouvez m'reprendre
Si ça vous semble embarrassant"

S. 125
„Arbustes emmêlés qu'ignore le soleil
Frappez-moi, cinglez mon visage
Et faites ruisseler à flot mon sang vermeil"

„Dans ma barque féerique
aux reflets d'argent fin"

S. 151
"La voilà, mon enfant, l'unique poétesse
Qui, de rythmes changeants et d'un geste éternel
Grandissant d'infini notre rêve mortel
Creuse en nous la terreur où fleurit l'allégresse"

ANHANG II

WERKVERZEICHNIS

Die mehrstimmige geistliche Musik, die Lieder, die Orgel- und Klaviermusik sowie die Kammer- und Orchestermusik sind zu einem großen Teil neu herausgegeben bzw. wieder aufgelegt. Die Klaviermusik, ein Teil der Kammermusik und die Orchestermusik sind im Furore Verlag erschienen.

I - VOKALMUSIK

Weltliche Lieder für eine Stimme und Klavier

Gesamtausgabe der weltlichen Lieder, éd. Fortin-Armiane 2010:
Les Mélodies, vol. 1 für mittlere oder tiefe Stimmen; vol. 2 für mittlere und hohe Stimmen; vol. 3 für 2 oder mehr Stimmen

Berceuse, op. 17 (mSt) Ms, um 1893; éd. Armiane, 2003
Text: Edouard Guinand, *A Madame Eugène Domange*
Chanson d'amour, op. 94 posthume (mSt) Ms, 1912; éd Armiane, 2002,
Text: Maurice Bouchor (Chanson de Shakespeare)
Chanson catalane, op. 137 posth. (miSt) Ms, 1931
Le Chat sur le toit, op. 93 (hSt) 1ère éd. Senart, 1911; éd. Armiane, 2004,
Text: Edmond du Costal (+ Fassung mSt, Ms; + Orchesterfassung, Ms)
A Gabriel Paulet
Couboulambou à Paris, op. 135 posth. (chanson légère), unveröffentlicht, Ms, um 1930, unter dem Pseudonym Jacques Normandin
Le dernier souvenir, op. 79 posth., Ms 1909, Text: Leconte de Lisle
Dès l'aube, op. 18 posth. (mSt) Ms, env. 1893; éd. Armiane, 2002,
Text: Edouard Guinand
Elève-toi mon âme, op. 22 (MS od. Bar, Vc od. Vl, Begleitung Hf od. Org) 1ère éd. Bretonneau, 1894, éd. Pfister; éd. Armiane, 1999,Text: A. L. Hettich
Elégie sur le mode antique, op. 110 (MS od. Bar) éd. Hamelle, 1918, éd. Armiane, 2006, Text: Rivollet, *A Madame Pierre Weber*
Immortelle tendresse, op. 88. 1ère éd. Demets, 1910; éd. Armiane, 2006,
Text: André Godard
Invocation, op. 5 posth., (MS od. Bar) Ms um 1887; éd Armiane, 2001,
Text: Edouard Guinand
La Mer, op. 58 (mélodie italienne) 1ère éd. de l'auteur, 1903; éd. Armiane, 2007 1) Fassung f. MS, 2) Fassung f. S; Text vermutlich von Mel Bonis (unter dem Pseudonym Léon Poular Fentoun)
Pourriez-vous pas me dire ? op. 55 (mSt) 1ère éd. Leduc, 1901; éd. Armiane, 2001, Text: A. L. Hettich, *A Madame Winter Cottin*

Reproche tendre, op. 49 (mSt) 1ère éd. Leduc, 1901; éd. Armiane, 2005, Text: A. L. Hettich, *A Monsieur Paul Daraux*
Ronde des marionnettes, op. 104 (Kinderlied) éd. Poulalion, 1913, Text: Mel Bonis
Sur la plage, op. 3 (Bar) 1ère éd. Grus 884; éd Armiane, 2006, Text: A. L. Hettich, *A Cobalet, de l'Opéra Comique*
Trois mélodies (mSt) éd. Armiane, 2002, Texte vermutlich von Edouard Guinand: ***Viens*** (ou Barcarolle), op. 6 posth., 1888 (*A ma fille*); ***Mirage***, op. 171 posth., undatiert; ***Chanson de printemps***, op. 172 posth., undatiert
Trois mélodies, op. 91 posth. (T) Ms, um 1912, éd Armiane, Texte: Maurice Bouchor: ***Viola; Sauvez-moi de l'amour; Songe*** (Vers le pur amour)
Un soir, op. 77 posth. (mSt) Ms, 1908, éd. Armiane,1998, Text: Anne Osmont
Vestiaire, op. 174 posth. (Scherzlied) Ms, unter dem Pseudonym Fricoto Pusslink (***L'éléphant, Championnat***)
Villanelle, op. 4 (hSt) 1ère éd. Grus 884; éd Armiane, 2004, Text: A. L. Hettich, *A Talazac*
Don Galaor, op. 178, Bearbeitung eines Liedes von L. Clapisson

Weltliche Lieder für mehrere Stimmen

Epithalame, op. 75 (2 FSt u. Kl) 1ère éd. Demets, 1907; éd. Armiane, 2004, Text: Victor Hugo
Madrigal, op. 53 (2 FSt, Solistin u. Kl) 1ère éd. Hachette, 1901; éd. Armiane, 2005, Text: Madeleine Pape-Carpantier, *A Mesdames Jumel et Legrand*
L'Oiseau bleu, op. 74 (2 FSt u. Kl) 1ère éd. Hamelle, 1907; éd. Armiane, 2004, Text: A. L. Hettich, *A Mademoiselle Courtier d'Artigues*
Le Ruisseau, op. 21 (2 FSt u. Kl) 1ère éd. Leduc, 1894; éd. Armiane, 2004, Text: A. L. Hettich, (+ Orchesterfassung, Ms), *A Madame Georges Aboilard*
Au clair de la lune (gemCh u. S), unveröffentlicht, Chanson populaire
Rondeau en forme de canon, op. 184 posth. (3 St u. Kl) Ms calligraphié, Text: Dupont
Bolero, op.190 (S u. FrCh ad. lib.) éd. Armiane, Text: Jacques Ruelle
Chansonnette en duo pour les petits, (1. Au clair de la lune – 2. J'ai du bon tabac), undatiertes MS, unveröffentlicht
Le Moulin, op.191 (2stFrCh) éd. Hamelle, 1886, Text: Wilder

Geistliche Lieder, Weihnachtsmusik
für eine Stimme und Orgel, Klavier oder Harfe

Allons prier, op. 73 (St u. Org) éd. Hamelle, 1906, Text: Abbé Léon Rimbault; *A Madame Winter Cottin*

Ave Maria, op. 68 (MS od. Bar u. Org) 1ère éd Demets, 1905, éd. Armiane, *A mon petit Edouard*
Berceuse de Noël, op. 57 (MS od. Bar u. Org) éd. de l'auteur, 1903; éd. Hachette, 1904, Text von Mel Bonis unter dem Pseudonym L. Poular Fentoun; Text (identisch) von M. Pape-Carpantier für die 2. Ausgabe
Cantique à Marie, op. 122 posth. (T od. S u. Kl o. Hf) Ms, 1927, Text: Mel Bonis (?), *A Françoise Domange pour la guérison de son fils Claude*
Noël de la Vierge Marie, ou Noël de la Vierge endormie, Berceuse, op. 54 (St u. Org; + Orchesterfassung, Ms) 1ère éd. Hachette, 1901; Demets, 1903; éd. Armiane, 2003, Text: Madeleine Pape-Carpantier
Noël pastoral, op. 20 (St u. Org od. Kl) 1ère éd. Leduc, 1892; éd. Armiane, 2005, Text: A. L. Hettich
Noël ancien, op. 143; éd. Hamelle, 1934, Text: Mel Bonis
La Veille de Noël, op. 47, Pour les enfants, éd. Grus, 1900, Text: Madeleine Pape-Carpantier
O Salutaris, op. 50 (mSt u. Kl) éd. Leduc, 1901
Deux cantiques de première communion éd. Hamelle, 1934–1936:
Troupe innocente, op. 142 (St u. Org o. Kl)
O mystère d'amour, op. 146 (St u. Org o. Kl)

Geistliche Lieder, Weihnachtsmusik für mehrere Stimmen

Messe a Cappella (apokrypher Titel: *Messe à la Sérénité*), op. 164 posth. (gemCh u. Org) éd. Armiane, 1998: *Kyrie, Gloria, Sanctus, Agnus dei*
Cantique de Jean Racine, op. 144 posthume (T, gemCh, Hf, Org) Ms, 1934; 1ère éd. Eschig, 1977; éd. Armiane, 1998*, A la mémoire de mon cher Edouard*

Motetten

Ave verum, op. 166 posth. (VQt u. Org) éd. Armiane, 1998
Adoro te, op. 150 posth. (VQt a cappella) éd. Armiane, 1998, (Id. Communion en fa pour orgue, Carrara)
Ave Maria, op. 176 posth. (S, T, Org) unveröffentlicht, undatiert
Inviolata, op.163 posth. (VQt a cappella) Ms, 1922, éd. Armiane, 1998
Kyrie en fa dièse mineur, op. 170 posth., éd. Armiane, 2001
O Salutaris, op. 188 posthume (T, Bar, Org, Vl ad lib); Ms, 1893
Panis angelicus, op. 145 posth. (S, T) 1ère éd. Delepine, 1935; éd. Armiane, 1998
O Salutaris, op. 131 posth. (VQt, Org) 1ère éd. P. Schneider, 1930; éd. Armiane, 1998, *A Pierre Dessaigne*
Prière de Noël, op. 44 (VQt) 1ère éd. Leduc, 1899; éd. Armiane, 2000, Text: A. L.Hettich, *A Monsieur Bourgault-Ducoudray*

Regina coeli, op. 45; (2 S, Hf od. Kl, Vl od. Vc) 1ère éd. Leduc, 1899; éd. Armiane, 1999, *A mon amie Lucie Lange, en religion Sœur Marie du Sacré Cœur*
Salve Regina, op. 169 posth. (S, A, Org) éd. Armiane, 2000, *A Monsieur l'Abbé Gardette*
Sub Tuum, op. 132, (S, A, Org) Ms, 1921; 1ère éd. P. Schneider, 1930; éd. Armiane, 1998, *Pour ma fille*
Tantum ergo, op. 167 posth. (gemCh, Org) éd. Armiane, 2000
Tantum ergo, op. 168 posth. (3 MSt, Org) éd. Armiane, 1999

II – KAMMERMUSIK

Drei und mehr Instrumente

Suite en trio, op. 59 (Fl, Vl, Kl) 1ère éd. Demets, 1903; éd. Fortin, 2002: (*Sérénade, Pastorale, Scherzo*) *A Monsieur C. Malherbe*
Suite orientale, op. 48 (Vl o. Fl, Vc, Kl.) éd Durand, 1900, éd. Kossak: *Prélude, Danse d'Almée, Ronde de nuit* (+ version orchestre de Prélude et Danse d'Almée, éd. Furore, 2019)
Soir. Matin, op. 76 (Kl, Vl, Vc) 1ère éd. Demets, 1907; éd. Furore, 2003: ***Soir***, *à Mademoiselle Foltzer*, ***Matin***, *au trio Chaigneau*
Scènes de la forêt, op. 123 (Kl, Fl, Hr + Arrangement Fl, Va, Hf) 1ère éd. de l'auteur, 1927; éd. Kossack, 2001 (*Nocturne, A l'aube, Invocation, Pour Artémis*), *A Gifford*
Chant nuptial, op. 128 (Vl, Hf, Org) éd. Hamelle, 1928, *A Monsieur l'Abbé G. Durand*
Suite dans le style ancien, op. 127, Ms, 1928 (1. Fassung: Kl, Fl, Vl, Va od. Klar, éd. Kossack, 2006; 2. Fassung: 2 Fl, Ob, B-Klar, Hr, 2 Fg, éd. Kossack, 2011): *Prélude, Choral, Fuguette, Divertissement; Pour Ermend Bonnal*
Nocturne, op. 16, Ms, 1892, 1. Fassung: Ob, Hr, Vc, Hf, unveröffentlicht, 2. Fassung: Vl, Va, Vc u. Harfe, éd. Armiane, 2007
Quatuor n° 1 en si b, op. 69 (Kl, Vl, Va, Vc)1ère éd. Demets, 1905; éd. Furore, 2004 (*Moderato, Intermezzo, Andante, Final - Allegro ma non troppo*); *A Monsieur Jean Gounod*
Quatuor n° 2 en ré, op. 124 (Kl, Vl, Va, Vc) 1ère éd. de l'auteur, diff. Hamelle, 1927; éd. Furore, 2005 (*Moderato, Allegretto, Lento, Allegro*) *A Monsieur Gabriel Pierné*
Fantaisie ou ***Septuor*** (Septett), op. 72 (Kl, 2 Fl, 2 Vl, Va, Vc) Ms, 1906; éd. Kossack, 2003 (*Modéré, Scherzo, Très vif*)

Flöte und Klavier

Sonate pour flûte et piano en do dièse mineur, op. 64, 1ère éd. Demets, 1904; éd. Fortin und éd. Kossack, 2000 (*Andantino con moto, Scherzo vivace, Adagio, Finale moderato*), *A Monsieur Louis Fleury*
Andante et allegro, op. 133, 1ère éd. P. Schneider, 1930; éd. Kossack, 2000; *Pour René Grisard*
Pièce pour flûte et piano, op. 189, undatiertes Ms; éd. Kossack, 2000
Une flûte soupire, op. 121, 1ère éd. Senart, 1936; éd. Kossack, 2000
Air vaudois, op. 108, Ms, um 1916; éd. Kossack, 2000
Scherzo (titre original: Final), op. 187, undatiertes Ms; éd. Kossack, 2008

Violine und Klavier

Deux petites pièces (pour les enfants), op. 106, Ms, 1914; éd Armiane, 2008
Largo en mi majeur, op. 63 d'après Händel; éd. Demets, 1904
Sérénade en ré majeur, op. 46 (Vl od. Vc) 1ère éd. Leduc, 1899; éd. Armiane, 2003, *A Mademoiselle Marguerite Chaigneau*
Sonate pour violon et piano en fa dièse mineur, op. 112, 1 ère éd. Senart, 1923; éd. Kossack, 2002 (*Moderato, Presto, Lento, Finale con moto*), *Pour Madeleine et Simone Filon*
Suite en do majeur, op. 114, Ms, 1926; éd. Furore, 2012, (*Jour de fête, Idylle ou Sous la ramée, Cortège champêtre*)
Trois pièces pour violon, Mss, 1909, 1910: ***Andante religioso,*** op. 78, *A Mademoiselle Sophie Baudot;* ***Largo,*** op. 83, *A Monsieur Paulin Gaillard;* ***Allegretto ma non troppo,*** op. 84, *A Monsieur Raphael Kellert*
Transkription für Viola und Klavier von Françoise Beaucour, 2008

Violoncello und Klavier

Sonate pour violoncelle et piano en fa majeur, op. 67, 1ère éd. Demets, 1905; éd. Armiane, 2000, (*Moderato quasi andante, Très lent, Final, Moderato molto*), *A Maurice Demaison*
Sérénade en ré majeur, op. 46 (Vc od. Vl), 1ère éd. Leduc, 1899; éd. Armiane, 2003, *A Mademoiselle Marguerite Chaigneau*
Méditation, op. 33, 1ère éd. Leduc, 1898; éd. Armiane, 2000, *A Jeanne Monchablon* (Transkription für Vc u. Orgel)

III - ORGEL

Neuausgabe des gesamten Orgelwerks:
L'ŒUVRE POUR ORGUE en deux volumes, Georges Lartigau, éd. Armiane, 2010

21 PIECES POUR ORGUE, éd. Carrara, Pergame (Italien), 1971

Einzelstücke:
Andante Religioso en ré bémol majeur, op. 173, pour grand orgue, undatiertes Ms
Idylle, op.179, Orgue à pédale ad lib., undatiertes Ms
Offertoire en ré majeur, Modéré (Premier titre barré: *Sortie*), op. 183, pour grand orgue undatiertes Ms
Offertoire en ré majeur, Maestoso, op. 182, undatiertes Ms
Prélude et fuguette, op. 98, Ms, 1913, 1914
(*Quatre pièces pour orgue à pédale*. Mention de Mel Bonis sur la couverture: «Ces pièces ont été transcrites d'après une suite pour instruments à vent». Cf musique de chambre: Suite dans le style ancien)
Prière en la bémol, op. 105, éd. Procure de musique religieuse, 1913 (Mensuel 'L'Organiste Paroissial')

Grand orgue
Adagio en mi bémol mineur, op. 65, 1ère éd. Hérelle, nach 1930 (Originaltitel auf dem Manuskript: *Pièce pour orgue*), *A Henri Letocart*
Cantabile en mi, op. 95, vor 1914, Originaltitel auf dem Manuskript: *Pièce pour grand orgue, A Désiré Walter*
Choral en si bémol, op. 139, 1ère éd. La Musique Sacrée, 1933, *A Ermend Bonnal*
Cortège nuptial en la, op.158, undatiertes Ms
Elévation en ré (ou *Communion*), op. 147, 1ère éd. Schola Cantorum, 1936
Marche en sol, op. 16, 1ère éd. Schola Cantorum
Pastorale en sol, op. 15, Ms, 1933, adaptation de ***Aux champs***, op. 13, pour piano
Petite improvisation (ou *Allegretto*) ***en si bémol***, op. 159, undatiertes Ms
Prière en do mineur (*Andante religioso*), op. 140, Ms, 1933
Toccata en sol mineur, op. 97, 1ère éd. La Musique Sacrée, vor 1914?

Orgel oder Harmonium
Communion en fa (= Adoro te für Chor), op. 149, 1ère éd. La Musique Sacrée, 1937
Contemplation (*Pièce pour orgue en ut*), op. 157, 1ère éd Schola Cantorum, *Pour Monsieur Trotrot-Dériot*
Elévation en mi bémol, op. 160, undatiertes Ms
Invocation en mi bémol, op. 15, undatiertes Ms

Offertoire en sol, op. 153, 1ère éd. Schola Cantorum
Offertoire en do mineur, op. 152, 1ère éd. Schola Cantorum
Offertoire en sol, ou *Offertoire funèbre* op. 162, undatiertes Ms, *A Madeleine Quinet*
Prélude en sol mineur, op. 14, Ms, 1933
Prélude en mi bémol (ou *Allegretto*), op. 154, 1ère éd. Schola Cantorum
Quasi andante, *op. 152, Ms 1928 ; Carrara, 1933*
Sortie en mi bémol, op. 96, 1ère éd. La Musique Sacrée, vor 1914?, *A Désiré Walter*
Verset en mi bémol, op. 155, undatiertes Ms

IV - KLAVIER

Eine Gesamtausgabe der Klavierwerke in mehreren Bänden erscheint im Furore Verlag. Einige Stücke sind in den Verlagen Armiane und Henry Lemoine zu finden.

VOL. 1: *FEMMES DE LEGENDE*: 7 pièces de concert, Ed. Furore, 2004
Mélisande, op. 109, 1ère éd. Leduc, 1922, puis Eschig, 1978, puis Lemoine, 1995, *A Paul Locard*
Desdemona, opus 101, 1ère éd. Leduc, 1913, *A Paul Locard*
Ophélie, op. 165, éd. Armiane, 1998 (+ version orchestre calligraphiée)
Viviane, op. 8, 1ère éd. Leduc, 1909*, A Paul Locard*
Phoebée, op. 30, 1ère éd. Leduc, 1897, *A Paul Locard*
Salomé, op. 100, 1ère éd. Leduc, 1909, *A Paul Locard*
Omphale, op. 86, 1ère éd. Simrock, 1910

VOL. 2: *PIECES PITTORESQUES ET POETIQUES A*, éd. Furore, 2006:
RECUEIL DE CINQ PIECES MUSICALES, 1ère éd. Durdilly, 1889:
Prélude en mi bémol majeur, op. 10, 1ère éd. Durdilly, 1889
Gai printemps, op. 11, 1ère éd. Durdilly, 1889, puis Leduc, 1897 (in *Cinq Pièces*), puis Henry Lemoine, 1993 (in *Six pièces pour piano*) de Mel Bonis
Eglogue, op. 12, 1ère éd Durdilly, 1889, puis Leduc, 1897 (in *Cinq pièces*)
Aux champs, op. 13, cf. pièce d'orgue intitulée *Pastorale en sol* éd. Carrara en Italie, 1ère éd. Durdilly, 1889
Menuet, op. 14 (Transkription Hf, Huguette Géliot, in : 'Les plaisirs de la harpe', vol. 2, éd. Henry Lemoine, Paris, 1995), 1ère éd. Durdilly, 1889, puis Leduc, 1897
Einzelstücke:
Impromptu, op. 1, *mon premier morceau,* Ms, 1881, 1ère éd. Armiane, 2001
Rondeau dans le genre ancien, op. 7, 1ère éd. Grus, 1839, *A Madame Marguerite Hertz*
Près du ruisseau, op. 9, 1ère éd. Leduc, 1893
Pensées d'automne, op.19, 1ère éd. Leduc, 1894, *A Thérèse Chaigneau*
Berceuse, op. 23,1, Ms, 1888, 1ère éd. Leduc, 1895 ; vierh. Fassung op. 23,2 unveröffentlicht

VOL. 3: *PIECES PITTORESQUES ET POETIQUES B*, éd. Furore, 2006:
La chanson du rouet, op. 24, 1ère éd Leduc, 1895, *A Mademoiselle Louise Aboilard*
Papillons, op. 28, 1ère éd. Leduc, 1897 (In *Cinq pièces pour piano*)
Romance sans paroles en la bémol majeur, op. 29, 1ère éd. Leduc, 1897 (in *Cinq pièces pour piano*)
Méditation, op. 31, 1ère éd Leduc, 1905, Fassung für Vc u. Kl, éd. Armiane, 2000
Marionnettes, op. 42, 1ère éd Leduc, 1899, éd. Lemoine, 1993 (In *Six pièces*), *A Madame Blanche Chapuis*
Carillon mystique, op. 31, 1ère éd. Leduc, 1898, *A Raoul Pugno*
Barcarolle en si bémol majeur, op. posth. 41, Ms, 1899
Sorrente, op. 61, 1ère éd. Demets, 1904, adaptation symphonique d'un poème de Cécile Guinand, *A Léon Brémont*
Le Moustique, op. 66, 1ère éd. Demets, 1905, puis éd. Lemoine in *Six pièces pour le piano,* 1993, *A Camille Decreus*

VOL. 4: *PIECES DE CONCERT*, éd. Furore, 2004:
Prélude en la bémol majeur, op. 51, 1ère éd. Leduc, 1901, *A Antonin Marmontel*
Barcarolle en mi b, op. 71, 1ère éd. Demets, 1905, puis éd. Eschig, *A Gabrielle Monchablon*
La Cathédrale blessée, op. 107, Ms, 1915, 1ère éd Eschig, 1929, *A la mémoire de Lucien Auger de Lassus*
Etude en sol bémol majeur, op. 136, Ms, 1927, éd. Armiane, 1998, *A Antoinette Fleury*
Romance sans paroles en sol bémol majeur, op. 56, 1ère éd. Henry Lemoine, 1905, puis réédition in «Six pièces», 1993, *A Madame Gayrard Pacini*
Barcarolle-Etude, op. 43, 1ère éd. Leduc, 1899, *A Joseph Daene*
Sevillana, op. 125, 1ère éd. Eschig, 1928, *A Santiago Riera*
Ballade, op. 27, 1ère éd. Leduc, 1897, *A Gabrielle Monchablon*

VOL. 5: *DANSES A*, éd. Furore, 2013:
Einzelstücke:
Etiolles *(Valse)*, op. 2, 1ère éd. Grus, 1884, *A ma mère*
Les Gitanos (*Grande valse espagnole*), op. 15,2, 1ère éd. Hamelle, 1891 (+ Fassungen für Orchester und Klavier vierhändig), *A mon père*
Mazurka, op. 26, 1ère éd. Leduc, 1897, *A Madame Edouard Guinand*
Suite en forme de valses, 1ère éd Leduc, 1898 (+ Fassungen für Orchester und Klavier vierhändig), *A Mesdames Adèle et Marguerite Domange:*
Ballabile, op. 37,1; ***Interlude et valse lente,*** op. 38,1; ***Danse sacrée***, op. 37; ***Scherzo Valse***, op. 35,1

VOL. 6: *PIECES A QUATRE MAINS A*, éd. Furore, 2007:
Pavane, op. 81,2, erschienen in der Zeitschrift ‚L'Illustration', 1904, (+ Fassungen für Orchester und Klavier vierhändig)
Six valses-caprice, op. 87, 1ère éd. Poulalion, *Pour les petits Domange*
Le Songe de Cléopâtre, op. 180,1 (Fassung des Orchesterstückes durch Mel Bonis)

VOL. 7: *PIECES PITTORESQUES ET POETIQUES C*, éd. Furore, 2006:
Einzelstücke:
Echo, op. 89, 1ère éd. Senart, 1910
Narcisse, op. 90, 1ère éd. Senart, 1910, unter dem Pseudonym Henry Wladimir Liadoff
L'ange gardien, op. posth. 99, Ms, 1913, éd. Armiane, 2001
Il pleut, op. 102, éd. Senart, 1913, collection 'La Musique contemporaine', *A Madeleine Verger*
Au crépuscule, op. 111, 1ère éd. Hamelle, 1923, *A ma petite amie Madeleine*
Près du moulin, op. 115, 1ère éd. Maurice Senart, 1925, *A Madame Cadot Laffite*
Ariel, op. 129 posth., unveröffentlichtes Ms, 1925, unter dem Pseudonym Mélas Benissouvski
Dolorosa (*In memoriam*), op. 138 posth., Ms, 1932, éd Armiane, 2001, *A Françoise Domange*
Cinq pièces pour piano, 1ère éd. Maurice Senart, 1929, *A Madeleine Quinet:* ***Une flûte soupire***, op. 117, (Fassung für Fl u. Kl, Ed. Kossack); ***Berceuse triste***, op. 118; ***Boston valse*** ou valse lente, op. 119; ***Agitato***, op. 120; ***Cloches lointaines***, op. 121

VOL. 8: *PIECES A QUATRE MAINS B,* éd. Furore, 2009:
Suite en forme de valses, op. 35,2 bis 39,2, cf. la suite pour orchestre, 1ère éd. Leduc, 1898, *A Adèle et Marguerite Domange:* ***Ballabile, Valse lente, Scherzo-valse, Danse sacrée, Interlude et Bacchanale***
Les Gitanos, op. 15,2 (auch in einer Fassung für Klavier solo und Orchester) 1ère éd. Hamelle, 1891, *A mon père*

VOL. 9: PIÈCES POUR DEUX PIANOS, éd. Furore, 2018:
Scherzo, op. 40, 1ère éd. Leduc, 1898, *A Monsieur Georges Aboilard*
Variations (Thème et 10 variations) op. 85, 1ère éd Demets, 1910, *A Madame Albert Hecht*
VOL. 10: Danses B, éd. Furore, 2014:
Viennoise (valse), op. 8, 1ère éd. Leduc, 1893, A Mademoiselle Jeanne Sorbier
Orientale (valse), op. 32, 1ère éd. Leduc, 1890, A Madame Jeanne Lobstein
Soirs d'antan (valse lente), op. 34 posthume
L'Escarpolette (valse), op. 52, 1ère éd. Leduc, 1901, in *Six pièces pour le piano* de Mel Bonis, éd. Henry Lemoine, 1893, *A Julie Cado*
Diamant noir (valse lente), op. 186 posthume, 1ère éd. Poulalion (?) (unter dem Pseudonym Edouard Domange)

VOL. 11: Danses C, éd. Furore, 2015:
Black pearl **(Habanera)**, op. 70, 1ère éd. Demets, 1905, *A une perle noire* (unter dem Pseudonym Pierre Domange)
Bolero, op. 177 posthume, undatiertes unveröffentlichtes Ms
Mazurka ballet, op. 181 posthume, undatiertes Ms (unter dem Pseudonym Pierre Domange)
Klavierfassung von 3 Tänzen für Orchester, 1ère éd. Demets, 1904 und 1909
Bourrée, op. 62,1, 1904, *A Pierre Domange*
Pavane, op. 81,1, 1909, *A Edouard Domange* (auch für Klavier vierhändig)
Sarabande, op. 82,1, 1909, *A Jeanne Domange*

Einzelstücke / Unveröffentlichte Manuskripte
Tambours et clairons (marche militaire) op. 25, 1ère éd. Baudoux, 1895 (éd.Salabert), *A René Domange*
A Suzanne, Melodram, op. 60, éd Demets, 1904, Text: Cécile Guinand
Clair de lune, op. 192, Transkription der Melodie von Gabriel Fauré
Barcarolle en sol b, op. 134, 1930, Ms
Suite dans le style ancien à quatre mains, op. 127,3 n° 1 et 2 posthume, um 1928, nach dem Quartett und der Suite für Blasinstrumente:
Prélude; Fuguette Berceuse à quatre mains, op. 23,2 posth., Ms, 1895

Klavierstücke für Kinder

SCENES ENFANTINES, op. 92 (8 Stücke) éd. Demets, 1912; éd. Eschig, éd. Furore: ***Aubade*** (*A Odette Dubosc*); ***Joyeux réveil*** (*A Simone Domange*); ***Cache-cache*** (*A Françoise Duroyaume*) (in : *Six pièces pour le piano*, éd. Lemoine, 1993); ***Valse lente*** (*A Max Domange*); Marche militaire (*A Yves Dubosc*); ***Frère Jacques*** (*A Jean Duroyaume*); ***Bébé s'endort*** (*A*…); ***Carillon MIOCHERIES***, op. 126 (14 Stücke) éd. Eschig, 1928: ***Première solitude*** (*Pour commencer*); ***Air connu*** (*Pour Jeanine*); ***Ronde*** (*Pour Daniel*); ***Le Moulin*** (*Pour Etienne*); ***Fifille sage*** (*Pour Huguette*); ***La leçon de solfège*** (*Pour Claude*); ***A pas de loups*** (*Pour Bernard*); ***Patineurs à roulettes*** (*Pour Gilbert*); ***Croquemitaine*** (*Pour eux tous*); ***… Plutôt une vieille danse française*** (*Pour Denise*); ***Joyeux scouts*** (*Pour Guy*); ***Pique-Nique*** (*Pour Michel*); ***La toute petite s'endort*** (*Pour Martine*); ***Les noces de Polichinelle*** (*Pour finir*)
NEUF PIECES FACILES, op. 148, éd. Eschig, 1936: ***La Cigale***; ***Tendres propos***; ***Ronde en sabot; Vers la chapelle; Elégie; Poupées dansantes; Prière à l'ange gardien; Canon à deux voix; Vieille chanson***, *Pour Huguette et Yvette Domange*

DIX-SEPT PIECES ENFANTINES, op. 116, éd. Eschig, 1926, éd. Furore:
La Savoyarde; Poupées japonaises; Carillon; Ronde de nuit; Le vieil invalide; Valse lente; En avant marchons; Prière; En bateau; Cheval échappé; Grand-mère gronde; Cadichon; Fileuse; Maman chante du Fauré; Nénette et Rintintin; Pour l'orgue de Barbarie; « Maman, je voudrais des ailes comme les petits oiseaux », *Pour tous les petits Domange présents et futurs*

ALBUM POUR LES TOUT-PETITS, op. 103 (20 Stücke), éd. Poulalion, 1913, 2ième éd. Colibri , éd. Combre, éd. Furore:
La toupie; Le petit mendiant; Marionnettes; Le baptême; Compliment à Grand-mère; La machine à coudre; Gros chagrin; Colère; Gouttes de pluie; Monsieur Vieubois; La clé des champs; Au temps jadis; Câlineries; Prière; Miaou Ronron; Madrigal; La puce; Dans la montagne; Mireille au piano; Douce amie, *A mes petits-enfants*

SIX PIECES A QUATRE MAINS, op. 130, éd. Eschig, 1930, éd. Furore:
Caravane; A matines; Andante religioso; Carillon de fête; Habanera; Minuit sonne

DEUX PIECES POUR PIANO, op. 113, éd. Senart, 1924, éd. Furore:
Chevaux de bois; Pavane à Ninine

V - ORCHESTER

Les Gitanos (valse espagnole), op. 15,3, éd. Hamelle, 1904, éd. Furore, 2018:
Orchestration par Ad. Gauwin de la valse pour piano: Fl, Ob, 2 Klar in A, 2 Fag, 2 Hr in F, 2 cornets à piston en la, 3 Pos, Kastagnetten, tambour basque, Schlagzeug, StreichQ, Kb

Suite en forme de valses, op. 35 à 38/2, éd. Leduc, 1898; éd. Furore, 2014:
1 Fl, 1 PicFl, 1 Ob, 2 Klar in A , 1 Fag, Hr in E, in F, in Hi, Pauken E u. H, Pauken fa ut en quinte, StreichQ, Kb, *A Adèle et Marguerite Domange*:
Ballabile, ***Interlude et Valse lente***, ***Scherzo-valse***

Danse sacrée, op. 37,3, éd. Leduc, 1898, éd. Furore 2017:
1 Fl, 1 PicFl, 1 Ob, 2 Klar in A , 1 Fag, Hr in E, in F, in Hi, Pauken E u. H, Pauken fa ut en quinte, StreichQ, Kb

Suite orientale, op. 48 , unveröffentlichtes undatiertes Ms (cf. trio piano et cordes, éd. Durand, 1900), éd. Furore, 2019:
2 Fl, 2 Ob, Englischhorn, 2 Klar in A, 2 Fag, 4 Hr in F, 2 Tr in C, 3 Pauken, Pk F-C, Pk H-F, tambour basque, Becken, Triangel, Hf, Steichq, Kb:
Prélude, op. 48 n°1; ***Danse d'Almée***, op. 48 n°2; ***Bourrée, Pavane, Sarabande*** (***Trois danses pour orchestre***), éd. Demets: 2 Fl, 2 Ob, 2 Klar in A, 2 Klar in B, 2 Fag, 2 Hr in F, 2 Hr in E, 1 Tromp. in C, Hf, Triangel, StreichQ, Kb:
Bourrée, op. 62,2, 1904. *A Pierre Domange;* ***Pavane***, op. 81,2, 1909. *A Edouard Domange* (auch für Klavier vierhändig); ***Sarabande***, op. 82,2, 1909, *A Jeanne Domange*

Troix Femmes de légende
1. Salomé, op. 100,2 (cf. Femmes de légende pour piano, Ed. Furore) Ms calligraphié, éd. Furore, 2017:
PiccFl, 2 Fl, 1 Ob, 2 Klar in B, Fag, 2 Hr in F, 2 Tromp, Pauken, gr. Trommel, tambour basque, Triangel, Becken, 1 Hf, StreichQ, Kb

2. Ophélie, op. 165,2 posth.(cf. Femmes de légende pour piano, éd. Armiane und éd. Furore) éd. Furore, 2017:
Ms calligraphié: 3 Fl, Ob, Englischhorn, Klar in B, BassKlar in B, 2 Fag, 2 chrom. Hr in F, 2 Tromp. in C, Pauken B-ES, Becken, 2 Hf, StreichQ, Kb

3. Le Songe de Cléopâtre, op. 180,2, Ms calligraphié, éd. Furore, 2017:
3 Fl, 2 Ob, Englischhorn, 2 Klar in B, 2 Fag, 4 Hr in F, 2 Tromp in C, 3 Pauken u. Tuba, Pauken C-F, Becken, Triangel, 2 Hf, StreichQ, Kb

Symphonie burlesque, op. 185 posth., für Kinderorchester, unveröffentlichtes undatiertes Mst, unter dem Pseudonym Pierre Domange: Clairons et cors en buis; tambour de basque et cymbales; sirènes, trompes et fouet; triangle et grelots; tambour et tambourin; pistolet à bouchon; bouteillophone et jeu de timbres(ou harmonica) chromatiques de la à la; castagnettes; mirlitons; crécelles; tonnerre et sable pour imiter la pluie; xylophone à volonté, cloches:
En ballade; Pique-nique; Pastorale; Retour, éd Fortin, 2016

Werke für Klavier und Orchester

Fantaisie pour piano et orchestre, op. 72/2 (1906) (13'), éd. Furore, 2020:
Klavier, 2 Fl, 1 Ob, Englischhorn, 2 Klar in B, 1 Fag, 2 Hr in F, Pauken, 1 Harfe, StreichQ, Kb. Orchestration par Yves Henry (2014), UA Januar 1910
Théâtre du Châtelet unter der Leitung von Gabriel Pierné (Ms. verschollen)

Werke für Gesang und Orchester

Le Ruisseau, op. 21,2, Text: A. L. Hettich, unveröffentlichtes undatiertes Ms, kalligrafierte Stimmen, Text: A. L. Hettich; éd. Furore, 2019:
Pour duo ou chœur sopranis et altis, avec accompagnement d'orchestre: Fl, Ob, Klar in A, cornet à pistons in C, Hf, StreichQ, Kb

Noël de la Vierge Marie, op. 54,2 (cf. mélodie avec orgue ou piano, éd. Armiane), unveröffentlichtes undatiertes Ms, Text: M. Pape Carpantier, éd. Furore, 2019:
Pour mezzo-soprano soliste avec accompagnement d'orchestre: 2 Fl, Ob, Klar in A, Fag, Horn in F, Vl, Va, Vc u. Kb. Vereinfachte Fassung: Fl, Ob, Klar in A, Fag, StreichQ, Kb

Le Chat sur le toit (ou les amours du chat) op. 93,2 (cf mélodie avec piano, éd. Armiane, 2005), unveröffentlichtes undatiertes Ms, kalligrafierte Stimmen, Text: Du Costal; éd. Furore, 2019:
für Solosopran und Orchester: 2 Fl, 2 Ob, 2 Klar in A, 2 Fag, 2 Hr in F, Becken, Triangel, Hf, StreichQ, Kb

Weitere in verschiedenen Verzeichnissen erwähnte Werke

Andante religioso pour violon, violoncelle et orgue, 1917 [Catalogue SACEM]
Insouciance pour piano sous le pseudonyme d'Isaac Strauss. Dédicace: "À Mme Albert Domange", éd. Leduc, 1899 [Catalogue Domange]
Mélancolie pour piano [Catalogue Domange]
Musette pour piano [Catalogue Domange]
Nocturne no 2 en ré bémol pour piano [Catalogue SACEM]
Nocturne en ré majeur pour violon, violoncelle et piano [Catalogue Sacem 97146]
Prélude en la mineur pour piano [Catalogue SACEM]
Prélude en ré bémol pour piano [Catalogue SACEM]
Prélude en si bémol pour piano [Catalogue SACEM]
Sortie en ré majeur pour orgue [Catalogue Domange]
Suite pour flûte, violon et violoncelle: 1. Allegretto, 2. Pastorale, 3. Scherzo [Catalogue SACEM]
Trio en mi bémol pour piano, violon et violoncelle: 1. Pastorale, 2. Idylle, 3. Jour de fête. [Catalogue SACEM]
Trio en sol mineur pour piano, violon et violoncelle: 1. Allegro, 2. Adagio, 3. Intermezzo, 4. Final [Catalogue SACEM]

Weitere Informationen bei der Association Mel Bonis: www.mel-bonis.com

ANHANG III

DISKOGRAFIE

1) SONATES FOR VIOLIN AND PIANO
Mel Bonis: Sonate pour violon et piano; Debussy: Sonate 1; Franck: Sonate.
A. Constantin, violon, A. Rojdestvensky, piano
Thésis, 1993, diffusion privée

2) MEL BONIS, PIECES POUR PIANO
15 pièces pour piano de Mel Bonis
Luba Timofeyeva, piano
Voice of lyrics, 1998. VOL C 341

3) MEL BONIS, FRANZÖSISCHE KAMMERMUSIK
Suite en trio pour flûte, violon et piano; Quatuor en si b; 3 sonates; Suite dans le style ancien; Fantaisie en septuor
Ensemble Mel Bonis Leverkusen (Eberhard Mayer)
Production Ensemble Mel Bonis, 1998/2006 (erhältlich: Association Mel Bonis: www.mel-bonis.com)

4) ŒUVRES POUR FLUTE ET PIANO
Debussy, Jolivet, Boulanger, Roussel, Tailleferre, Tansman et *Mel Bonis: Sonate pour flûte et piano*
Kaspar Zehnder, Patrizio Mazzola
Pan classics 510 110, Schweiz, 1998

5) FRENCH FLUTE SONATAS
Sonates de Caplet, Gaubert, Ravel et *Mel Bonis*
Félix Renggli, flûte; Jan Schultz, piano
Discover International, 1999 (Österreich)

6) KAMMERMUSIK DER „BELLE EPOQUE"
Cécile Chaminade, Louise Adolfa le Beau et *Mel Bonis : Méditation, Sérénade, Sonate pour violoncelle et piano*
Cecylia Barczyk, violoncelle; Madeleine Stucki, piano
Relief 8CR98 1042 (Schweiz)

7) TROIS SONATES DE MEL BONIS
Sonates pour flûte, pour violoncelle, et pour violon et piano
Laurent Martin, piano, Clara Novakova, flûte, Jean Marie Trotereau, violoncelle, Kai Gleusteen, violon
Voice of lyrics, Juni 1999. VOL C 342 voiceoflyrics.com

8) MEL BONIS, FAURE, FRANCK: MUSIQUE SPIRITUELLE
Mel Bonis: Cantique de Jean Racine, Messe à la Sérénité, motets, Chant nuptial
Chœurs, harpe et orgue, Direction Jean-Philippe Sarcos, avec Sylvie Deguy, Brigitte de Montalembert, Huguette Géliot ...
Production B. de Montalembert, 1999, diffusion privée

9) FLORILEGE DE MUSIQUE FRANCAISE
Tournier, Ravel, Gounod, Saint-Saëns, *Mel Bonis: Regina coeli,* Bernard Andrès, Philip Cannon
Colette Comoy, soprano; Michael Mulvey, baryton; Huguette Géliot, harpe.
Quantum. 1999. DQM 6989/SM 55

10) ŒUVRES POUR ORGUE DE MEL BONIS,
Nadia Boulanger, Elfrida Andrée, *Mel Bonis: 21 pièces pour orgue*
Chantal de Zeeuw, sur les orgues de Roquevaire
Voice of Lyrics, Juli 2000, VOL C 343 voiceoflyrics.com

11) MEL BONIS QUATUORS
Deux quatuors pour piano et cordes, Méditation et Sérénade pour violoncelle et piano
Laurent Martin, piano, Gordan Nicolitch, violon, Jean Philippe Vasseur, alto, Jean-Marie Trotereau, violoncelle
Voice of Lyrics VOL C 344, 2001 voiceoflyrics.com

12) MEL BONIS: MUSIQUE SPIRITUELLE
3 pièces d'orgue, Chant nuptial, Sub tuum, Cantique de Jean Racine
Charles Panzéra, Pierre Cochereau, Huguette Géliot... Document familial restauré chez Pareliès, Juni 2001, propriété de l'association Mel Bonis; diffusion privée

13) MEL BONIS, ŒUVRES VOCALES RELIGIEUSES
Intégrale de l'œuvre religieuse pour chœur de Mel Bonis
Schola Saint Sauveur, direction Jean François Sénart; Chantal de Zeeuw, orgue; Claire le Fur, harpe
Voice of Lyrics. Vol C 345. 2001 voiceoflyrics.com

14) ORGUES ET ORGANISTES DU XXème SIECLE (1900-1950)
Tournemire, Vierne, Bach, Widor, Mendelssohn, Mel Bonis, Clérambault, Dupré, Haendel, J. Alain, Grigny, Marchand, Anonyme, Saint-Martin, Liszt, Duruflé, Messiaen, joués par les plus grands organistes français (Tournemire, Vierne, Dupré, Gigout, Duruflé, Langlais, Cochereau, etc) sur les plus beaux instruments du patrimoine
De Mel Bonis: Improvisation par Cochereau
Production EMI, Collection «Les Introuvables» 5748662. 2002 (5 CDs)

15) HOMMAGE A MEL BONIS FLUTE ET PIANO
Mel Bonis: l'œuvre pour flûte et piano; Lili Boulanger, Cécile Chaminade, Claude Debussy et Philippe Gaubert
Sabine Seyfert, flûte, Yumiko Watanabe, piano
Kojima recordings, Japan ALCD-9047

16) MUSIQUE FRANCAISE AU FEMININ
Mel Bonis, Elsa Barraine, Claude Arrieu, Suzanne Giraud et Florentine Mulsant
Mel Bonis: Suite dans le Style Ancien pour flûte, clarinette, violon et piano
Ensemble Latitude. Direction artistique et clarinette: Stéphanie Carne
Triton, 2005, Frankreich TRI 331136

17) ROMANCE
Französische Liebeslieder: F. Devienne, J.B. Krumpholtz, C. Saint-Saëns, M. Tournier, J. Massenet, B. Godard, L. Delibes, R. Laparra, J. Ibert, A. Caplet et Mel Bonis
Mel Bonis: Invocation, Chanson d'amour et Songe; Une flûte soupire pour flûte et piano
Eensemble «Con voce», Heidrun Luchterhandt, soprano, Hans-Jöerg Wegner, flûte, Ellen Wegner, harpe
Gutingi, 2005, Deutschland GUT 236. www.hans-joerg-wegner.de

18) MEL BONIS, L'ŒUVRE VOCALE
23 mélodies de Mel Bonis pour soprano et mezzo soprano en solo et en duo avec accompagnement de piano et interventions de violon et de violoncelle
Valerie Gabail, soprano, Brigitte Balleys, mezzo-soprano et Eric Cerentola, piano
Doron musique, 2006, Schweiz DRC 502

19) SALVE REGINA
Salve Regina du moyen-âge à nos jours: B. de Clairvaux, A. de Cabeçon, W. Byrd, O. di Lasso, M. A. Charpentier, A. Scarlatti, S. Ritter von Neukom, F. Schubert, G. Rossini, F. Liszt, G. Olstrasi, Mel Bonis, J.G. Ropartz, F. Poulenc, D. Saint-Raymond.
Mel Bonis: Salve Regina
Ensemble vocal de Saint-Quentin-en-Yvelines, direction Valérie Josse, orgue, Gautier Willemin
Production EVSQI, diffusion privée

20) L'ANGE GARDIEN
22 pièces pour piano de Mel Bonis choisies parmi les Pièces pittoresques, Danses, Femmes de légende et Pièces de concert: Impromptu; Prélude, Menuet, Gai Printemps; Eglogue; Rondo dans le genre ancien; Berceuse; Papillons; Romance en la bémol; Mazurka; Méditation; Scherzo-Valse; Interlude et Valse lente; Romance sans paroles en sol bémol majeur; Sarabande; Desdémone; L'Ange gardien; La cathédrale blessée; Près du moulin; Une flûte soupire; Berceuse triste; Les Gitanos.
Laurent Martin, piano
Ligia Digital, 2007, Frankreich, LIDI 0103181-07

21) UN FLOT D'ASTRES FRISSONNE

musique française profane pour chœur de femmes: Claude Debussy, Gabriel Fauré, Lili Boulanger, Louis Aubert, Alfred Bruneau, Claude Arrieu, Ernest Chausson, Mel Bonis et Louis Caplet; *Mel Bonis: Regina coeli*
Interprète(s): Chœur de femmes Calliope, direction Régine Theodorescu, piano, Nicolas Jouve
Référence: CAL 9374, 2007

22) HOMMAGE A DEBUSSY

Trios flûte, alto et harpe: Henri Lazarof: Harp trio; Oeden Partos, Invenzione a tre; Claude Debussy: Sonate; *Mel Bonis: Scènes de la forêt*
Mihi Kim, flûte, Pierre Henry Xuereb, alto et Rachel Talitman, harpe
Label Harpe and company, Belgien, 2007. 5050-10

23) PIANO QUARTETS DE MEL BONIS

Les deux quatuors de Mel Bonis et le trio "Soir et Matin"
Mozart Piano Quartett
MDG Production, Deutschland, 2008

24) LA JOUEUSE DE FLUTE

Mel Bonis: Suite pour flûte, violon et piano; Andante et Allegro; Air vaudois; Septuor Fantaisie; Scènes de la forêt; Suite dans le style ancien; Pièce pour flûte opus 189; Une flûte soupire; Scherzo (ou Final) opus posthume 187
Tatjana Ruhland, flûte, Florian Wiek, piano, et les musiciens du Stuttgart Radio Symphony Orchestra
Hänssler 93.204, Deutschland, 2008

25) TO PAN AND SYRINX

Récital flûte et piano de Kenneth Smith et Paul Rhodes:
Mel Bonis, Sonate; Cl. Debussy, Syrinx; F. Schubert, Introduction, thème et variations; B. Martinù, Sonate; A. Roussel, Le joueur de flûte; G. Enescu, Cantabile et Presto
Divine art dda 25066, Royaume uni, 2008

26) UNE FLUTE SOUPIRE

Mel Bonis et Cécile Chaminade, œuvres pour flûte et piano
Mel Bonis: Sonate pour flûte et piano, Pièce opus 189, Andante et Allegro, Scherzo (Final), Scènes de la forêt pour flûte, cor et piano, Air Vaudois, Une flûte soupire
Anne-Laure Pantillon, flûte et Marc Pantillon, piano, avec la participation de Christophe Sturzeneger, cor
Pantillon records, Schweiz, 2009

27) FEMMES DE LEGENDE
Mel Bonis: Sept femmes de légende pour piano: Phoebé, Salomé, Mélisande, Desdémone, Omphale, Ophélie et Viviane + 11 pièces
Maria Stembolskaia, piano
Ligia Digital: LIDI 0103214-10, Les compositrices, Volume 2, 2009

28) LA CATHEDRALE BLESSEE
19 pièces pour piano: Barcarolle, La Cathédrale blessée, Il pleut, Romance sans paroles opus 56, Ballade, Eglogue, Etude de concert, Echo, Narcisse, Marionnettes, Prélude opus 51, le Songe de Cléopâtre (à quatre mains), 4 femmes de légende (Mélisande, Desdémone, Salomé, Ophélie), Dolorosa, Impromptu, Cloches lointaines
Veerle Peeters, piano, avec la participation de Jan Vermeulen pour le quatre mains.
CD Etcetera Records, KTC 1422, distribution Codaex

29) PERLES OUBLIEES DE LA FLUTE
pour flûte et piano; *Mel Bonis: Sonate pour flûte et piano*
Michel Moraguès, flûte et Kyoko Nojima, piano
CD Saphir

30) RAVEL, FAURE, BONIS: Trios avec piano
Ravel: Trio pour piano, violon et violoncelle; *Mel Bonis: Soir et Matin;* Fauré: Trio op. 120
Trio Georges Sand: Virginie Buscail, violon; Nadine Pierre, violoncelle; Anne-Lise Gastaldi, piano
Zig-Zag territoire, 2011. ZZT120101

31) BARCAROLLES
dans un florilège choisi, *Mel Bonis: Barcarolle opus 71*
Jean Dubé, piano
CD Syrius, syr 144 3, 201

32) DONNAE ... NOTES ... IN TUTTO IL MUNDO
Pièces à quatre mains composées par des femmes dans différents pays
Par le duo Ragazzoni
CD Suonar, 2011

33) ELLE
Pièces à quatre mains de Marie Jaël, *Mel Bonis: Les Valses-caprice* et Chaminade
Paule Van Parys et Wilheim Kemper
Verlag Dohr, 2011

34) DANSE DES SYLPHES
Récital flûte et piano
Mel Bonis: Sonate; Joachim Andersen, Ballade et danse des sylphes; Joachim dos Santos, Minuetto; H. Dutilleux, Sonatine; Alexandre Delgado, The panic flirt; S. Prokofiev, Sonate. Par Adriana Ferreira, flûte et Isolda Crespi, piano
Numérica NUM 1219, 2011; Distribution Itunes

35) LE SONGE DE CLEOPATRE
L'œuvre de Mel Bonis à quatre mains + pièces pour piano solo
Laurent Martin et Claudine Simon, piano
CD Ligia digital, 2012, avec la participation du Palazetto Bru Zane

36) VOYAGE
Récital d'oeuvres rares pour flûte et piano: *Mel Bonis: Sonate;* Eldin Burton: Sonatine; Otar Takakishvili: Sonate; Süleyman Alnitemiz: Nihavent; Huang Huwei: The bright sun shines
Sibel Pensel, flûte et Anna Roumiantseva, piano
Label, le Chant de Linos, distribution Harmonia Mundi, 2012

37) REGARDS
Œuvres pour piano de 4 compositrices: Cécile Chaminade, Mel Bonis, Clara Schumann et Marianne von Martinez; *Mel Bonis, 7 pièces pittoresques*
Didier Castell-Jacomin, piano
CD Integral Classic, 2012

38) MEL BONIS : SYMPHONIC WORKS
Œuvre de Mel Bonis pour orchestre. En première mondiale
Suites de danses: Suite en forme de valses; Bourrée, Pavane et Sarabande; Les Gitanos; Suite orientale; trois «Femmes de légende».
Orchestre symphonique de Bucarest, direction Benoit Fromanger
Label: Le Chant de Linos, 2012

39) SOIR ET MATIN – MEL BONIS, MUSIQUE IMPRESSIONNISTE ET ROMANTIQUE
Air vaudois; Une flûte soupire; Andante et Allegro; Suite orientale; Pièce; Sonate en do dièse mineur; Scherzo; Soir et Matin
Fabienne Sulser, flûte; Matthias Walpen, violoncelle; Anne-Marie Aellen, piano
Disques VDE – GALLO, 2013
www.vdegallo-music.com

40) MUSIQUE DE CHAMBRE AVEC FLÛTE
Pièce opus 189, Sonate en ut mineur, Air Vaudois, Une flûte soupier, Suite orientale avec flûte, violoncelle et piano, Scherzo, Suite en trio pour flûte,violon et piano
Jean-Michel Varache, flûte, Jérôme Grangeon, piano, Anne Copery, violoncelle et Saskia Lethiec, violon
Label: Urtext, Mexiko, 2014

41) QUATUOR GIARDINI: DEUX QUATUORS AVEC PIANO
Premier Quatuor de Mel Bonis et de Gabriel Fauré
Pascal Monlong, violon, Caroline Donin, alto, Pauline Buet, violoncelle, David Violi, piano
Label: Evidence Classics, 2014

ANHANG IV

BIBLIOGRAFIE

Mel Bonis: *Souvenirs et réflexions,* hg. v. Michel Domange, Ed. Du Nant d'Enfer, 1974
Mel Bonis (Madame Albert Domange), Compositeur de musique, Biographie – Œuvres, par ses enfants et petits-enfants à l'occasion du Xe anniversaire de sa mort, mars 1947
Domange, Michel: *Ah ! Mes aïeux !* Ed. Du Nant d'Enfer, 1990
Lebenslauf von Albert Domange (Familienarchiv)
Brochures et publicités de la maison Scellos (Familienarchiv)
Généalogie de la famille Domange par Bruno Domange (Familienarchiv)
Correspondances de Mel Bonis (Familienarchiv)
Correspondance de Madeleine (Familienarchiv)
Correspondances d'Hettich (Familienarchiv)
Hettich, Amédée Landely: *Vers à chanter,* recueil de poésies (Familienarchiv)
ders.: *Carnet noir,* poèmes manuscrits (Familienarchiv)
ders.: Publications musicales et pédagogiques (Familienarchiv)
Archives du CNSM et collections DUNANT aux Archives Nationales (4)
Constant, Pierre: *Le Conservatoire National de musique et de déclamation,* Bibliothèque des introuvables, o. J.
Hettich (Verger, Quinet), Madeleine: *Histoire d'un berger pas comme les autres, ou les mémoires féeriques de Madeleine*
Vernillat / Barbier: *Histoire de France par les chansons,* o. J.
La Revue des deux mondes 1897- 1901
Devries / Lesur: *Dictionnaire des éditeurs de musique français,* o. J.
Musikzeitschriften zwischen 1880 und 1915*: 'L'Art Musical', 'Le Ménestrel', 'Le Guide Musical', 'Piano soleil'*
Caron, François: *La France des patriotes 1851-1918,* o. J.
Chalon, Jean: *Thérèse de Lisieux,* o. J.
*Le manuel des catéchismes par l'*Abbé Félix Dupanloup, *1889,* und andere Handbücher der religiösen Erziehung der Zeit*: L'Imitation des Tout-petits, L'Education de la jeune fille, L'Imitation du jeune homme, L'Imitation de Jésus Christ*
Altmann, Wilhelm: *Handbuch für Klavierquartettspieler,* Leipzig 1937
Griffiths, Paul: *Brève histoire de la musique moderne,* Paris 1978
Dufourq, Norbert: *Mélanie Domange Bonis (1858-1937), dite Mel Bonis*, in: L'orgue n° 185 (1983), p.1-5
Mayer, Eberhard: *Mel Bonis – eine bemerkenswerte und doch vergessenen Musikerin und Komponistin aus Frankreich*, Leverkusen, 1998
Ducheneau, Michel: *L'Avant-garde musicale à Paris de 1871 à 1939,* Ed. Margada, 1997
Fauquet, Joël-Marie: *César Franck*, Paris 1999

Sabatier, François: *La biographie de Mel Bonis par Christine Géliot*, in: L'orgue n° 251, 1999
François, Véronique: *Mel Bonis (1858-1937) – une vocation de compositrice contrariée,* Mémoire de Maîtrise, Université Paris-IV-Sorbonne, 1999
Mayer, Eberhard: *Mel Bonis – eine vergessene französische Komponistin,* in: Flöte aktuell 3/2000, Deutsche Gesellschaft für Flöte, Frankfurt
ders.: *Mel Bonis. La musique de chambre redécouverte,* in: clingKlong 44, 2000, FrauenMusikForumSchweiz
ders.: *Die wiederentdeckte Kammermusik von Mel Bonis – Annäherung an eine außergewöhnliche Komponistin*, in: Viva Voce 56, Kassel 2001
Fauquet, Joël-Marie: *Dictionnaire de la musique française en France au XIXème siècle*, Paris 2003
Géliot, Christine: *Mel Bonis. Portrait*, in: Traversières n° 78, premier trimestre 2004
Anne Marie Green / Hyacinthe Ravet (Hg.): *L'accès des femmes à l'expression musicale*, Paris 2005
Schenck, Dorothea: *„Très douée, bonne musicienne". Die französische Komponistin Mel Bonis (1858-1937),* Schriftenreihe des Sophie Drinker Instituts, Bd. 1, Oldenburg 2005
Launay, Florence: *Les compositrices en France au XIXe siècle*, Paris 2006
Géliot, Christine: *Mel Bonis, femme compositeur,* in: Patrimoine en Val de France n° 6, septembre 2008
dies.: *Mel Bonis*, in: Piano 22, 2008-2009
Pollock, Malcolm: *The flute works of Mel Bonis*, Pan 2013 (bfs.org.uk)

ANHANG V

PERSONENVERZEICHNIS

ANHANG VI

ALPHABETISCHES WERKVERZEICHNIS

DIE FAMILIE DOMANGE

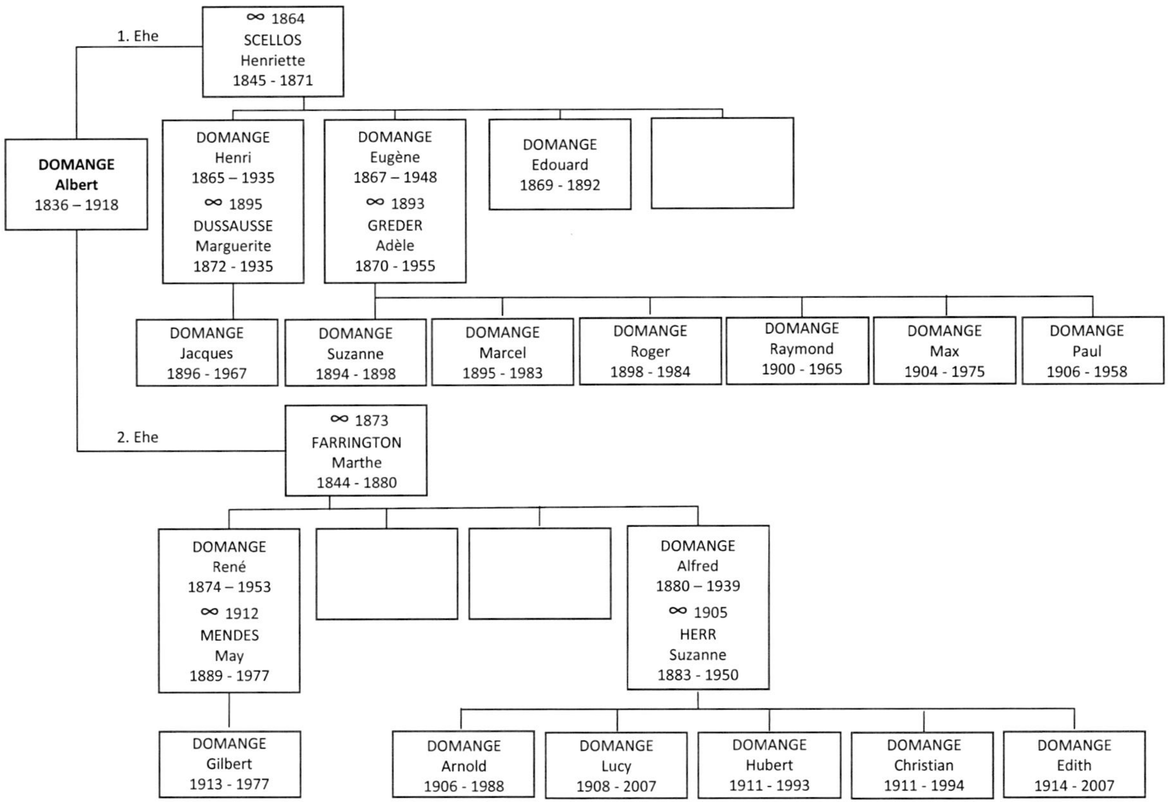

DIE FAMILIE DOMANGE

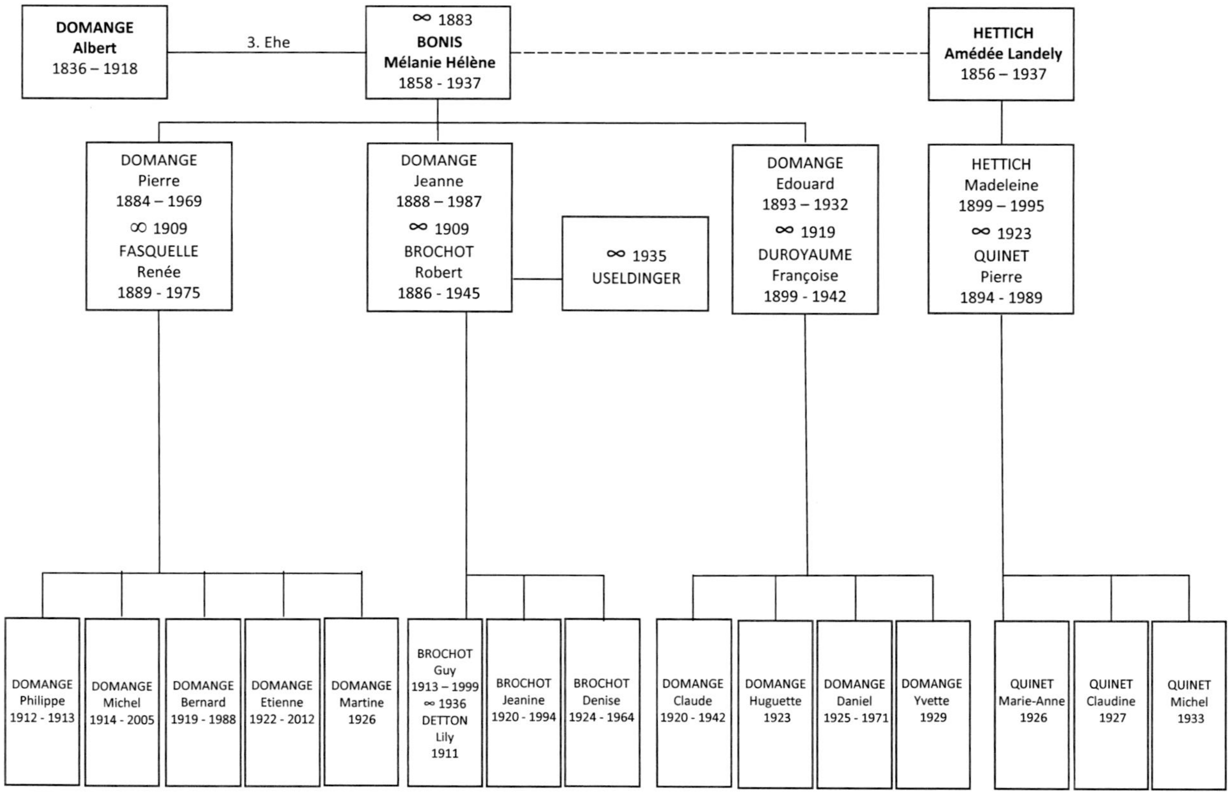

INHALT